Return On Character

Das unterschätzte Potenzial für Ihr Unternehmen

Fred Kiel

Zuerst erschienen bei
Harvard Business Review Press

Englische Originalausgabe 2015: Return on Character - The Real Reason Leaders and Their Companies Win, Harvard Business Review Publishing, Boston.

Herausgeber der deutschen Ausgabe: Martin Harder, KRW International, Berlin
martin.harder@krw-intl.com

Client Services KRW International: clientservices@krw-intl.com
Nachrichten an den Autor: kiel@krw-intl.com

Mehr zum Buch: http://returnoncharacter.de
Mehr zu KRW International: https://krw-intl.de

Lektorat:Meiken Endruweit - www.stapel-lauf.de
Buchsatz: Sabine Abels - www.e-book-erstellung.de

978-3-7469-5098-3 (Paperback)
978-3-7469-5099-0 (Hardcover)
978-3-7469-5100-3 (e-Book)

Verlag und Druck:
tredition GmbH
Halenreie 40-44
22359 Hamburg

Bibliografische Information der Deutschen Nationalbibliothek:
Die Deutsche Nationalbibliothek verzeichnet diese Publikation in der Deutschen Nationalbibliografie; detaillierte bibliografische Daten sind im Internet über http://dnb.d-nb.de abrufbar.

Mit Fred Kiels Buch *Return on Character* wird sehr fundiert der Zusammenhang zwischen Führungsverhalten und Geschäftserfolg mit Zahlen und Fakten belegt. Grundlage für das Buch ist eine sehr intensive Forschung mit konkreten Beispielen. Die Definition der wesentlichen Charakterelemente ist international allgemeingültig; sie kennzeichnen bei starker Ausprägung den „virtuoso leader". Er erreicht mit seinem Unternehmen eine etwa fünffach höhere Rendite als der ichbezogene Manager. Dies zeigt die Bedeutung der häufig vernachlässigten „soft factors" in der Führung. Die Anregungen dazu, ein „virtuoso leader" zu werden, sind empfehlenswerte Lektüre für jeden, der den positiven Einfluss seiner Führung noch weiter steigern möchte.

— **Bernhard Mattes**, Vorsitzender der Geschäftsführung der Ford-Werke GmbH

Führungsverhalten und Corporate Governance sind eng verbunden. Über den Beleg, dass gute Corporate Governance nicht nur die gesellschaftliche Akzeptanz der sozialen Marktwirtschaft festigt, sondern sich auch in besseren Ergebnissen niederschlägt, freue ich mich sehr. Diese Analyse war überfällig und hilft uns das Leitbild des „ehrbaren Kaufmanns" und unser Wirtschaftssystem zu verteidigen.

— **Dr. Margarete Haase**, Mitglied des Vorstands, Deutz AG und Mitglied der Regierungskommission Deutscher Corporate Governance Kodex

Der Hinweis, gutes Management führe zu guten Ergebnissen, liest sich wie eine Tautologie. Fred Kiel führt uns aber mit dem Buch *Return on Character* deutlich darüber hinaus, indem er zum ersten Mal die Korrelation von Führungsverhalten und Geschäftserfolg mit Zahlen und Fakten belegt. Sie ist signifikant. Das Buch enthält auch lesenswerte Anregungen für Führungskräfte, das eigene Verhalten zu verändern, um den Führungserfolg zu steigern.

— **Dr. Clemens Börsig**, Ehemaliger Vorsitzender des Aufsichtsrats der Deutsche Bank AG

Ein Standardwerk für Führungskräfte und HR-Verantwortliche! Nie zuvor wurde dem Faktor Charakter eine solche Aufmerksamkeit gewidmet, nie waren die Fakten so klar aufbereitet, nie das Ergebnis so offensichtlich: Führung mit Charakter führt zu besseren und nachhaltigeren Ergebnissen. Fred Kiels jahrelange Forschung und Erfahrung sprechen aus diesem Buch. Für mich eine wertvolle Inspiration und eine großartige Ergänzung zu den gängigen Studien über Führung, anschaulich geschrieben, mit klaren Empfehlungen und erhellenden Fallstudien.

— **Dr. Christian Finckh**, Chief Human Resources Officer, CHRO Allianz

Fred Kiels Buch *Return on Character* belegt auf beeindruckende Weise und erstmals mit Zahlen und Fakten den Zusammenhang von Führungsverhalten und Geschäftserfolg. Die von ihm herausgestellte Bedeutung der vier universell akzeptierten Charaktereigenschaften von Integrität, Verantwortungsbewusstsein, Empathie und Versöhnlichkeit deckt sich mit den persönlichen Erfahrungen meiner beruflichen Laufbahn. Ob Europa, USA, China oder Russland - immer wieder begegneten mir die von Kiel beschriebenen Manager – „virtuose" und leider allzu häufig auch „ichbezogene", die glauben, nur ein harter, dirigistischer Führungsstil leite sie zum Erfolg. Ich kann nur bestätigen, dass Fred Kiels Erkenntnisse global von Bedeutung sind. Das Buch enthält lesenswerte, motivierende Anregungen für Führungskräfte aus allen Ländern, wie sie ihr eigenes Verhalten ändern und damit den Erfolg ihres Unternehmens steigern können.

— **Ulf Schneider**, Geschäftsführender Gesellschafter, Schneider Group

In Fred Kiels Buch wird mit Zahlen und Fakten die Korrelation von Führungsverhalten und Geschäftserfolg gezeigt. Sie ist signifikant, und belegt die Bedeutung der „soft factors" in der modernen Unternehmenskultur. Das Führungsverhalten wird mit vier universal gültigen Kriterien beschrieben und bewertet. Eine positive Ausprägung kennzeichnet die Virtuoso Leader die mit ihren Unternehmen hohe Ergebnisse erreichen, während ichbezogene Manager mit geringerer Bewertung kaum ein Fünftel dieser Ergebnisse erreichen.

Das Buch gibt auch interessante Anregungen, wie Führungskräfte ihr Entscheidungsverhalten weiter verbessern können und damit im Unternehmen noch wirksamer werden.

— **Dr. Nandani Lynton**, Global Head, Siemens Leadership Excellence

In einer globalisierten und zunehmend digitalen Welt, welche sich in gefühlter Lichtgeschwindigkeit um uns herum kontinuierlich weiter verändert, stehen Unternehmen vor riesigen Herausforderungen. Herausragende Führung ist dabei heute wichtiger denn je, damit Unternehmen langfristig erfolgreich am Markt bestehen können. Die von Kiel identifizierten Charaktergewohnheiten erfolgreicher Unternehmensführer sind hingegen zeitlos. Top-Teams, die diese Gewohnheiten erlernen und übernehmen, werden zum „Fels in der Brandung", geben Orientierung und schaffen einen Rahmen der Verlässlichkeit für Mitarbeiter, Kunden und andere Stakeholder in Zeiten zunehmender Volatilität, Komplexität und Unsicherheit. Das Buch liefert daher einen hervorragenden Kompass für die Neuausrichtung moderner Führungskräfteentwicklung in stürmischen Zeiten.

— **Philipp Kurtenbach**, Global Director Talent & Organisation Development, Dentsu Aegis Network

Inhaltsverzeichnis

Den Charakter kann man auch an den kleinsten Handlungen erkennen.

Lucius Annaeus Seneca[1]

Vorwort zur deutschen Ausgabe von Martin Harder

Charaktergewohnheiten – das ist der Kernbegriff des Buches, das Sie in Händen halten. Und es ist ein Begriff, über den man erst einmal stolpert: Charakter-Gewohnheiten – ist das nicht ein Widerspruch in sich? Charakter, so das landläufige Verständnis, ist angeboren und folglich unveränderlich. In seiner Nähe zum „Wesen" des Menschen wird Charakter obendrein als etwas sehr Innerliches, Verborgenes, eigentlich nicht genau Erkennbares und Erfassbares empfunden. Gewohnheiten dagegen, gute oder schlechte, haben wir uns angeeignet. Als wiederkehrende Verhaltensweisen sind sie das, was anderen an uns auffällt, wofür wir bekannt sind. Unser spontanes Verhalten zeigt unsere Gewohnheiten.

Was entsteht aus der Kombination beider Begriffe? Charaktergewohnheiten würden dann Verhaltensweisen bezeichnen, in denen unser Charakter zum Ausdruck kommt und für andere erkennbar ist – nicht zuletzt in der Art, wie wir mit anderen Menschen umgehen.

Im Deutschen wurde der Begriff Charakter erst mit der Aufklärung gebräuchlich. Ihre Vorstellungen von Charakter-Erziehung prägten den Begriff, der jedoch schon bei Aristoteles zu finden ist. Aristoteles beschreibt die fundamentalen Tugenden, die für ihn den Charakter bilden. Ihm zufolge sind diese dem Menschen nicht angeboren, sondern müssen erst entwickelt werden. Die Kultivierung des Charakters ist für Aristoteles ein Prozess der beständigen Übung – Charakter ist erlernbar!

Fred Kiels Antwort auf die Frage, ob Führung einen – belegbaren! – Effekt auf ein Unternehmensergebnis hat, lautet nach seiner grundlegenden Forschung in fast 100 Unternehmen: Charakter ist der entscheidende Faktor für ein positives Ergebnis, den das Unternehmen selbst beeinflussen kann. Fred Kiel macht ein bestimmtes Set an erlernbaren Charaktergewohnheiten aus, die wir alle in unserem Alltag als positiv erfahren und die Unternehmen nicht nur profitabel machen, sondern auch für alle Beteiligten produktive Bedingungen schaffen.

Liest man die Tagespresse und Wirtschaftsmagazine, gewinnt man den Eindruck, Führung sei heute zu einer beinahe unmöglichen Aufgabe geworden: Manager sind Adressat höchster Erwartungen, immer schneller gute „Lösungen" beizubringen. Es ist ein kurzer Weg vom Helden zum Buhmann. Die Aura des kompetenten „Machers" ist durch zahlreiche Vorgaben und Regeln der Compliance verdrängt, die beachtet werden sollen, um nicht mit dem Gesetz in Konflikt zu geraten. Es scheint gute Gründe zu geben, die junge Führungskräfte zunehmend zögerlich sein lassen, in die erste Reihe im Unternehmen zu treten. Die immer schneller wachsende Menge an Managementliteratur und Führungsmodellen könnte als Ausdruck einer wachsenden Unklarheit verstanden werden, wie richtige Führung eigentlich aussieht und worauf es dabei ankommt.

Return On Character von Fred Kiel birgt dagegen eine positive Botschaft: Wer mit Charakter führt, gibt Orientierung. Das lohnt sich für den Einzelnen wie auch für das Unternehmen. Und Fred Kiel zeigt auf, wie es geht.

Seit Erscheinen der englischen Ausgabe wird immer wieder die Frage gestellt, ob denn das *Return on Character*-Konzept in andere kulturelle Kontexte übertragbar sei. Nach drei Jahren praktischer Anwendung ist die Antwort eindeutig ein „Ja":

- Die Charaktergewohnheiten, der Kern der empirischen *Return on Character*-Forschung, haben sich in der beraterischen Praxis auch in anderen kulturellen Kontexten, in Europa und Asien, bewährt, sie werden universell als zutreffend wahrgenommen;
- während die ursprüngliche Datenbasis US-geprägt war, ist sie mittlerweile um zahlreiche Unternehmen außerhalb der USA erweitert;
- die Validität der *Return on Character*-Benchmark bestätigt sich.

Der relevanteste Indikator, dass die *Return on Character*-Methode funktioniert, ist aber zweifellos die wachsende Zahl an Führungsteams, die damit ihre Unternehmen erfolgreich auf einen neuen Pfad führen.

Martin Harder
Associate Partner
KRW International

Einführung zur deutschen Ausgabe von Thomas de Buhr

Um 19.59 Uhr hat mein Vater bei uns zu Hause den Fernseher eingeschaltet – zur Tagesschau. Und wenn ich jung sterben wollte, habe ich ihm um 20.01 Uhr eine Frage gestellt. Er konnte entweder fernsehen oder mit mir sprechen. Wenn er durch mich eine Nachricht verpasste, musste er auf die Tagesthemen warten – oder auf die Zeitung am nächsten Morgen. Eine simple Verspätung um nur wenige Minuten bedeutete ebenfalls, dass die Nachrichten (für den Moment) unwiederbringlich verschwunden waren.

Diese Restriktion ist durch das Internet ein für alle Mal aufgehoben, ebenso wie das digitale Zeitalter in allen anderen Bereichen der Wirtschaft und des gesellschaftlichen Lebens Beschränkungen von Zeit und Raum aufgelöst hat.

Als ich 1994 in die Arbeitswelt eintrat, war ich stets bemüht zu erkennen, was das Unternehmen und meine Vorgesetzten von mir verlangten. Auf die Erfüllung dieser Ziele habe ich bedingungslos hingearbeitet. „Work-Life-Balance" hatte nicht einmal meinen Wortschatz erreicht. Die Antizipation der Erwartungen meines Vorgesetzten war die Voraussetzung für Erfolg. Motivationsmodelle waren klar und leicht steuerbar und das Verhalten der Menschen entsprechend vorhersehbar – wie wir es vom Modell des pawlowschen Hundes kennen. Das hatte immensen Einfluss darauf, wie Führung in der Arbeitswelt funktionierte.

Als Führungskraft im Bereich der sozialen Medien stelle ich fest: Diese vertrauten Muster greifen heute nicht mehr, sie werden vielmehr zum Problem. Die Digitalisierung hat einen umfassenden Einfluss auf das

Leben der Menschen gewonnen – die ständige Verfügbarkeit von Informationen erhöht auch die Freiheit der Menschen. Und das ist gut so. Wie selbstverständlich erwarten Mitarbeiter, dass die Spielregeln des Informationszeitalters, an die sie sich gewöhnt haben, auch im Arbeitsleben gelten. Unternehmen müssen sich heute an der digitalisierten Alltagskultur orientieren – wer in den ursprünglich für den Privatgebrauch konzipierten sozialen Medien nicht präsent ist, ist „abgemeldet".

Bildlich gesprochen wird der pawlowsche Hund in eine Katze transformiert. Und deshalb funktionieren nun die bewährten Führungspraktiken nicht mehr. Aus Erfahrung abgeleitete Intuitionen und Reflexe erzeugen nicht mehr das erwartete Ergebnis. Wenn Sie einer Katze die Anweisung geben, „Sitz" zu machen, wird sie wohl eher für den Rest des Tages auf den Schrank springen, als sich dem Befehl zu fügen. Traditionell gegebene Autoritäten werden in Frage gestellt oder nicht mehr als solche anerkannt. Fragen Sie Polizisten oder Lehrer …

Dass sich aus dieser Entwicklung eine klare Notwendigkeit zur Veränderung des Führungsstils ableitet, hat mir die Lektüre von Fred Kiels Buch *Return on Character* deutlich vor Augen geführt. In einer zunehmend transparenter, aber auch komplexer werdenden Welt hilft nicht die Autorität alter Schule, die auf Anweisungen setzt, sondern vielmehr Charakter, um auf den Paradigmenwechsel angemessen zu reagieren. Die vier elementaren Qualitäten, die eine Führungskraft heute benötigt – nämlich Integrität, Verantwortungsbewusstsein, Empathie und Versöhnlichkeit – hat der Autor in seiner Studie empirisch herausgearbeitet und verständlich erläutert. Sie gehen einher mit ganz konkreten Verhaltensweisen, die gute Führung ausmachen. Damit Innovationskultur im Unternehmen gedeihen kann, ist es notwendig, als Führungskraft sich selbst ebenso wie anderen Fehler nachzusehen. Nur dann werden Mitarbeiter das Prinzip des „Trial and Error" mit Leben erfüllen.

Aber was sind nun die Hebel in dieser neuen Führungswelt?

Der Mensch ist und bleibt ein „Herdentier". Individualisierung ist heute Trumpf – allerdings: nur mit Share-button, um mit seiner Community vernetzt zu sein. Wir haben uns von einer hierarchischen zu einer Netzwerkgesellschaft entwickelt. Sie bringt einerseits eine Ambivalenz von Allmacht und Ohnmacht, die gar zur Desorientierung führen kann, denn die Reaktion der Anderen ist nicht länger vorhersehbar, manchmal nicht einmal nachvollziehbar. Andererseits eröffnet sie mannigfaltige Wahlmöglichkeiten. Während in meiner dörflichen Heimat meine Optionen auf Familie, Verein oder Kirche beschränkt waren, sind meine Möglichkeiten der Zugehörigkeit heute grenzenlos – ich kann (und muss) sie mir frei aussuchen.

Was bedeutet das im Kontext von Arbeit und Führung? Mehr Transparenz und ein erleichterter Zugang zu Informationen leiten einen Prozess der Demokratisierung ein, starre Hierarchien, deren Dysfunktionalität seit langem postuliert wird, lösen sich nun tatsächlich zunehmend auf. Ein Angestellter muss sich nicht mehr allein darauf verlassen, was sein Chef ihm erzählt; Informationen sind blitzschnell hinterfragt und auf ihren Wahrheitsgehalt hin überprüft. Ohne Legitimation „von unten" kann keine Führungskraft mehr ernsthaft meinen, erfolgreich zu leiten. Wie die Befragungen des Gallup Engagement Indexzeigen, ist Mitarbeiterengagement mehr denn je ein zentraler Produktivitätsfaktor. Dies zu ignorieren, würde bedeuten, ein hohes Risiko einzugehen: Fehlt die Identifikation seitens der Mitarbeiter, wird Datensicherheit im digitalen Zeitalter löchrig wie ein altes Sieb.

Was will ich damit sagen? Als Führungskraft überzeugt man nur noch, wenn man Charakter zeigt – managen kann sich heute in gewissem Sinne jeder selbst.

Fred Kiel ist es gelungen, lebendig und anschaulich zu beschreiben, wie Führung mit Charakter – er nennt sie „virtuose Führung" – funktioniert. Dazu sind selbstverständlich solide Management-Skills notwendig, wie sie seit jeher im Fokus von Führungsentwicklung stehen. Doch diese Fähigkeiten – und das ist die überraschende Erkenntnis – entfalten ihre Wirkung erst dann in vollem Umfang, wenn sie durch grundlegende, charakterlich geprägte Verhaltensweisen angetrieben werden.

Fred Kiels Forschungen zeigen, dass weder Herkunft, noch Alter oder Bildung ausschlaggebend sind, um eine virtuose Führungskraft zu werden. Vielmehr sind es die vier oben genannten charakterlichen Qualitäten, welche ihrerseits unser Handeln und unseren Umgang mit Anderen prägen und damit unsere Reputation und Wirksamkeit als Führungskraft bestimmen. Jeder erhält seinen Anstoß zur Entwicklung, wenn er oder sie aufmerksam ist – mich hat er dazu gebracht, Führung neu zu begreifen. Und plötzlich zeigten sich alte Muster als durchaus veränderbar. Fred Kiels Buch bestärkt mich, angesichts der wachsenden Volatilität unserer Arbeitswelt meinem eigenen „Charakter-Kompass" zu vertrauen. Dazu möchte ich alle, die Führungsverantwortung annehmen, ebenfalls ermutigen – es lohnt sich!

Thomas de Buhr
Managing Director
Twitter Deutschland

Vorwort

Mit Erscheinen dieses Buchs blicke ich auf 40 Jahre als Berater und Vertrauter von Managern kleinerer und großer Unternehmen zurück. Die meiste Zeit habe ich mit CEOs[2] gearbeitet. Bereits zu Beginn meiner Karriere war ich von der Integrität der überwiegenden Mehrheit meiner Klienten beeindruckt. Das Gemeinwohl hatten allerdings die wenigsten im Blick. Nicht, dass sie das Konzept als solches abgelehnt hätten, nein. Aber sie hatten oft nur im Auge, was gut für ihr Geschäft war.

Darüber hinaus überraschte mich, wie wenig meine Klienten über die wahren Einflussfaktoren für Wertschöpfung wussten. Die Führungskräfte, für die ich als Berater tätig war, unterschätzten in der Regel die Methoden zur Motivation und Mobilisierung ihrer Mitarbeiter.* Strategische Schachzüge, um die Konkurrenz auszubooten und finanziell besser dazustehen, überbewerteten sie dagegen. Schlimmer noch, sobald das wirtschaftliche Klima schwieriger wurde, wurden prompt die für die Personalentwicklung vorgesehenen Mittel gestrichen, inklusive jener für das obere Management selbst. Eines war den Managern ganz offensichtlich nicht bewusst: Es ist ebenso wichtig, wer sie als Mensch sind, wie das, was sie als Führungspersonen machen. Mit den aus unserer Forschungsarbeit gewonnenen und belastbaren Daten stehen uns quantitative Kennzahlen zur Verfügung, die eindeutig belegen, wie einschränkend sich dieses fehlende Bewusstsein in persönlicher wie auch beruflicher Hinsicht auswirken kann.

* Für die deutsche Fassung haben wir uns bemüht, möglichst genderneutrale Begriffe zu nutzen. Wo dies nicht erfolgt, sind Frauen und Männer gleichsam gemeint.

Ich habe dieses Buch mit dem Ziel geschrieben, unsere gängige Auffassung von effektiver Führung zu hinterfragen und den unmittelbaren Zusammenhang zwischen Charakter, Verhalten nach festen Grundsätzen und nachhaltigen Unternehmensergebnissen aufzuzeigen. Ganz gleich in welchem Bereich – ob Musik, Schriftstellerei, Sport, Medizin oder Jura: Virtuosen wissen, dass Spitzenleistungen erfordern, regelmäßig »die Säge zu schärfen«, um es mit den Worten des verstorbenen Stephen Covey zu sagen, einer Autorität in Sachen Führung.[3] Manager befürworten dieses Konzept zwar, doch die gängigen Methoden zur Verbesserung der Leistung von Führungskräften zielen entweder überwiegend auf die intellektuelle Ebene ab oder es sind Verhaltensanweisungen, die die inneren Antriebe, die Prinzipien und die Persönlichkeitsmerkmale der oder des Betreffenden nicht berühren. Einen Großteil meiner Karriere habe ich dem Nachweis gewidmet, dass die eingehende Auseinandersetzung mit unserer individuellen Menschlichkeit tiefgreifende Änderungen bewirkt, die zu Virtuosität und herausragender Führungsqualität führen kann. Keine Frage, diese Einsicht gewann ich natürlich nicht gleich zu Beginn meiner beruflichen Laufbahn. Dazu musste ich eine innere Entwicklung durchlaufen, verschiedene Meilensteine erreichen und mich selbst grundlegend verändern. Das war ein hartes Stück Arbeit, und ich arbeite noch immer beständig daran.

1971 schloss ich mein Psychologiestudium mit der Promotion ab und gründete bald darauf meine eigene Praxis. Dann verfolgte ich 15 Jahre lang meine Ziele: meine Karriere und finanziellen Erfolg. In dieser Zeit gründete ich zwei große Therapieeinrichtungen. Nach der Scheidung von meiner Frau verließ ich die erste Therapieeinrichtung wieder und stürzte mich auf den Aufbau der zweiten, die ich 1985 an die Börse brachte. Für kurze Zeit war ich also CEO eines börsennotierten Unternehmens. Ich stand regelmäßig vor Investoren und Analysten und weiß daher aus eigener Erfahrung, was es bedeutet, eine Aktiengesellschaft zu leiten.

Meine damaligen Freunde und Bekannten hätten mich sicherlich nicht als virtuosen CEO beschrieben. Ich entsprach viel mehr dem ichbezogenen CEO-Typus aus dieser Studie zum *Return on Character* (*ROC*). Ich habe damals zwar nichts Unrechtmäßiges getan, aber ich gehe jede Wette ein, dass viele meiner Mitstreiter seinerzeit von mir dachten, ich würde sie, ohne mit der Wimper zu zucken, für meinen persönlichen Erfolg opfern. Meine Mitarbeiter wussten intuitiv, dass ich mich viel mehr dafür interessierte, was sie für mich tun konnten, als dafür, wie es ihnen dabei ging. Ich hatte einige ziemlich unangenehme Charakterzüge entwickelt.

Meine Eltern hatten mir ein solches Verhalten mit Sicherheit nicht beigebracht. Ich bin auf einer Rinderfarm im Mittleren Westen Amerikas aufgewachsen. Beim Abendessen sprach mein Vater oft über Menschen, die genauso sehr mit sich selbst beschäftigt waren wie ich später. *»Große Klappe, nichts dahinter«*, pflegte mein Vater über diesen Menschenschlag zu sagen. Da mein Vater ein sehr umgänglicher und friedliebender Mensch war, hielt er grundsätzlich lieber die andere Wange hin. Wut und Zorn waren ihm wesensfremd. Ich erinnere mich an viele Beispiele für seine Aufrichtigkeit, Versöhnlichkeit und Großzügigkeit. Auch meine Mutter war eine Frau mit klaren Grundsätzen und starkem Charakter. Sie glaubte fest an das Gebot, die Wahrheit zu sagen, und nach dieser Überzeugung lebte sie auch. Zudem war sie sehr feinfühlig und liebevoll.

Und wo stand ich? Mit Ende 30 war ich geschieden und hatte zwei Konkurse hinter mir. In meinen mittleren Jahren und mit fortschreitendem Alter spürte ich immer stärker eine große ethische und spirituelle Leere. Keine Frage, ich lebte nicht das Leben, das mir meine Eltern vorgelebt hatten. Nach einiger Gewissensprüfung und unter der ausgezeichneten Anleitung einiger Mentoren und Coaches wurde mir klar, dass ich mich ändern musste. Das war der Beginn eines schwierigen Prozesses für mich, der bis heute fortdauert. Wie jeder, der eine tief verwurzelte Angewohnheit ablegen möchte, war auch mein Bemühen nicht von unmittelbarem und vollständigem Erfolg gekrönt. Doch im Laufe der Zeit und mit viel Übung (die Methoden und Praktiken stelle ich Ihnen im dritten Teil dieses Buchs vor) war ich in der Lage, meine charakterlichen Gewohnheiten signifikant zu verbessern.

Anfang 1987 war ich von meinem Posten als CEO zurückgetreten, hatte eine Einzelpraxis gegründet und wollte meine Vision verwirklichen: Mit meiner Energie, meinem Talent und meinen Fähigkeiten wollte ich den Chefs größerer Unternehmen helfen, einen Weg zu finden, wie sie »den Kopf mit dem Herzen verbinden« können. Es dauerte nicht lange, bis aus meiner Praxis ein kleines Beratungsunternehmen geworden war, und später KRW International, eine global tätige Beratung, für die ich bis heute arbeite. Sie hat es sich auf die Fahnen geschrieben, Managern dabei zu helfen, ihr Handeln und ihr Verhalten mit den eigenen Werten und Prinzipien in Übereinstimmung zu bringen. Das Forschungsprojekt, das die Grundlage für dieses Buch bildet, ist direkt aus dieser Mission hervorgegangen.

Von der Vision zur Realität

„I have a dream …" – nun bin ich über 70 und ich habe immer noch eine Vision. Ich wünsche mir, dass meine Arbeit eine Bewegung auslöst, die die Erwartungen der Menschen an Führung und Leistung in gewinnorientierten wie gemeinnützigen Unternehmen grundlegend verändert. Ich möchte zu einer Bewegung inspirieren, die dazu führt, dass Mitarbeiter eine auf Charakter basierende Unternehmensführung einfordern, weil sie für alle Beteiligten mehr Wert schafft – und weil es das Richtige ist.
Das bedeutet:

- Ich wünsche mir eine Zukunft, in der sich gesellschaftliche Normen dahingehend geändert haben, dass von allen Führungskräften überall erwartet wird, starke Charaktergewohnheiten zu zeigen – und zwar nicht nur, weil sie damit richtig handeln, sondern weil es für alle Interessengruppen greifbaren Wert schafft.
- Ich wünsche mir eine Zukunft, in der der *Return on Character* als Maßstab weithin anerkannt ist, sodass die „unsichtbare Hand des freien Marktes" in allen Unternehmen von Charakter geprägte Führungskulturen hervorbringt.
- Ich wünsche mir eine Zukunft, in der die Mehrheit der Aktiengesellschaften, der großen Nichtregierungsorganisationen und Behörden entsprechend der von ihrer Führung generierten Charakterrendite (*ROC*) bewertet werden, in gleicher Weise wie Moody's und Standard & Poor's heutzutage die Finanzkraft globaler Konzerne bewerten.

- Ich wünsche mir eine Zukunft, in der die charakterlichen Gewohnheiten von Managementteams und Führungskräften dank der sozialen Medien, des Internets und der Technologien wie Smartphones für alle leicht erkennbar und transparent werden.
- Ich wünsche mir eine Zukunft, in der die undurchsichtigen oder versteckten Aspekte von Unternehmensführung transparent und sichtbar werden – und sich die Lücke zwischen den Worten und Taten von Führungskräften schließt.
- Ich wünsche mir eine Zukunft, in der Anleger Unternehmen minderbewerten, deren Entscheidungsträger nur das eigene Wohl im Sinn haben, und solche mit charakterstarken Managementteams bevorzugen, weil sie den Zusammenhang zwischen charakterlicher Stärke und Unternehmenserfolg erkannt haben.
- Und zu guter Letzt wünsche ich mir eine Zukunft, in der Charakterbildung ein integraler Bestandteil des Lehrplans der Business Schools ist und dort gelehrt wird, dass es genauso wichtig ist, wer eine Führungsperson als Mensch ist, wie das, was sie fachlich leistet.

Einleitung

»Keine Frage, ein Manager sollte sich im Rahmen des Legalen bewegen, doch ansonsten gilt: Je kaltschnäuziger er ist, je weniger er sich den nachgiebigen Praktiken der Personalpolitik unterwirft und je rücksichtsloser er auf strikte Kostenkontrolle pocht, desto mehr Wert wird er generieren!«

»Ein gutes Geschäftsmodell sorgt für Wertschöpfung, und es übersteht auch Zeiten schwacher Unternehmensführung.«

»Verdient ein Unternehmen gutes Geld, wird es automatisch fähige Mitarbeiter anziehen, und das Thema Führungskultur regelt sich dann von alleine.«

Zynische Kommentare lassen nicht auf sich warten, wenn es um die Frage geht, welche Rolle der Charakter eines Managers spielt. Werden »Charakter« und »Führungsposition« im selben Satz genannt, fallen umgehend die Namen unzähliger erfolgloser, aber in der Unternehmenswelt bekannter Firmenchefs ein, die ihren Unternehmen erhebliche Verluste beigebracht und nichts als verärgerte Anleger und arbeitslose Mitarbeiter hinterlassen haben. Diese Vertreter der »Gier ist gut«-Mentalität schaffen es zwar in die Schlagzeilen, doch einen Beitrag zum Gemeinwohl leisten sie wohl kaum. Geht es jedoch darum, einen hohen Ertrag für alle Interessengruppen – Investoren, Vorstände, Beschäftigte, Kunden, Kommunen und das soziale Umfeld – zu schaffen, so verfehlen selbstbezogene und auf das finanzielle Ergebnis fixierte Manager dieses Ziel in aller Regel.

Diese Erkenntnis mag selbstverständlich klingen, spielt aber weder in der Ausbildung noch in der Beurteilung von Führungskräften eine Rolle. In den Wirtschaftsmedien wird nur selten von den Praktiken oder Vorteilen einer Unternehmensführung mit Charakter berichtet. In Unternehmenskrisen wird hingegen sofort ein Zusammenhang mit Charakterfehlern hergestellt: Man denke nur an Kenneth Lay, vormals CEO des Energiekonzerns Enron, an den Ex-Chef des Gesundheitsdienstleister HealthSouth Richard Scrushy oder an Dennis Kozlowski, den ehemaligen CEO des Mischkonzerns Tyco International.

Doch was wissen Sie über Ken Chenault von American Express, Gary Bhojwani von Allianz Nordamerika und Michael McGavick vom Versicherungsunternehmen XL Group oder irgendeinen anderen Geschäftsführer, dessen Charakter von Insidern als entscheidend für den unglaublichen Erfolg seines Unternehmens angeführt wird?

Der Zusammenhang zwischen dem Charakter eines CEOs und seiner Rolle für das Geschäftsergebnis ist weitgehend unerforscht. Verfolgt man die Thematik eingehender, werden die Fragen drängender: Trägt der Charakter eines CEOs tatsächlich zum Unternehmensgewinn bei? Oder sind gute Zahlen lediglich auf ein solides Geschäftsmodell und positive gesamtwirtschaftliche Kräfte zurückzuführen? Können Manager, die sich von moralischen Prinzipien leiten lassen, Unternehmen in unserer schnelllebigen Zeit und einer geradezu hyperglobalen Wirtschaft zum Erfolg führen? Ist der schwache Führungscharakter erst dann ein Problem, wenn das entsprechende Verhalten negativ auffällt? Können wir bewerten, wie stark der Charakter eines CEOs ist, und – beinahe noch wichtiger – können wir ihn gezielt aufbauen?

Das KRW Research Institute begann 2006 ein mehrjähriges Forschungsprojekt, um Antworten auf diese und zahlreiche andere Fragen über den Zusammenhang zwischen dem Charakter einer Führungskraft und den jeweiligen Unternehmensergebnissen zu finden. In *Return on Character: Mit welchen Charaktergewohnheiten Sie Ihr Unternehmen zum Erfolg führen* geht es um die aus unserer fundierten Forschung gewonnenen Erkenntnisse.

Die *ROC*-Studie

Zwischen 2006 und 2013 untersuchte das KRW Research Institute in der *ROC*-Studie 121 amerikanische CEOs. Darunter waren die Geschäftsführer von *Fortune*-500- und *Fortune*-100-Unternehmen, von staatlichen Unternehmen und von gemeinnützigen Organisationen. Am Ende der Studie verfügten wir über 84 vollständige Datensätze zu diesen Managern, einschließlich Aufzeichnungen von zahlreichen Gesprächen und anonymen Befragungen ihrer Angestellten. Außerdem erhielten wir Zugriff auf die ausgewiesenen oder veröffentlichten Finanzergebnisse von 44 der Unternehmen. (Informationen zur Auswahl der CEOs für die Studie und zu Größe, Art und Branche ihrer Unternehmen sowie eine genaue Beschreibung der erfassten Daten finden sich im Anhang A.)

Auf Basis unserer eigenen Forschungsergebnisse und der anderer Wissenschaftler, darunter Neurowissenschaftler, Sozialpsychologen und Anthropologen, haben wir eine Messgröße entwickelt, um das Verhalten von Führungskräften und ihrer Managementteams im Hinblick auf ihren Charakter zu beurteilen und den Einfluss ihres Verhaltens auf das Finanzergebnis ihrer Unternehmen zu ermitteln. In diesem Buch zeigen wir den engen Zusammenhang zwischen dem Charakter eines CEOs und der Wertschöpfung, den wir in unserer Forschung festgestellt haben.

Für jeden Teilnehmer unserer Studie ergab die Analyse einen »Charakter-Punktwert«. Alle zusammen wurden auf einer Kurve abgebildet, die das Führungsverhalten darstellt. Jeder einzelne Teilnehmer ermöglichte uns neue Erkenntnisse darüber, was den Charakter eines CEOs ausmacht. Insbesondere haben wir die Unterschiede herausgearbeitet zwischen den zehn CEOs mit dem höchsten Punktwert, die von ihren Mitarbeitern als besonders charakterfest beschrieben wurden und die wir als *virtuose CEOs* bezeichnen, und den zehn CEOs mit dem niedrigsten Charakter-Punktwert. Die Mitarbeiter der letztgenannten Gruppe beschrieben, wie ihre Vorgesetzten die Wahrheit zurechtbogen, wenn es ihnen persönliche Vorteile brachte, und dass sie in erster Linie auf ihr eigenes Wohlergehen und die eigene finanzielle Sicherheit bedacht waren. Von dieser Beschreibung ausgehend wählten wir die Bezeichnung *ichbezogene CEOs*.

ABBILDUNG I-1

Kapitalrendite (*ROA*)

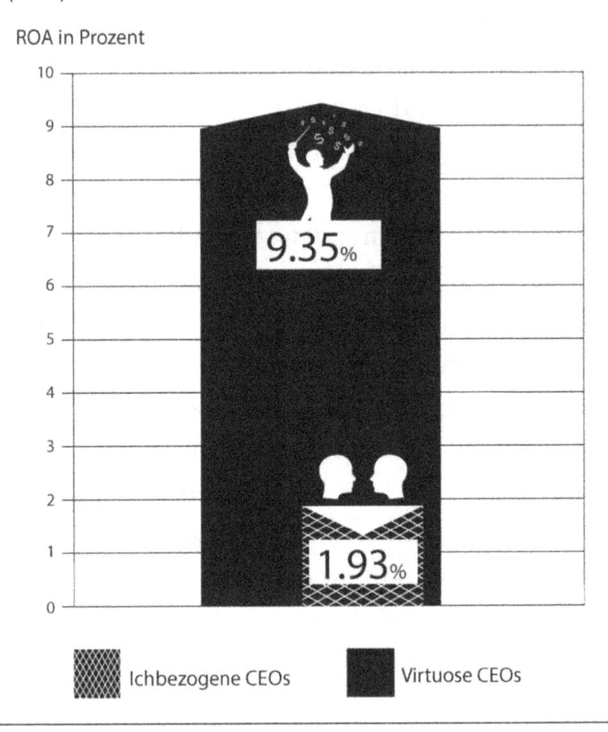

Unsere Studie förderte eine Fülle von Erkenntnissen über das Verhalten von Managern und ihre Wertschöpfung zutage. Die zwei wichtigsten sind:

- Es existiert eine beobachtbare stabile Beziehung zwischen Führungskräften, die einen starken Charakter haben, und besseren operativen Ergebnissen. Führungskräfte mit ausgeprägten ethischen Vorstellungen und Prinzipien erzielen tatsächlich einen *Return on Character* (*ROC*). Dieser Renditefaktor ist bei Führungskräften im oberen Bereich unserer Skala fast fünfmal so hoch wie bei Managern am unteren Ende der Skala (siehe Abbildung I-1).
- Der Charakter eines Menschen zeigt sich in seinem gewohnheitsmäßigen Verhalten. Es ist also ebenso möglich, einen starken Charakter zu entwickeln, indem man sich entsprechende Gewohnheiten zulegt, wie man schwache Charaktergewohnheiten ablegen kann. Wenn Führungskräfte dies tun, können sie ihre Ergebnisse, in privater wie auch in beruflicher Hinsicht, verbessern.

Mit diesem Buch erhalten Sie eine umfassende und detaillierte Analyse der Ergebnisse unserer *ROC*-Studie. Sie erfahren, wie sich der Charakter eines CEOs entwickelt und wie sich charakterliche Gewohnheiten und verinnerlichte Glaubenssätze in der Art und Weise niederschlagen, wie CEOs ihr Führungsteam auswählen, es anleiten und mit ihm zusammenarbeiten. Die Studie belegt einen klaren Zusammenhang zwischen nachhaltigem Unternehmenserfolg und dem Charakter sowie den Leitsätzen von CEOs in der Führungspraxis.

In diesem Buch werden die Überzeugungen und Einstellungen von Geschäftsführern großer Konzerne, wie der Großhandelskette Costco, und kleiner spezialisierter Unternehmen, wie Larson Storm Doors aus South Dakota, eingehend vorgestellt. Die Forschungsergebnisse dazu, wie stark der Charakter dieser Manager ist, und ihre Fähigkeit, ein überzeugendes Geschäftsmodell zu erarbeiten und umzusetzen, werden analysiert, und es wird beschrieben, wie sich der Charakter von Führungskräften in ihren Visionen und in klaren Strategien ausdrückt. Wir analysieren die Ergebnisse virtuoser Manager, die durch die Bewertung ihrer Mitarbeiter im oberen Bereich positioniert sind, weil sie sich durch Integrität, Verantwortungsbewusstsein, Versöhnlichkeit und Empathie auszeichnen. Diese Prinzipien zählen nach unseren Erkenntnissen zu den charakterlichen Schlüsselgewohnheiten exzellenter Führungspersonen. Wir haben ihre operativen Ergebnisse mit denen ichbezogener CEOs verglichen, die am unteren Ende unserer Kurve zu finden sind. Dass Manager ohne starken Charakter auch die besten Businesspläne zum Scheitern bringen, widerlegt endgültig die »Gier ist gut«-Mentalität.

Jenseits des Profils einzelner Manager und ihrer Erfahrungen vermittelt das Buch vor allem eine Methodologie: Anregungen, Rat und Techniken, wie Sie Ihre eigenen Geschäftsergebnisse und die Ihres Unternehmens verbessern können, indem Sie Charaktergewohnheiten entwickeln, die zu größerem Erfolg führen und Ihre Mitarbeiter motivieren.

Was Sie in diesem Buch erfahren

Der erste der drei Teile dieses Buches »Der *Return on Character* und der Weg zu Führungsqualität« befasst sich mit den Grundannahmen, auf denen unsere Forschung aufbaut.

- Das erste Kapitel »Charakter – Definition und Verteilung auf der Charakterkurve« erörtert, was den Charakter eines Menschen ausmacht und wie er bei CEOs und anderen Führungskräften zum Ausdruck kommt. Alle Elemente der *ROC*-Wertschöpfungskette werden eingehend analysiert sowie auch der Einfluss von Lebenserfahrung, Glaubenssätzen und Charakter auf die Entscheidungen von Führungskräften – angefangen mit der Zusammenstellung und Leitung eines Führungsteams über die Umsetzung des Geschäftsmodells bis hin zu den Geschäftsergebnissen.
- Alle Führungskräfte verfügen im Hinblick auf die »Hardware« eines funktionierenden Gehirns über die gleichen physiologischen Voraussetzungen. Im zweiten Kapitel »Ein neues Konzept der menschlichen Führungsnatur« wird über die bloßen physischen Gegebenheiten hinaus gleichsam die »Software«, in Form von Vorstellungen und Vorgehensweisen, angeschaut: ethische Intuition, motivationale Antriebe sowie die individuellen Wesenszüge, die jeden Menschen einzigartig machen und den Führungsstil eines CEOs oder einer oberen Führungskraft prägen.
- Im dritten Kapitel »Der Weg von der Kindheit bis in die Führungsetage« werden die inneren und äußeren Entwicklungswege, die die Schlüsselgewohnheiten des Führungsstils prägen, erörtert und es wird ergründet, wie sich die Lebenserfahrung eines CEOs auf seine Fähigkeit auswirkt, sich zu einem integrierten Menschen zu entwickeln, der die damit verbundenen Verhaltensweisen und Einstellungen auch lebt.

Der zweite Teil »Das *ROC*-basierte Führungskonzept« baut auf der Analyse, wer die Manager und Führungskräfte als Mensch sind, auf und befasst sich mit dem, was sie machen.

- Im vierten Kapitel »Das *ROC*-Führungskonzept in der Anwendung – die Grundlagen« erfahren Sie mehr über die Wirkung virtuoser Führungskräfte im Tagesgeschäft, über ihre Entscheidungen und ihren Einfluss am Arbeitsplatz. Effektivität in der Umsetzung ist eine der Grundvoraussetzungen für Wertschöpfung, weshalb wir uns mit einem unerwarteten Ergebnis der *ROC*-Forschung auseinandersetzen: Charakterlich schwache CEOs sind in der Regel auch ineffektive Unternehmer. Auf Basis der Forschungsdaten wird erläutert, was Vertrauen mit effektiver Umsetzung und Mitarbeitermotivation zu tun hat.
- Ohne ein Führungsteam mit festen Grundsätzen schwindet der Einfluss eines CEOs ebenso wie seine Fähigkeit zur Wertschöpfung. Im fünften Kapitel »Das Führungsteam und der *ROC* – Wie man eine Organisation zum Erfolg führt« machen wir deutlich, dass auch der beste CEO auf ein gutes Führungsteam angewiesen ist. Außerdem wird untersucht, wie ein virtuoser CEO ein Führungsteam zusammenstellt und leitet, das in konsistenter Weise charakterliche Prinzipien im ganzen Unternehmen fördert, und wie ein Team mit wenig ausgeprägtem Charakter ein Unternehmen schwächen, Innovationen verhindern und die Zusammenarbeit erschweren kann.
- Im sechsten Kapitel »*Return on Character* – ein Gewinn für alle« wird gezeigt, dass der Charakter von Führungskräften der ausschlaggebende Faktor für nachhaltige Ergebnisse in jeder Branche und für jede Interessengruppe ist. Es folgt eine Analyse der Geschäftsergebnisse der befragten CEOs im Hinblick auf die eindeutige Beziehung zwischen diesen Ergebnissen und charakter-basierter Führung.

Der dritte Teil »Der *ROC*-Workshop – Gewohnheiten verändern« zeigt auf, was jeder einzelne, ebenso wie jede Organisation, tun kann, um den *ROC* zu verbessern, indem er an den Charaktergewohnheiten arbeitet, die die Ergebnisse des eigenen *ROC*-Effekts verstärken.

- Im siebten Kapitel »Der Weg zur virtuosen Führungskraft« folgen konkrete Ideen und Techniken, mit deren Hilfe auch Sie sich, völlig unabhängig von Alter, Position oder Branche, die charakterlichen Gewohnheiten erfolgreicher Führung aneignen können. Der Reifeprozess des menschlichen Gehirns ist für gewöhnlich im Alter von etwa 30 Jahren abgeschlossen, doch es ist wissenschaftlich erwiesen, dass man sein ganzes Leben lang Denkprozesse ändern und sich neue Einstellungen und Gewohnheiten zu eigen machen kann. In diesem Kapitel erfahren Sie, wie Sie diese Fähigkeiten einsetzen können, um eine virtuose Führungskraft zu werden.
- Im achten Kapitel »Der Aufbau einer *ROC*-geprägten Organisation« werden sinnvolle und erprobte Ansätze vorgestellt, mit denen Vorstandsmitglieder, CEOs, Manager und Führungskräfte aller Unternehmensebenen den Charakter ihres Unternehmens verbessern können.
- Im abschließenden Fazit »Neuorientierung in der Führungskultur« plädiere ich für eine Bewegung hin zu einem Charakter-getriebenen Führungsstil und lege meine Gründe dar, weshalb ich zuversichtlich bin, dass die Zeit reif ist für eine Veränderung der charakterlichen Gewohnheiten, die die Führungskultur unserer Unternehmen, Behörden und anderer gesellschaftlicher Einrichtungen prägen.

Dieses Buch liefert die belastbaren Daten, die uns zu Beginn unserer siebenjährigen Studie über den Charakter von CEOs und seiner Wirkung auf das Geschäftsergebnis fehlten. Das ist aber noch nicht alles. Jeder Teilnehmer unserer Studie musste sich damit auseinandersetzen, woher die Auffassungen, Verhaltensweisen, Meinungen und Erfahrungen kamen, die beeinflussen, wie er zu Entscheidungen gelangt und Mitarbeiter führt. Diese Einblicke bieten auch Ihnen die Gelegenheit herauszufinden, was Ihren Charakter prägt, Ihre verborgenen Schwächen zu erkennen und

Möglichkeiten zu entdecken, wie Sie sich die Charaktergewohnheiten aneignen, die aus Ihnen eine *virtuose* Führungskraft machen können.

Es kann allerdings sehr anstrengend und schmerzlich sein, sich selbst auf den Prüfstand zu stellen, herauszufinden, wo es Schwächen gibt, und daran zu arbeiten, einen starken Charakter aufzubauen. Doch wie bei den meisten Veränderungen wird das Ergebnis den Aufwand rechtfertigen. Gut möglich, dass Sie der einzige Mensch sind, der nicht um Ihre charakterlichen Unzulänglichkeiten weiß. Die Methode die wir Ihnen im dritten Teil dieses Buchs vorstellen, hilft Ihnen, sich quasi aus Außensicht wahrzunehmen und an sich zu arbeiten, um diesen Eindruck zu verbessern.

ROC für alle Führungsebenen

Die Schlussfolgerungen aus unseren Forschungsergebnissen betreffen über die Führungsetage hinausgehend jeden Aspekt der Geschäftstätigkeit und der Unternehmensleistung. Mit unseren Vorschlägen und Erkenntnissen eröffnet sich ein neuer Weg für Führungskräfte aller Ebenen, unabhängig von Größe und Art ihrer Organisation:

- Als **Führungskraft** zeigt das Buch Ihnen auf, wie Sie Ihre Effektivität steigern können. Wer Sie als Mensch sind, ist ebenso wichtig für den Erfolg Ihres Unternehmens wie Ihre fachliche Qualifikation und Ihre Führungskompetenz. Erfahren Sie, mit welchen Methoden Sie Ihre Charaktergewohnheiten und Ihre Leistung verbessern können.
- Als **Mitglied eines Aufsichtsrats** erfahren Sie hier, wie Sie entscheiden können, wer der nächste CEO wird, ohne folgenschwere Fehler zu begehen. Den Charakter eines CEO-Kandidaten falsch einzuschätzen, ist einer der teuersten Fehler, den ein Aufsichtsrat machen kann.
- Sind Sie **Chief Talent Officer** und dafür verantwortlich, Führungsnachwuchs mit hohem Potenzial zu finden und ans Unternehmen zu binden, können Sie aus diesem Buch erfahren, wie Sie fähige Kandidaten in den eigenen Reihen aufspüren, die sich schon jetzt durch gut entwickelte Charaktergewohnheiten und entsprechende Verhaltensweisen und Glaubenssätze auszeichnen.

- Auch als **Angestellter** können Sie die Ergebnisse und Techniken dafür nutzen, Ihren eigenen Charakter und Ihre eigene Arbeitsleistung zu bewerten und weiterzuentwickeln, als ein erster Schritt Ihrer künftigen Karriere im Unternehmen. Sie können anhand der Ideen und Kennzahlen aber auch feststellen, welchen Platz Ihre Unternehmensführung auf der Charakterkurve einnimmt, und danach beurteilen, ob die Führungskräfte das Unternehmen zu nachhaltigem Erfolg oder in die Stagnation führen werden.[4]

KRW arbeitet seit fast 30 Jahren mit Führungskräften, was mich zu der Überzeugung bringt, dass sich unzählige Menschen in Führungspositionen nach einer wegweisenden Vision sehnen, die ihnen Orientierung gibt. Viele mögen die Forderungen, die aus der Forschung zum *Return on Character* folgen, für idealistisch halten, für einen Luxus, den die raue Welt und der Zwang zu maximaler Rendite für Investoren nicht gestatten würde. Bis heute existiert in der Tat kein praktikables Führungsmodell, das die Pflicht, Wert zu schaffen, in Einklang bringt mit dem Wunsch, die Welt zu einem besseren Ort zu machen. Die Führungskräfte großer und kleiner Unternehmen und gemeinnütziger Organisationen können jedoch erheblich daran beteiligt sein, die Welt zum Positiven zu verändern und viele von ihnen wollen das auch gern, wissen jedoch nicht, wie sie es angehen sollen.

In seiner wegweisenden Studie *Der Weg zu den Besten: Die sieben Management-Prinzipien für dauerhaften Unternehmenserfolg* erläutert Jim Collins seine Version einer *virtuosen* Führungsperson, die er Level-5-Führungskraft nennt und als »Menschen, bei denen sich persönliche Bescheidenheit mit enormer beruflicher Willenskraft verbindet« beschreibt.[5] Collins meint, dass in unserer Gesellschaft zahlreiche Individuen leben, die das Potential für eine Level-5-Führungskraft haben. Sie seien aber schwer zu entdecken da ihre Bescheidenheit sie davon abhält, die Anerkennung für ihre außergewöhnlich guten Ergebnisse in Anspruch zu nehmen. Collins schreibt weiter: »Level-5-Qualität ist eine der Schlüsselkomponenten für die Verwandlung von einem guten zu einem Spitzenunternehmen. Wie man sich allerdings zu einer Level-5-Persönlichkeit entwickeln kann, muss für den Augenblick der Spekulation überlassen bleiben.«[6]

Die Forschung zu *Return on Character* gibt ein wirksames Instrumentarium an die Hand, mit dem sich solche außerordentlichen Führungspersonen aufspüren lassen, und beschreibt eben diese innere Entwicklung einer Führungsperson, die bei Collins Spekulation bleibt. Die von uns beschriebenen Praktiken und Techniken sind das Drehbuch hierfür. Wo immer ich hingehe, begegnen mir Menschen, die sich einen gesellschaftlichen Wandel wünschen mit dem Ziel, dass Integrität, Verantwortungsbewusstsein, Empathie und Versöhnlichkeit zur Basis des Handelns für Führungskräfte in Wirtschaft und Gesellschaft werden. Und genau dieser Wunsch ließ auch Sie zu diesem Buch greifen.

Teil I

Der *Return on Character* und der Weg zu Führungsqualität

1

Charakter

Definition und Verteilung auf der Charakterkurve

Zum Thema Führungscharakter hat jeder eine Meinung, ob er sie nun anderen mitteilt oder lieber für sich behält. Bei Besprechungen, Seminaren, Beratungssitzungen und privaten Gesprächen löst die Thematik meist heftige Reaktionen aus. Ein möglicher Grund für diese Emotionalität mag die Tatsache sein, dass es keine allgemeingültige Definition von Charakter gibt. Und viele fühlen sich bei diesem Thema deshalb unwohl, weil sie Charakter für eine ganz persönliche Angelegenheit und vor allem für unabänderlich halten.

Mit Charakter werden im Allgemeinen die Ideen und Überzeugungen assoziiert, die wir im Laufe unseres jungen Lebens nach und nach annehmen, bis wir erwachsen sind. Dieser Charakter verfestigt sich dann und beeinflusst unsere Weltanschauung und unseren Lebensstil. Solche Vorstellungen sorgen dafür, dass wir über Charakter – ähnlich wie über Politik und Religion – kaum sprechen. Welchen Sinn sollte es haben, über persönliche Eigenschaften zu reden, die wir im Grunde nicht wirklich verstehen, nicht angemessen bewerten, geschweige denn vorurteilsfrei einordnen und schon gar nicht anpassen oder beeinflussen können? In den letzten Jahrzehnten des 20. Jahrhunderts gerieten die Konzepte von Ethik und Werten in Misskredit, da zahlreiche Führungspersonen aus

Wirtschaft, Politik und Religion zwar öffentlich behaupteten, sich nach diesen zu richten, sich dann jedoch herausstellte, dass dem keineswegs so war. Doug Lennick und ich stachen 2005 mit unserem Buch *Moral Intelligence: Wie Sie mit Werten und Prinzipien Ihren Geschäftserfolg steigern*[7] in ein wahres Wespennest. Zu dieser Zeit waren Charakter und ethische Werte Themen, an die man besser nicht rührte.

Keine 10 Jahre später hatte sich diese Einstellung jedoch geändert. Eine Google-Suche nach den englischen Begriffen »morality and business« brachte im Jahr 2014 über 31 Millionen Ergebnisse, die deutschen Begriffe »Ethik und Wirtschaft« über 600 000 Ergebnisse bei der Google-Suche. Von Business-Analysten und Wissenschaftlern über Ökonomen bis hin zu Privatanlegern und Verbrauchern – weltweit achten Menschen zunehmend aufmerksamer auf die ethische Einstellung von Führungspersonen aus Wirtschaft, Politik und Religion, die sich in ihrem Charakter widerspiegelt. Doch auch wenn die Wirtschaft heute viel offener für Debatten über die Bedeutung von Charakter ist als noch vor 10 Jahren, sind doch immer noch so viele vage und abwegige Vorstellungen darüber im Umlauf, dass die Diskussion nach wie vor von Missverständnissen und Kontroversen geprägt ist. Aus diesem Grund erwarteten mein Team von KRW und ich mit der Untersuchung des Zusammenhangs zwischen Charakter der Führung und den Unternehmensergebnissen, ein wahres Minenfeld zu betreten. Die Erkenntnisse aus dieser Studie lieferten die Grundlage für das Konzept des *Return on Character (ROC)*.

Als Unternehmensberater mit langjähriger Erfahrung in der Arbeit mit CEOs und Managern waren wir davon überzeugt, dass sich der Charakter eines Managers auf seine Entscheidungen, seine Taktik und sein Verhalten am Arbeitsplatz auswirkt – alles Faktoren, die das Unternehmensergebnis direkt beeinflussen. Um den Zusammenhang zwischen diesen Faktoren zu erfassen, starteten wir ein Forschungsprojekt mit dem Ziel zu klären, was Charakter eigentlich ist, wie er entsteht, welche Rolle er für unser Selbstbild spielt und wie er unsere Interaktionen mit unserer Umwelt prägt (im Anhang A finden Sie alle Informationen zum Aufbau unserer Studie). Damit hatten wir uns auf möglicherweise gefährliches Terrain vorgewagt, aber wir waren uns sicher, dass hier die Antwort auf die eine große Frage zu finden war: Ist der Charakter eines Geschäftsführers ein maßgeblicher Treiber für den Erfolg eines Unternehmens?

Der erste Schritt unserer Studie sollte eine geeignete Definition des Begriffs »Charakter« liefern. Schon hier tauchte eine ganze Reihe weiterer Fragen auf: Was ist Charakter? Wie zeigt sich unser Charakter in unseren Handlungen? Wie wird der Charakter eines Managers am Arbeitsplatz sichtbar? Und schließlich: Welche Rolle spielt der Charakter in der Wertschöpfungskette eines CEOs? Mit den Antworten auf diese Fragen steigen wir in die Erörterung des *ROC* ein.

Was bedeutet Charakter?

Wie würden Sie den Begriff »Charakter« definieren? Viele beantworten diese Frage spontan mit »Ehrlichkeit« oder »Aufrichtigkeit«, doch der Charakter eines Menschen umfasst weit mehr als diese grundlegenden Elemente. Charakter geht auch weit über Loyalität, Integrität, spirituelle Überzeugungen, Fairness oder jeden anderen Einzelwert oder Grundsatz hinaus.

Es existieren viele Definitionen von Charakter. Eine davon formuliert der US-amerikanische Biologe, Naturforscher und Autor E. O. Wilson in seinem Buch *Die Einheit des Wissens*[8]. Sie zeigt anschaulich die zahlreichen Facetten dieses vielschichtigen Begriffs:

> Ein aufrechter Charakter entspringt einem tieferen Quell als Religion. Erst wenn man die *moralischen Prinzipien seiner eigenen Gesellschaft internalisiert und um seine persönlichen Grundsätze bereichert hat, und zwar in einem Maße, daß sie auch die Prüfungen durch Einsamkeit und Not* überdauern konnten, entsteht, was wir Integrität nennen – buchstäblich *das integrierte Selbst, in dem sich persönliche Entscheidungen als gut und wahr niederschlagen.* Ein aufrechter Charakter ist seinerseits ein ständiger Quell der Tugend. Er bleibt sich selbst treu und ruft die Bewunderung anderer hervor. Er unterwirft sich keiner Autorität und ist, obwohl er oft im Einklang mit Religionsgläubigkeit steht und seinerseits von dieser bestärkt wird, nicht blind gottesfürchtig.[9]

Werfen wir einen genaueren Blick auf Wilsons Behauptung, Charakter sei die Internalisierung der moralischen Prinzipien einer Gesellschaft. Er will damit sagen, dass die moralische Intelligenz eines Menschen diesen wissen lässt, welches Verhalten im Kontext seiner Kultur, aber auch allgemein als Teil der menschlichen Gesellschaft von ihm erwartet wird. Glücklicherweise haben wir eine gewisse Vorstellung davon, welche ethischen Prinzipien in fast jeder Kultur gesellschaftlich erwünschtes Verhalten bestimmen. Kulturanthropologen haben ethische Prinzipien katalogisiert, die ihrer Ansicht nach für jede menschliche Gesellschaft gelten, und darunter finden sich in aller Regel Fairness, Empathie sowie Ehrlichkeit in unterschiedlichen Ausprägungen. Der Anthropologe Donald Brown hat knapp 500 Verhaltensmuster und Merkmale identifiziert, die in allen menschlichen Gesellschaften anerkannt und auch praktiziert werden.[10] Diese Liste bildet die Grundlage für unsere vier universellen ethischen Prinzipien Integrität, Verantwortungsbewusstsein, Versöhnlichkeit und Empathie, die sich in unterschiedlichen menschlichen Verhaltensweisen und Attributen niederschlagen. Dazu gehören:

- Unterscheidung zwischen falsch und richtig (Integrität)
- Sprache als Mittel zur Falschinformation oder Irreführung (mangelnde Integrität)
- Wiedergutmachung von Unrecht (Verantwortungsbewusstsein)
- Selbstkontrolle (Verantwortungsbewusstsein)
- Kooperation (Versöhnlichkeit)
- Beilegung von Konflikten (Versöhnlichkeit)
- Einfühlungsvermögen (Empathie)
- Zwischenmenschliche Bindung (Empathie)
- Empfindung und Ausdruck von Zuneigung (Empathie)

Steven Pinker listet in seinem Buch *Das unbeschriebene Blatt: Die moderne Leugnung der menschlichen Natur* alle universellen Prinzipien Browns auf und schreibt:

> Also ist der Konflikt zwar eine menschliche Universalie, aber die Konfliktlösung nicht weniger. Neben ihren vielen hässlichen und rohen Motiven offenbaren alle Völker auch eine Vielzahl freundlicherer und friedlicherer Beweggründe: ein Gefühl für Moral,

> Gerechtigkeit und Gemeinschaft, die Fähigkeit, die Konsequenzen von Handlungen zu antizipieren, und die Liebe zu Kindern, Partnern und Freunden.[11]

Ein weiterer Nachweis für die Existenz dieses universellen ethischen Kompasses entstammt einer vergleichenden Studie über amerikanische und indische Kinder.[12] Wie mein Koautor und ich in *Moral Intelligence* schreiben:

> Diese Studie förderte zu erwartende Unterschiede im Wertsystem zutage: Die indischen Kinder zeigten größere Ehrfurcht gegenüber den älteren Generationen und akzeptierten eher die Traditionen, während die amerikanischen Kinder der persönlichen Autonomie und Freiheit großen Wert beimaßen. Doch die moralischen Kodizes waren praktisch identisch: Beide Gruppen glaubten, dass es falsch sei zu lügen, zu betrügen oder zu stehlen, und beide hielten es für wichtig, für die Kranken und Benachteiligten zu sorgen.[13]

Trotz aller gesellschaftlichen Unterschiede, wie dieser Kodex vermittelt und realisiert wird - Eltern in unterschiedlichen Kulturen vermitteln ihren Kindern auf unterschiedliche Weise, wie wichtig es ist, immer die Wahrheit zu sagen -, in der einen oder anderen Form finden sich diese Prinzipien in den gesellschaftlichen Normen aller Kulturen wieder.

Wilson weist auf etwas sehr Wichtiges hin, wenn er sagt, dass ein starker Charakter zu einem integrierten Selbst führt: Herz und Verstand kommen miteinander in Verbindung, Gedanken, Gefühle und Handlungen sind harmonisch und das Verhalten spiegelt den Charakter des Menschen wider, seine Taten entsprechen somit seinen Glaubenssätzen. In der Tat kann sich der Charakter eines Menschen nur durch sein Verhalten zeigen. Integrität, Verantwortungsbewusstsein, Versöhnlichkeit und Empathie können nicht allein als innere Werte eines Individuums vorhanden sein. Der Charakter eines Menschen kommt durch sein Verhalten zum Ausdruck, vor allem in seinen Beziehungen zu anderen Menschen. Und das bedeutet, dass er entgegen der weitverbreiteten Ansicht eben doch keine verborgene Qualität ist, die niemand wirklich erkennen oder einschätzen kann. Wir alle geben unseren Charakter ständig in unserem beobachtbaren Verhalten zu erkennen, und zwar in der Art und Weise, wie wir mit anderen Menschen umgehen. Mit zunehmender Reife werden aus diesen charakterlichen Verhaltensweisen automatische Reflexe. Das sind die Charaktergewohnheiten, in denen unsere Grundprinzipien und Glaubenssätze zum Ausdruck kommen.

Die *ROC*-Forschung bezieht sich also nicht allein darauf, wie wir universelle ethische Grundsätze verinnerlichen. Die zugrundeliegende Definition von Charakter schließt vielmehr ein Verständnis davon ein, wie wir diese Grundsätze im Umgang mit unseren Mitmenschen in die Praxis umsetzen. Charakter ist hier als einzigartige Kombination verinnerlichter Überzeugungen und Handlungsweisen eines Menschen definiert, die ihn motivieren und die Art und Weise prägen, wie er mit anderen umgeht.

Auch wenn diese Definition eine gute Grundlage für unsere Beobachtungen zum menschlichen Charakter darstellt, bleibt eine Lücke in unserem Verständnis von Charakter. Jeder von uns trifft ständig Entscheidungen über die Art seines Umgangs mit seinen Mitmenschen, und jede dieser Entscheidungen kann ihrerseits dem Wohlbefinden einer anderen Person zu- oder abträglich sein. Aus diesem Grund erscheint die Annahme logisch, dass wir dann ethisch handeln und charakterstark sind, wenn unser Verhalten dazu beiträgt, dass es anderen besser geht. Im Umkehrschluss bedeutet dies, dass wir unethisch handeln und weniger charakterstark sind, wenn unser Verhalten das Wohlbefinden anderer beeinträchtigt.

Natürlich ist die reale Welt sehr viel komplexer und ebenso unser Charakter. Mitunter haben unsere Entscheidungen für den einen positive Folgen, für den anderen dagegen verheerende. Menschen mit festen Grundsätzen und ausgeprägtem Charakter stehen laufend vor der Aufgabe, einen Ausgleich zu finden, so dass ihr Verhalten für möglichst viele Menschen ein möglichst großes Wohlergehen begünstigt. Adam Smith, geistiger Vater der oft zitierten »unsichtbaren Hand« – einer Metapher für den unbeschränkten und nicht regulierten Markt, der so funktionieren soll, dass alle davon profitierten –, war weniger Wirtschaftswissenschaftler denn Moralphilosoph.[14] Auch wenn am häufigsten aus *Der Wohlstand der Nationen* zitiert wird, war es doch ein anderes Buch von Smith, die *Theorie der ethischen Gefühle*, das seinerzeit am bekanntesten war.

Zur Neuauflage 2013 schreibt der Herausgeber:

> Ohne Smiths maßgebliches Vorgängerbuch *Theorie der ethischen Gefühle* ist es ein Leichtes, das weitaus bekanntere Buch *Der Wohlstand der Nationen* misszuverstehen, seinen Inhalt zu verdrehen oder gar abzulehnen [...] Smiths Kapitalismus ist alles andere als kaltherzig und unsensibel, und es geht dabei keineswegs nur um Gier und Profit um jeden Preis, sofern man ihn im Kontext seiner *Theorie der ethischen Gefühle* betrachtet.[15]

Generell gilt: Unsere Gesellschaft hat seit Adam Smith erkannt, dass die Anerkennung universeller ethischer Prinzipien wie Integrität, Verantwortungsbewusstsein, Versöhnlichkeit und Empathie zu höher entwickelten Verhaltensnormen und einer sichereren Welt führt (was, wie die Daten der *ROC*-Studie bestätigen, auch gut fürs Geschäft ist). Die für *Return on Character* verwendete Definition von Charakter nimmt diese Prinzipien als Grundlage. Sie ist bei KRW die Basis für die Bewertung des Charakters von Führung und für die Berechnung seines Nutzens für das Geschäftsergebnis – und für unsere Welt.

Das Charakterprofil eines CEOs

Nachdem die Definition von Charakter klar in den Fokus gerückt war, stand unser Forschungsteam vor der nächsten Aufgabe: Mithilfe dieser Definition eine Methode zu entwickeln, die den Charakter von Führungskräften erfassen und bewerten kann. Der erste Schritt bestand darin, ein Charakterprofil zu erstellen, das sowohl die universellen Prinzipien berücksichtigte, auf denen unsere Definition von Charakter beruht, als auch grundlegende Verhaltensmuster, in denen diese Prinzipien Ausdruck finden.

Die Abbildung 1-1 zeigt die *ROC*-Matrix, die das Charakterprofil veranschaulicht. Diese Matrix umfasst die vier universellen Prinzipien Integrität, Verantwortungsbewusstsein, Versöhnlichkeit und Empathie sowie die entsprechenden Verhaltensweisen, durch die sie zum Ausdruck kommen. Da das gewohnheitsmäßige Handeln nach diesen universellen Prinzipien alle anderen Verhaltensweisen und Gewohnheiten unterstützt und fördert, die den Charakter eines Menschen ausdrücken, bezeichnen wir diese vier universellen Prinzipien als ***charakterliche Schlüsselgewohnheiten***. Wie aus der Matrix ersichtlich, bestimmt unser Intellekt (der Kopf), wann und wie wir integer und verantwortungsvoll handeln, während wir bei den anderen beiden Prinzipien, Versöhnlichkeit und Empathie, eher unseren Gefühlen (dem Herzen) folgen. (Mehr über den Zusammenhang zwischen Kopf und Herz im dritten Kapitel.)

ABBILDUNG 1-1:

Die *ROC*-Matrix

KOPF	HERZ
INTEGRITÄT	VERSÖHNLICHKEIT
Die Wahrheit sagen	Sich eigene Fehler nachsehen
Stets im Einklang mit den eigenen Prinzipien, Werten und Überzeugungen handeln	Anderen ihre Fehler nachsehen
Für das Richtige eintreten	Das Richtige betonen, nicht das Fehlerhafte
Versprechen halten	
VERANTWORTUNGSBEWUSSTSEIN	EMPATHIE
Zu seinen Entscheidungen stehen	Einfühlungsvermögen beweisen
Fehler und Misserfolge eingestehen	Freiräume schaffen
Interesse am Gemeinwohl zeigen	Sich aktiv um andere kümmern
	Andere in ihrer Entwicklung

Die Verhaltensweisen, die wir mit jedem der charakterlichen Schlüsselgewohnheiten assoziieren, stellen die »vorprogrammierte« oder reflexartige Reaktion eines Menschen im Umgang mit anderen dar. Die in der *ROC*-Matrix aufgeführten Gewohnheiten bilden zusammen mit den entsprechenden Verhaltensweisen ein solides Grundgerüst für einen charakterstarken Führungsansatz. Der von uns entwickelte *ROC*-Fragebogen, um den Charakter von Führungskräften zu bewerten, basiert auf diesen Annahmen.

Die Charakterkurve

Das KRW Research Institute entwickelte eine 64 Fragen umfassende Erhebung, um herauszufinden, inwiefern CEOs die Verhaltensweisen der vier charakterlichen Schlüsselgewohnheiten zeigten. Eine ähnliche Befragung erforschte das Verhalten der Führungsteams (die Details zu allen Befragungen der Studie finden sich im Anhang A). Nach dem Zufallsprinzip ausgewählte Mitarbeiter sollten durch Bewertungen, die von »immer« bis »nie« reichten, angeben, wie oft ihre CEOs und Führungsteams Verhaltensweisen zeigten, die ihren Charakter darstellten, indem sie die Wahrheit sagten, eigene Fehler und Misserfolge einräumten, anderen Fehler nachsahen, sich um die Ziele und das Wohlergehen ihrer Mitarbeiter kümmerten und Zusagen einhielten. Mit den Erhebungsdaten waren wir in der Lage, für jeden CEO aus unserer Studie einen »Charakter-Punktwert« zu errechnen und einen vergleichbaren Punktwert für das jeweilige Führungsteam. Der Charakter-Punktwert jedes CEOs sollte exakt wiedergeben, in welchem Maß er oder sie nach Einschätzung der Mitarbeiter die vier charakterlichen Schlüsselgewohnheiten praktizierte. Wir reihten die Werte aneinander und daraus entstand die »Charakterkurve«, die zeigt, wie die CEOs insgesamt abschnitten.

Abbildung 1-2 zeigt die vollständige *ROC*-Charakterkurve. Jeder Punktwert in der Grafik steht für je einen CEO und sein Führungsteam aus unserer Studie. Am oberen Ende der Kurve finden sich zehn CEOs, die unsere Studie als virtuose CEOs identifizierte, da sie in ihrer Führungspraxis ausgeprägte Charaktergewohnheiten zeigen. Um nach unseren Kriterien als virtuos zu gelten, muss ein CEO nicht nur selbst einen hohen Charakter-Punktwert erhalten, der ihn am oberen Ende der Charakterkurve platziert. Auch sein Führungsteam muss ebenso gut abgeschnitten haben. Einer der CEOs erreichte zwar selbst einen hohen Charakter-Punktwert, wurde aber trotzdem in der Vergleichsgruppe nicht berücksichtigt, da sein Führungsteam keinen entsprechenden Punktwert erzielte. Am anderen Ende der Kurve stehen die zehn CEOs mit den niedrigsten Charakter-Punktwerten. Wir wählten für sie die Bezeichnung ichbezogene CEOs, da sie von ihren Mitarbeitern fast ausnahmslos als Menschen ohne starken Charakter beschrieben wurden, die überwiegend an sich selbst dachten – ungeachtet der Folgen für andere.

Für die beiden Gruppen haben wir die Auswahl auf diejenigen CEO begrenzt, die uns vollständige Finanzdaten zur Verfügung stellten. Alle CEOs, die einen hohen Punktwert erreichten, brachten diese Daten ohne weiteres bei. Von manchen der CEOs mit dem niedrigsten Charakter-Punktwert wurden sie uns dagegen nicht zur Verfügung gestellt. Aus diesem Grund konnten wir sieben der CEOs mit sehr niedrigem Punktwert nicht berücksichtigen. An ihre Stelle rückten die CEOs mit der nächsthöheren Punktzahl, die uns Finanzdaten überlassen hatten, bis auch diese Gruppe aus zehn CEOs bestand, die alle den Kriterien eines ichbezogenen CEOs entsprachen.

Die virtuose und die ichbezogene Führungskraft

Alle Punktwerte auf der Charakterkurve stehen für einen einzelnen CEO und das Team, das ihm oder ihr bei der Umsetzung von Aufgaben, wie der Realisierung der Unternehmensziele, zur Seite steht.

In unserer Studie verglichen wir die Gruppen mit den höchsten beziehungsweise niedrigsten Punktwerten auf der Charakterkurve – die virtuosen und die ichbezogenen CEOs. Um zu verstehen, welche Rolle der Charakter in diesen Kategorien spielt, wollen wir diese zwei Gruppen und die Menschen, die sie bilden, genauer anschauen.

Der Begriff »Virtuose« wird im Allgemeinen für einen technisch außergewöhnlichen Sänger oder Instrumentalisten verwendet, ist aber auch bestens geeignet, um eine Unternehmensführung zu beschreiben. Diese beruht nicht nur auf Leistung, sondern ist auch eine Kunstfertigkeit, die eine disziplinierte Ausübung und bestimmte Fähigkeiten erfordert. Und die virtuosen CEOs aus unserem Forschungsprojekt sind wahre Meister in der Kunst der Führung.

ABBILDUNG 1-2:

Die *ROC*-Charakterkurve

ROC-
Punktwert

CEO-Probanden

Der CEO und sein Führungsteam
zeigen dieses Verhalten:

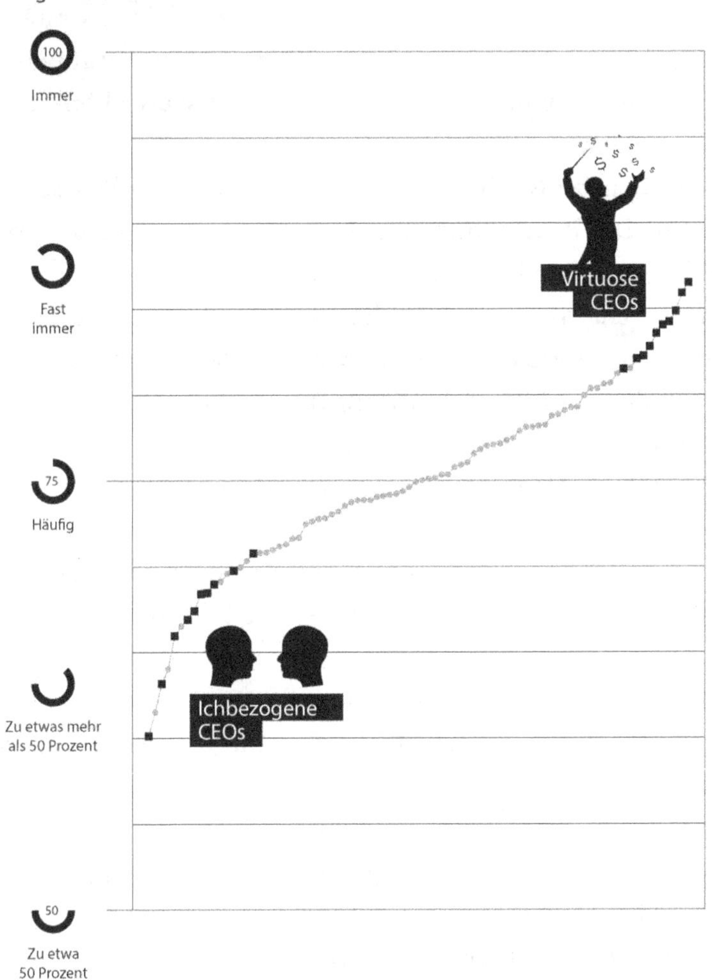

Natürlich ist jeder CEO aus der Gruppe der Virtuosen ein Individuum, das sich in vielerlei Hinsicht von den anderen unterscheidet, unter anderem durch Alter, Geschlecht, Ausbildung, persönlichen Hintergrund sowie Größe und Art des von ihm geführten Unternehmens. Wie unsere Forschung zeigt, sind dennoch allen virtuosen CEOs folgende drei Merkmale gemeinsam:

1. **Sie sind kompetente Unternehmer und Manager:** Alle virtuosen CEOs wissen, wie man eine Vision entwickelt, strategisch den Kurs hält, Leistung fordert und Mitarbeiter zu Verantwortlichkeit anhält, und sie erreichen alle eine große Wertschöpfung für alle Stakeholder.
2. **Ihre Mitarbeiter halten sie für Menschen mit starkem Charakter:** Der Beurteilung ihrer Mitarbeiter zufolge rangierten diese CEOs ganz oben in der Charakterkurve, weil sie ihr Verhalten stets den vier charakterlichen Schlüsselgewohnheiten entspricht.
3. **Jeder von ihnen hat sich ein Führungsteam zusammengestellt, das sich ebenfalls aus Managern mit starkem Charakter zusammensetzt:** Als wirklich virtuos stuften wir einen CEO nur dann ein, wenn auch sein Führungsteam virtuos war.

Die virtuosen CEOs und Manager aus unserer Gruppe haben alle ihre persönliche, einzigartige Geschichte, unter anderem gehören zu dieser Gruppe:

- Dale Larson, der schon mit 29 Jahren CEO wurde, als sein Vater an Krebs starb und Larson das Familienunternehmen übernehmen musste. Das liegt mittlerweile mehrere Jahrzehnte zurück. Damals beschäftigte das Unternehmen zwischen 30 und 40 Mitarbeiter. Inzwischen hat das Unternehmen mehr als 1500 Angestellte und ist mit einem Marktanteil von 55 Prozent nordamerikanischer Marktführer in der Herstellung von Sturmtüren.
- Sally Jewell wurde 2005 zum CEO von REI ernannt, einer Verbrauchergenossenschaft und Amerikas größter und erfolgreichster Outdoor-Einzelhändler mit über 120 Filialen in den Vereinigten Staaten. Bevor Jewell 1996 Vorstandsmitglied von REI wurde, hatte sie in einer Bank Karriere gemacht. 2000 wurde sie zum Chief

Operating Officer (COO) bestellt und war in dieser Position 5 Jahre tätig, bis sie zum CEO befördert wurde.
- Charles Sorenson begann seine Laufbahn als Chirurg. Sein Arbeitgeber, Intermountain Healthcare aus Utah, wuchs schnell und Sorenson stieg 1998 in eine Managementposition auf. 2010, also eineinhalb Jahre vor unserem Gespräch, wurde er zum CEO dieses großen Gesundheitsdienstleisters befördert, der weiterhin auf Expansionskurs ist. Heute gehören 22 Kliniken und Krankenhäuser zu dem Unternehmen, das insgesamt mehr als 33 000 Mitarbeiter beschäftigt.

Als virtuose CEOs zählen Larson, Jewell und Sorenson zu den exzellenten Managern, deren Verhalten tagein, tagaus ihr Engagement im Sinne der vier charakterlichen Schlüsselgewohnheiten unter Beweis stellen. Doch was ist mit denjenigen, die die unteren Ränge unserer Charakterkurve belegen?

Während sich über virtuose CEOs berechtigterweise sagen lässt, dass sie den Erfolg und das Wohl anderer über ihre eigenen Belange stellen, stehen für ichbezogene CEOs das eigene Wohlergehen und der eigene Erfolg an oberster Stelle der Prioritätenliste. Das bleibt ihren Mitarbeitern nicht verborgen, was den niedrigen Punktwert dieser CEOs und ihrer Führungsteams auf der Charakterkurve erklärt. Mitarbeiter ichbezogener CEOs geben übereinstimmend an, dass diese »zu etwas mehr als 50 Prozent« bei der Wahrheit bleiben. Anders ausgedrückt lügen diese CEOs und ihre Teammitglieder ihre Mitarbeiter fast jedes zweite Mal an. Außerdem gilt für ichbezogene CEOs:
- Auf ihre Zusagen kann man sich nicht verlassen.
- Sie schieben die Schuld oft auf andere.
- Sie strafen häufig Mitarbeiter für Fehler, die diesen trotz bester Absicht unterlaufen.
- Sie kümmern sich auffallend wenig um das Wohlergehen anderer.

Wie wir im Laufe unserer Analyse herausfanden, generierten ichbezogene CEOs viel weniger Wert für alle Beteiligten: weniger Rendite für die Anleger, eine geringere Zufriedenheit am Arbeitsplatz und ein schwächeres

Engagement der Mitarbeiter. All diese Werte schnitten im Vergleich zu den virtuosen CEOs schlechter ab. Das erweckte den Eindruck, dass ihnen ihr persönlicher Erfolg und ihre eigene finanzielle Sicherheit am wichtigsten sind.

An anderer Stelle in diesem Buch untersuchen wir die »Einzelkämpfermentalität«, der dieser Führungsstil Vorschub leistet, aber auch die Wirkung solcher CEOs auf das Ergebnis ihres Unternehmens. Zur Gruppe der ichbezogenen CEOs gehören (aus naheliegenden Gründen werden hier Pseudonyme verwendet):

- Brian, CEO eines börsennotierten Hightech-Fertigungsunternehmens mit Tausenden von Mitarbeitern.
- James, CEO einer globalen gemeinnützigen Nichtregierungsorganisation mit Tausenden von Mitarbeitern in zahlreichen Ländern.
- Robert, Unternehmer, Mitte vierzig, der ein Dienstleistungsunternehmen mit Zweigstellen in drei US-amerikanischen Städten und mit etwa 150 Mitarbeitern leitete. Zum Zeitpunkt unseres Gesprächs liefen Roberts Geschäfte ausgezeichnet, doch seither geriet sein Unternehmen in die Krise und er musste mindestens eine seiner Niederlassungen schließen.

Abbildung 1-3 veranschaulicht anhand der Mitarbeiterbewertungen virtuoser und ichbezogener CEOs im direkten Vergleich, inwieweit sie die charakterlichen Schlüsselgewohnheiten aufweisen. Die niedrige Punktzahl der ichbezogenen CEOs bezüglich Empathie ist besonders auffällig. Die Erhebungsdaten zeigen deutlich, dass den Mitarbeitern bewusst ist, was sie für diese CEOs sind: nicht Menschen, sondern »Produktionseinheiten«. Obwohl es in unserer CEO-Untersuchung durchaus Teilnehmer gab, die bei einer charakterlichen Schlüsselgewohnheit (zum Beispiel Integrität) gut abschnitten, aber in einem oder mehreren der drei anderen Bereiche schlechte Ergebnisse erzielten, erreichten die virtuosen CEOs ausnahmslos bei allen vier charakterlichen Schlüsselgewohnheiten sehr gute Werte.

Als wir die Mitarbeiter der drei virtuosen CEOs Larson, Jewell und Sorenson fragten, weshalb sie ihre Vorgesetzten so gut bewertet hatten, erhielten wir folgende Antworten:

> *»Dales [Larsons] Integrität, seine umfassende Fürsorge für seine Mitarbeiter und sein ausgeprägtes Verantwortungsbewusstsein für den Unternehmenserfolg spiegeln sich in seinem Verhalten wider – bei formellen Sitzungen ebenso wie bei zufälligen Begegnungen im Flur. Und was Dales Versöhnlichkeit anbelangt: Er möchte, dass jeder Mitarbeiter für einen bestimmten Bereich verantwortlich ist, und er weiß, dass Fehler passieren können. Er hat kein Problem damit und gibt seinen Leuten die Möglichkeit, Fehler zu korrigieren oder Abhilfe zu schaffen. Wird immer wieder derselbe Fehler gemacht und dem Unternehmen dadurch Schaden zugefügt, duldet er das nicht, doch das ist richtig und gut so.«*

> *»Sally Jewell gilt als außerordentlich vertrauenswürdig und genießt großen Respekt. Da ich vor meinem Wechsel zu REI in mehreren großen Unternehmen tätig war, kann ich mit Sicherheit sagen, dass sie zu den Besten ihres Fachs zählt und dass ich begeistert davon bin, dass sie das Unternehmen leitet.«*

> *»[Sorenson] ist sehr fürsorglich und geht offen mit seinen Beschäftigten um. Ich bin fest davon überzeugt, dass er immer bemüht ist, mit guten Begründungen das Richtige zu tun. Ich arbeite zwar nicht direkt mit ihm zusammen, doch er ist für die Beschäftigten immer ansprechbar und hakt nach, wenn es Probleme oder sonstige Schwierigkeiten gibt. Jedes Mal, wenn ich mit ihm zu tun hatte, hat er mich als gleichberechtigten Partner und mit Wertschätzung behandelt. Es gab nie eine Barriere zwischen ihm und seinen Mitarbeitern.«*

ABBILDUNG 1-3:

Bewertung des Charakter-Verhaltens der CEO durch die Mitarbeiter

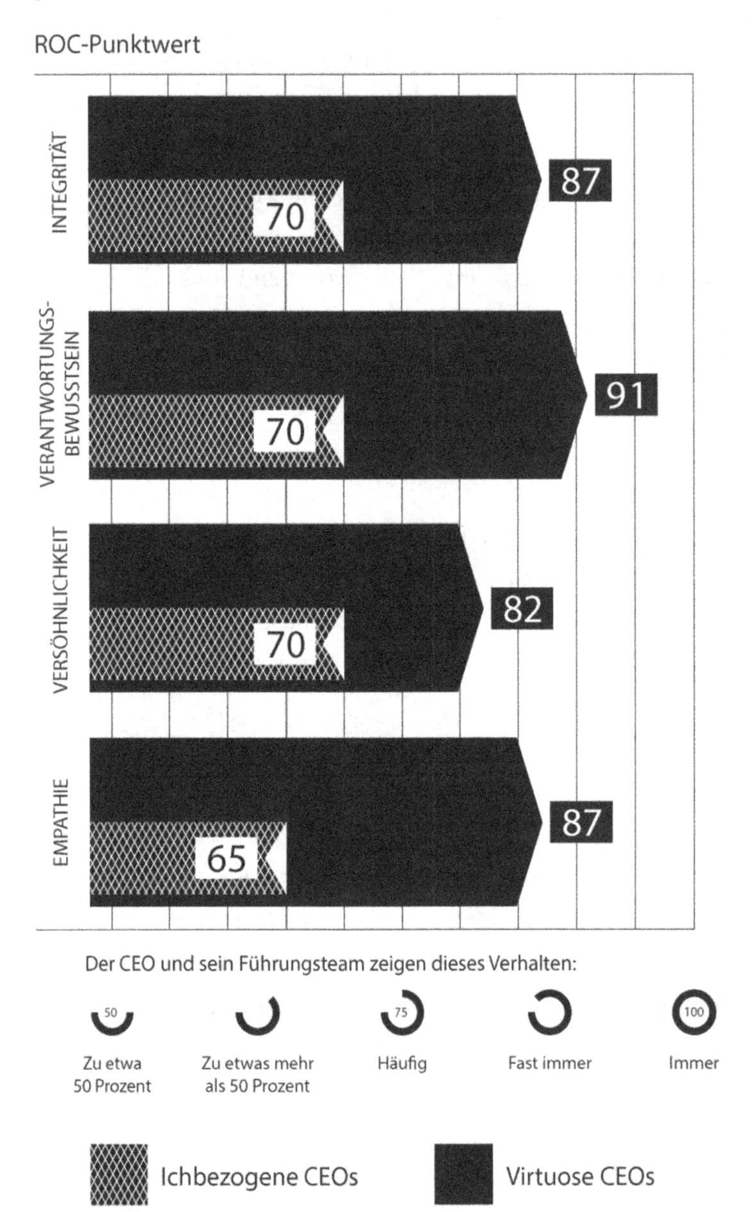

Als wir Mitarbeitern der drei ichbezogenen CEOs Brian, James und Robert dieselben Fragen stellten, erhielten wir diese Antworten:

> *»Ich arbeitete an einem großen Projekt und hatte dabei nie das Gefühl, dass der CEO es voll und ganz unterstützte. [Brian] behauptete das zwar, doch was er tat, hinterließ einen ganz anderen Eindruck. Am Ende wurde das Projekt abgeblasen. Er wäre besser von Anfang an ehrlich gewesen.«*

> *»Die meisten Leute hier haben das Gefühl, der Geschäftsführer [also James] denkt mehr an die eigene Karriere und die öffentliche Meinung über unsere Unternehmen als an unseren Auftrag. Dem mittleren Management und den Angestellten an der Basis liegt die Arbeit aber am Herzen ... auch wenn es denen da oben an Herzblut fehlt.«*

> *»Im Moment hat unser CEO [Robert] eine Affäre mit einer Angestellten. Sie bilden ein eingeschworenes kleines ›Team‹, was ihr das Recht gibt, andere schlecht zu behandeln. Ihr Erfolg hat nichts mit ihren Fähigkeiten zu tun, sondern nur damit, dass sie seine Freundin ist. Das frustriert uns alle, weswegen wir ihm weder privat noch beruflich über den Weg trauen.«*

Unsere Forschung hat auch interessante Unterschiede bei der Selbsteinschätzung von CEOs beider Kategorien offenbart. Wir baten sie, sich selbst zu bewerten, und stellten ihnen dieselben Fragen wie zuvor ihren Mitarbeitern.

Es stellte sich heraus, dass die virtuosen CEOs mit ihrer Selbsteinschätzung meist richtigliegen, wobei manche sich wohl aus Bescheidenheit unterschätzen. Die Mehrheit der ichbezogenen CEOs dagegen bewertet sich ebenso hoch wie die virtuosen CEOs. Abbildung 1-4 verdeutlicht anhand der Zahlen den Vergleich dieser Selbsteinschätzungen mit der Bewertung durch die Beschäftigten.

ABBILDUNG 1-4:

Selbsteinschätzung und Mitarbeiterbewertung der CEOs im Vergleich

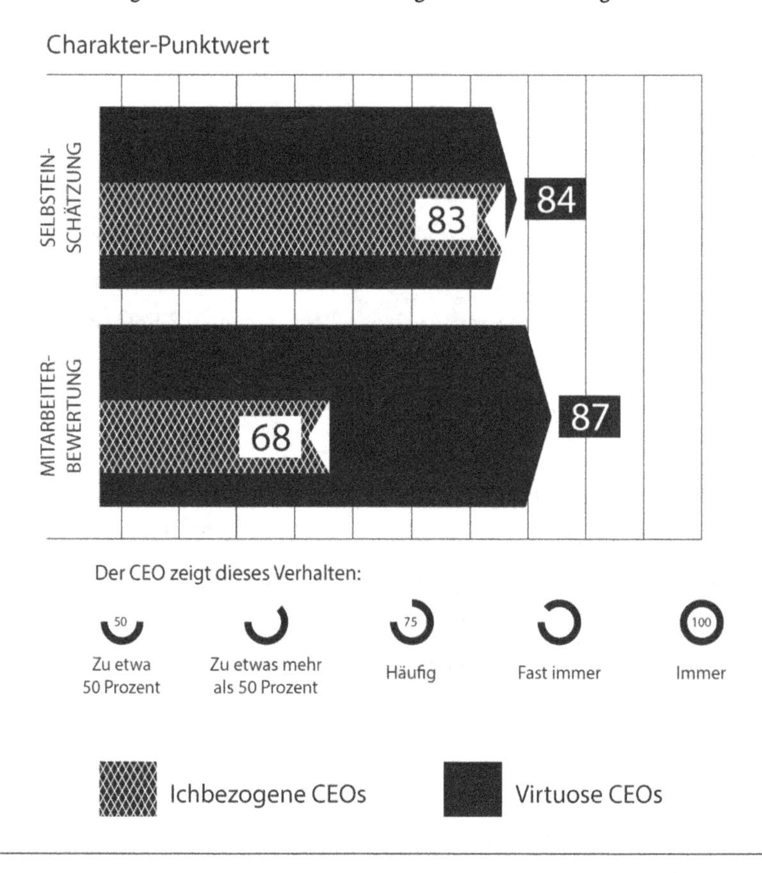

Abgesehen von allen anderen Unterschieden zeigen sich auch im Verhalten der beiden CEO-Gruppen am Arbeitsplatz deutliche Unterschiede. Die eine Gruppe wird von ihren Beschäftigten als ehrlich, umgänglich und fürsorglich empfunden, während die andere als unehrlich, arrogant und mehr am eigenen als am Wohl anderer interessiert beschrieben wird. Weniger offensichtlich ist dagegen, warum der Charakter des CEOs und seines Führungsteams dabei eine so wichtige Rolle spielt.

In einem Wirtschaftssystem, das sich vor allem am Gewinn orientiert (also praktisch in der ganzen westlichen Welt), stellt sich die Frage, wie wichtig der Charakter eines CEOs für den Unternehmenserfolg ist. Spielt es wirklich eine Rolle, wie versöhnlich oder empathisch oder gar aufrichtig unsere Führungskräfte sind, solange sie das gewünschte Ergebnis liefern? Um den

Zusammenhang aufzuzeigen zwischen dem, wer der CEO als Mensch ist, und dem, was er macht – und damit auch den *Return on Character* –, untersuchten unser Forschungsteam, was ein CEO jeweils mitbringt.

Die *ROC*-Wertschöpfungskette

Jedes Unternehmen hat seine eigene Wertschöpfungskette, unterschiedliche Rohmaterialien, Produkte, Prozesse und andere Aktivitäten, die zusammen den Gesamtwert der von diesem Unternehmen erzeugten vermarktbaren Produkte oder Dienstleistungen ausmachen. Diese Wertschöpfungskette bestimmt maßgeblich, welche Ergebnisse das Unternehmen erzielt.

CEOs beeinflussen das Unternehmensergebnis schon allein dadurch, dass sie im Chefbüro sitzen. Jeder von ihnen hat, gemeinsam mit anderen Führungskräften auf allen Organisationsebenen, seine eigene Wertschöpfungskette, die sich zusammensetzt aus:

- unterschiedlichen Prinzipien, Glaubenssätze und Erfahrungen, die seinen Charakter prägen,
- Handlungen, in denen sein Charakter Ausdruck findet, sowie
- die Begabung und die Fähigkeit des Einzelnen, Entscheidungen zu treffen, ein starkes Team zusammenzustellen und zu leiten, eine Kultur der Verantwortlichkeit aufzubauen und dauerhaft zu etablieren, strategisch zu denken und dergleichen mehr.

Diese Elemente bestimmen, welchen Wert ein CEO für sein Unternehmen generiert, und das operative Ergebnis ist ein aussagekräftiger Maßstab für diesen Wert. Die *ROC*-Wertschöpfungskette in Abbildung 1-5 veranschaulicht, wie die Kombination aus dem Charakter des CEOs und seinen Fähigkeiten das operative Ergebnis beeinflusst.

ABBILDUNG 1-5:

Die *ROC*-Wertschöpfungskette

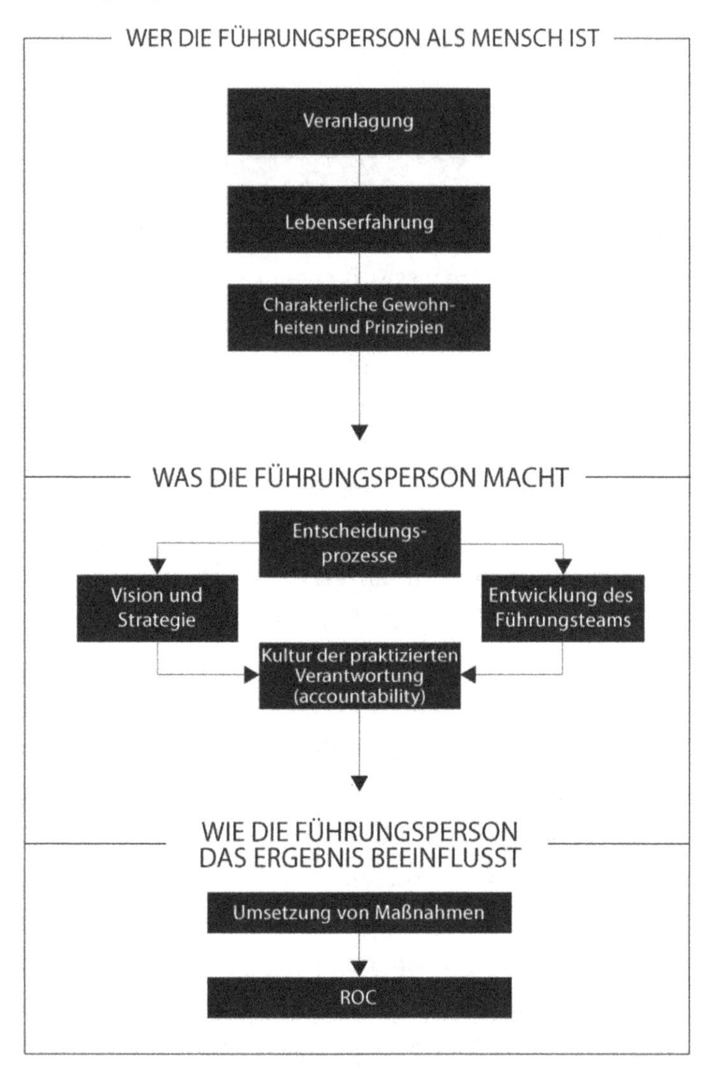

Mithilfe der *ROC*-Wertschöpfungskette lässt sich die persönliche Wertschöpfungstechnik eines CEOs oder einer anderen Führungskraft in ihre einzelnen Elemente aufspalten. Hier die einzelnen Schritte:

Veranlagung und Lebenserfahrung. Ich bin kein Anhänger der Idee, dass man »zum Anführer geboren« wird, aber ich teile auch nicht die Auffassung, dass Menschen ihr Leben als unbeschriebenes

Blatt beginnen. Unsere Gene bereiten den Boden für unsere Einstellung zum Leben und seine Herausforderungen, doch unsere ersten Erfahrungen in unserer frühen Entwicklung in der Familie bestimmen, wie wir zu Entscheidungen gelangen und mit anderen Menschen umgehen (dazu mehr im zweiten Kapitel).

Charaktergewohnheiten und Glaubenssätze. Wir alle werden von unserem Unterbewusstsein gelenkt - vermutlich stärker, als wir denken. Charakterliche Gewohnheiten, die wir in unserer Kindheit erworben und im Laufe unseres Lebens angepasst haben, sind ein großer Teil unserer inneren Welt, wenn auch meist unterbewusst. Wie wir bereits wissen, sind viele unserer ethisch motivierten Handlungen, die unseren Charakter bestimmen und ausdrücken, das Ergebnis automatisch ablaufender Reaktionsmuster, die sich ganz ohne rationale Überlegungen vollziehen. Diese charakterlichen Gewohnheiten zeigen sich oft als reflexartige Reaktion auf bestimmte Situationen. Sie sind sozusagen der ungefilterte Ausdruck unserer Glaubenssätze. Charaktergewohnheiten in Verbindung mit den Glaubenssätzen einer Führungskraft - insbesondere ihrer Zielsetzungen für das Unternehmen - wirken sich unmittelbar auf ihre Entscheidungsfähigkeit und andere Führungstätigkeiten aus. Aus diesem Grund sind die Charaktergewohnheiten und moralischen Überzeugungen von Führungskräften so wichtig für die Wertschöpfung und für den wirtschaftlichen Erfolg (hierzu mehr im dritten Kapitel).

Entscheidungsfähigkeit. Entscheidungen zu treffen ist ein wesentliches Element der *ROC*-Wertschöpfungskette. Kein CEO ist je erfolgreich gewesen, ohne auf seinem Weg ins Chefbüro grundlegende Führungskompetenzen und Managementkenntnisse zu lernen. Dazu gehören die Entwicklung einer Zukunftsvision für das Unternehmen, die strategische Ausrichtung, die Einführung einer Kultur der Verantwortlichkeit und das Zusammenstellen und Leiten eines Führungsteams. Alle diese Fähigkeiten haben die Entscheidungsfähigkeit des CEOs zur Voraussetzung, einerseits in Personalfragen (zum Beispiel, wer in das Führungsteam aufgenommen wird, wie Mitarbeiter und nachrückende Führungskräfte gefördert und entwickelt werden und ähnliches), andererseits in unternehmerischen Fragen (zum Beispiel, wann das Geschäftsmodell aktualisiert werden muss oder welche Risiken verkraftbar sind). Einige dieser Fragen werden von CEOs intuitiv entschieden, ohne dass sie bewusst darüber nachdenken, doch in der Regel halten sich erfolgreiche Führungskräfte an einen disziplinierten Entscheidungsprozess, der Intuition mit eingehender Analyse kombiniert (das ist im vierten Kapitel zu finden).

Bereitschaft zur Umsetzung des Geschäftsplans. Der CEO und die Mitglieder des Führungsteams können nur etwas bewirken, wenn ihre Organisation gut strukturiert, die Mitarbeiter engagiert, auf die Geschäftsstrategie fokussiert und bereit wie auch befähigt ist, den Geschäftsplan umzusetzen. Der Charakter und die Führungskompetenz des Führungsteams sind somit die Fortsetzung des CEO-Einflusses auf die *ROC*-Wertschöpfungskette (mehr dazu im fünften Kapitel).

Return on Character. Das Betriebsergebnis, das sich aus dieser Gleichung ergibt, ist nichts anderes als der *Return on Character* des betreffenden Unternehmens. Funktionieren die einzelnen Glieder der *ROC*-Wertschöpfungskette optimal, entsteht nicht nur für die Investoren. erheblicher Wert, sondern auch für Kunden, Beschäftigte, Zulieferer oder andere externe Partner des Unternehmens, die wichtige Produkte oder Dienstleistungen zur Verfügung stellen, für das lokale Umfeld und zu guter Letzt auch für die Umwelt (dies wird im sechsten Kapitel behandelt).

Die *ROC*-Wertschöpfungskette verbindet alle Elemente miteinander, die zum operativen Ergebnis beitragen, das jede Führungskraft für das Unternehmen erwirtschaftet. Doch um diese Werte exakt beziffern und nachvollziehen zu können, müssen wir zunächst die einzelnen Elemente dieser Formel näher untersuchen, und das tun wir in den nächsten Kapiteln.

In diesem Kapitel haben wir das Rahmenkonzept für den *ROC* erläutert, indem wir geklärt haben, was unter dem Begriff »Charakter« zu verstehen ist und wie unser Charakter unser Verhalten und unseren Umgang mit anderen prägt. Außerdem haben wir mit der Analyse der Charakterkurve, die sich aus der Bewertung des Verhaltens der CEOs am Arbeitsplatz durch ihre Mitarbeiter ergeben hat, einen ersten Einblick in die Ergebnisse der *ROC*-Forschung gegeben. Dabei hat sich gezeigt, wie dramatisch sich ihre Beurteilung von der Selbsteinschätzung der fraglichen CEOs unterscheiden kann.

Bevor wir uns nun eingehender der Frage widmen, wie der Charakter eines CEOs das Betriebsergebnis beeinflusst und wie der Einzelne sowie das ganze Unternehmen eine Art Gedächtnis für den Charakter aufbauen können, müssen wir mehr darüber erfahren, wie sich der menschliche Charakter entwickelt. Deshalb befassen wir uns im nächsten Kapitel mit der menschlichen Natur und damit, wie der Verstand moralische Überzeugungen, Motive und Persönlichkeit herausbildet, die mit unserem Charakter verwoben sind.

ZUSAMMENFASSUNG:

Charakter – Definition und Verteilung auf der Charakterkurve

1. **Charakter ist die einzigartige Kombination von Glaubenssätzen und Charaktergewohnheiten eines Menschen, die die Art seines Umgangs mit anderen bestimmen.** Unser Charakter wird von unserem Verhalten definiert – wie wir unsere Mitmenschen behandeln, zeigt unseren Charakter „in Aktion".

2. **Charakter und solide Führungskompetenz liefern die Grundlage zur Unterscheidung der virtuosen CEOs von den ichbezogenen CEOs unserer *ROC*-Studie.**

3. **Die vier charakterlichen Schlüsselgewohnheiten virtuoser Führungskräfte sind Integrität, Verantwortungsbewusstsein, Versöhnlichkeit und Empathie.**

4. **Wer in der *ROC*-Forschung als virtuoser CEO gelten will, muss selbst ebenso wie sein Führungsteam die vier charakterlichen Schlüsselgewohnheiten nach Ansicht seiner Mitarbeiter die meiste Zeit unter Beweis stellen.** Den Aussagen ihrer Mitarbeiter zufolge zeigen virtuose CEOs dieses Verhalten »fast immer«.

5. **Als ichbezogen eingestufte Führungskräfte zeigen die vier charakterlichen Schlüsselgewohnheiten nur etwas häufiger als 50 Prozent der Zeit.** Insbesondere im Bereich der Empathie schneiden sie schlecht ab.

6. **Der Wert, den eine Führungskraft für ihr Unternehmen darstellt, beruht auf ihrem Charakter (Veranlagung, Lebenserfahrung und Charaktergewohnheiten) in Kombination mit ihren Führungskompetenzen (Entscheidungsfähigkeit, Vision, Ausrichtung, Verantwortlichkeit, Entwicklung des Führungsteams).** Das aufgrund dieser Kombination erzielte Ergebnis stellt den *Return on Character* des Unternehmens dar.

2

Ein neues Konzept der menschlichen Führungsnatur

In Prognosen zu Marktentwicklungen fließen bestimmte Annahmen zur menschlichen Natur ein. Finanzanalysten, Ökonomen, Professoren für Betriebswirtschaft, Wall-Street-Banker und andere, die sich auf solche Vorhersagen spezialisiert haben, interessieren sich für den Einfluss des Individuums auf wirtschaftliche und geschäftliche Entscheidungen. Da selbst die fähigsten Analysten nicht über jeden Manager, jedes Unternehmen oder jedes Ereignis, das Einfluss auf Markttrends hat, gut informiert sein können, stützen sie sich bei ihren Erkenntnissen und Prognosen auf Modelle. Das gängige Modell für die menschliche Natur ist seit sehr langer Zeit der Homo oeconomicus, der »Wirtschaftsmensch«, der in der klassischen Wirtschaftstheorie aus einem überschaubaren Spektrum persönlicher Interessen heraus agiert, die ihm bei minimalem Aufwand maximalen Nutzen (in Form von Geld, Gütern oder anderen Leistungen) bringen sollen.

Lange Zeit haben Experten ihre Annahmen zu solider Unternehmensführung auf dieses Modell gestützt. Infolgedessen gilt ein auf das Eigeninteresse gerichteter, kühl kalkulierender, kompromissloser Ansatz zur Unternehmensführung weithin als »völlig normal«, als notwendiges Übel in der Welt der Wirtschaftsmenschen, in der Profit über alles geht und die härtesten Strategien den größten Erfolg bringen. Unsere Forschungsarbeit ergab jedoch, dass diese Vorstellung schlicht falsch ist. Die Ergebnisse belegen, dass Manager, die in das eindimensionale Homo-oeconomicus-Modell passen – Führungskräfte, die ihrem Verhalten zufolge in unsere Kategorie der ichbezogenen CEOs fallen –, ihre Aufgaben am wenigsten effektiv erfüllen. Darüber hinaus bestätigen die Daten aus der *ROC*-Forschung, dass ichbezogene Manager den ultimativen Wertmaßstab, den die Wall Street und die meisten Wirtschaftsexperten anlegen, nämlich die Rendite für die Aktionäre zu maximieren, nicht erfüllen. Virtuose Führungskräfte erzielen dagegen eine fünfmal so hohe Rendite für ihre Unternehmen (mehr dazu im sechsten Kapitel).

Um genau zu verstehen, was den Charakter einer Führungskraft ausmacht, und wie er sich auf das Unternehmensergebnis auswirkt, müssen wir uns vom überholten Modell des Homo oeconomicus verabschieden und eine neue Perspektive wählen. Dazu nehmen wir die menschliche Natur, ihre genetischen Grundlagen und ihre Prägung durch Lebenserfahrung in den Fokus und untersuchen, wie sie in den Entscheidungen und im Verhalten von Führungskräften Ausdruck findet. Dabei geht es nicht in erster Linie um die Unterscheidung von »guten« und »schlechten« Managern oder um die eingehende Analyse ihrer Denkprozesse. Es geht vielmehr darum zu verstehen, wie wir die besseren Führungskräfte erkennen und auswählen und wie wir uns selbst zu solchen entwickeln können.

Das erste Kapitel gab uns einen ersten Eindruck von der *ROC*-Wertschöpfungskette. Sie enthält alle Elemente des Wertes, den eine Führungskraft ihrem Unternehmen bringt. Die erste Gruppe dieser Elemente bestimmt, wer die Führungsperson als Mensch ist. Sie ergibt sich aus der Veranlagung, der Lebenserfahrung und den daraus resultierenden moralischen oder Charaktergewohnheiten. Diese grundlegenden Elemente des Charakters einer Führungskraft bestimmen wiederum,

- wie effektiv eine Führungskraft eine Vision von der angestrebten Zukunft des Unternehmens entwickelt und
- wie sie die nötigen Entscheidungen trifft und sich in zwischenmenschlichen Beziehungen verhält, um dieses Ziel zu erreichen.

Kurz: Charakter (wer die Führungsperson als Mensch ist) + Fähigkeiten (was die Führungsperson macht) = Ergebnis (*Return on Character*).

Im vorliegenden Kapitel beleuchten wir das Grundelement dieser Gleichung, indem wir die Wesensart von Menschen unter die Lupe nehmen, die Führungspositionen einnehmen. Zunächst entkräften wir die überkommene Vorstellung vom »absolut vernunftgesteuerten, total eigennützigen« Menschen, die schon so lange unsere Auffassung von Führungsqualität in der Wirtschaft kennzeichnet. So wird deutlich, inwiefern dieses Modell ungeeignet ist, um in der heutigen Unternehmens- und Wirtschaftswelt Erfolge zu erzielen. Nach einem kurzen, aber unverzichtbaren Überblick über die neurologischen »Hardware- und Betriebssysteme«, mit denen das menschliche Gehirn im Regelfall ausgestattet ist, erfolgt ein Exkurs in die »Software« des Menschen: über die uns motivierenden Antriebe, über die moralischen Intuitionen und über die Wesenszüge, die uns zugleich so einzigartig menschlich und so einzigartig unter den Menschen machen.

Mit diesem komplexeren und umfassenderen Bild von einem CEO (wer er ist), können wir seinen Charakter und seine Auswirkungen auf die Arbeitsatmosphäre und das Unternehmensergebnis eingehender untersuchen. Allem voran können wir weit besser erkennen, welche charakterlichen Aspekte eines Managers verändert werden können und sollten, um das Unternehmensergebnis zu verbessern.

Führungskompetenz neu definiert

Das Modell des *Homo oeconomicus*, demzufolge der Mensch im Grunde rational und an sich selbst interessiert ist, ist mindestens 200 Jahre alt. Im Wirtschafts- und Geschäftsleben wird es häufig mit dem Werk des schottischen Philosophen Adam Smith in Zusammenhang gebracht. Im 1776 veröffentlichten *Der Wohlstand der Nationen* entwirft Smith das Konzept einer »unsichtbaren Hand«, die gleichsam regulierend eingreift, wenn Menschen in der freien Marktwirtschaft einzig ihre eigenen Interessen verfolgen, und die dem Gemeinwohl dient.[16] Noch heute vertreten viele Wirtschaftswissenschaftler und Politiker dieses Konzept, das in bestimmten Zusammenhängen deutlich in Erscheinung tritt, etwa wenn geniale Unternehmer (wie Steve Jobs, Mark Zuckerberg oder Elon Musk) neue, einzigartige Produkte oder innovative Dienstleistungen entwickeln, die Millionen von Menschen zugutekommen. Doch ein solch reduziertes Bild des Menschen und der Marktwirtschaft kann die meisten Entwicklungen unserer modernen globalen Wirtschaft nur höchst unzulänglich erklären.[17]

Leider erleben wir fast täglich Beispiele von Managern, die nach dem Vorbild des *Homo oeconomicus* geformt wurden und ihr Eigeninteresse in einer Weise verfolgen, die de facto Gemeinwohl vernichtet. Keine unsichtbare Hand greift ein und stärkt unser Sozialgefüge, sondern immer häufiger finden wir uns im Würgegriff eines harten, rationalen Übernahmedrucks wieder, der unerbittlich alles und jeden niederwalzt, was ihm im Wege steht. Wenig überraschend ist, dass dieses alte Modell für Führung nicht dem Gemeininteresse einer Gesellschaft dient.

Doch wie niedrig ist die Schwelle, die dieses überholte Modell für das Verhalten unserer Führungskräfte vorgibt? Die Juraprofessorin Lynn Stout von der Cornell University stellt fest, dass laut American Psychiatric Association fünf der sieben Diagnosemerkmale für einen Psychopathen, darunter Arglist, Missachtung gesellschaftlicher Normen oder Sicherheitsaspekte, anhaltende Verantwortungslosigkeit und das Fehlen von Reue, auch feste Bestandteile des Modells vom *Homo oeconomicus* sind.[18]

Die Eigenschaften, die Stout in diesem Vergleich herausstellt, decken sich mit den Verhaltensweisen, die viele Beschäftigte den Managern zuschreiben, die in unserer Studie die Gruppe der ichbezogenen CEOs bilden. Das verwundert wenig, da diese Vorstellung aus dem 18. Jahrhundert vom grundlegenden Wesen des Menschen heutzutage als Basis für effektive Führungsqualität ganz offensichtlich ungeeignet ist. Wer von diesem Modell als dem Standard der menschlichen Wesensart ausgeht, der sollte damit rechnen, dass einige unserer Wirtschaftskräfte und Staatslenker ineffektiv, unethisch oder sogar korrupt sind.

Die aktuelle Forschung auf den Gebieten der Genetik, der Psychologie und der Neurowissenschaften bietet uns einen zeitgemäßen und tieferen Einblick in die menschliche Natur, der unsere Vorstellungen von Führungsqualität revolutionieren kann, da sie auf die Herausforderungen des 21. Jahrhunderts ausgerichtet ist. Wir bezeichnen dieses Modell von der menschlichen Wesensart als den *integrierten Menschen* und beschreiben damit das gesamte Spektrum physischer, neurologischer, genetisch vorbestimmter und erworbener Attribute, die unseren Charakter bilden und unser Verhalten steuern.

Vor wenigen Jahrzehnten, als ich selbst studierte, war die Gehirnforschung noch in alten Paradigmen verhaftet. Damals brachte man uns bei, das Gehirn sei ein Instrument, das im jungen Erwachsenenalter ausgereift sei und sich dann auf den langen Abstieg bis in die Senilität und den Tod begibt. Doch vieles, was wir damals über das Gehirn zu wissen glaubten, war falsch. Heute hat die Gehirnforschung enorme Fortschritte gemacht, was den komplexen Bildgebungsverfahren der funktionellen Magnetresonanztomografie (fMRI) zu verdanken ist. Unser Wissen über die Physiologie des Gehirns erweitert sich ständig. Auch in den Disziplinen der Entwicklungs- und Sozialpsychologie sowie der kognitiven und der Evolutionspsychologie lernen wir rasch dazu, sodass wir immer besser verstehen, wie der menschliche Geist und auch das Unterbewusstsein arbeiten.[19] Auf dem Gebiet der Genetik haben wir ebenfalls Erstaunliches erreicht. Noch vor 20 Jahren lautete die gängige Meinung, dass ein neugeborenes Kind ein unbeschriebenes Blatt sei. Heute wissen wir, dass unsere genetischen »Programmierung« unsere Entwicklung in wesentlicher Hinsicht beeinflusst.[20]

Diese wissenschaftlichen Errungenschaften liefern die Bausteine für unser Modell vom integrierten Menschen. Damit können wir einen exakteren und geeigneteren Standard für den Charakter und das Verhalten von Führungskräften festlegen.

Abbildung 2-1 zeigt ein Modell der menschlichen Natur und ihrer Elemente auf der Grundlage des alten Konzepts vom *Homo oeconomicus*. In diesem Modell wird unsere Wesensart nur von zwei Elementen bestimmt:

- von logischen Denkprozessen und
- vom Erwerbstrieb.

Von Führungskräften, die nach diesem Modell funktionieren, können wir nur emotionsloses, rationales Handeln erwarten mit dem Wunsch, das eigene Vermögen zu mehren, und ohne die Kontrollmechanismen des Gewissens oder der Reue. Sie haben einzig und allein ihre eigenen Interessen im Sinn. Das Modell vom Wirtschaftsmenschen entspricht ziemlich genau dem Wesen des ichbezogenen CEOs.

ABBILDUNG 2-1:

Das Modell des *Homo oeconomicus*

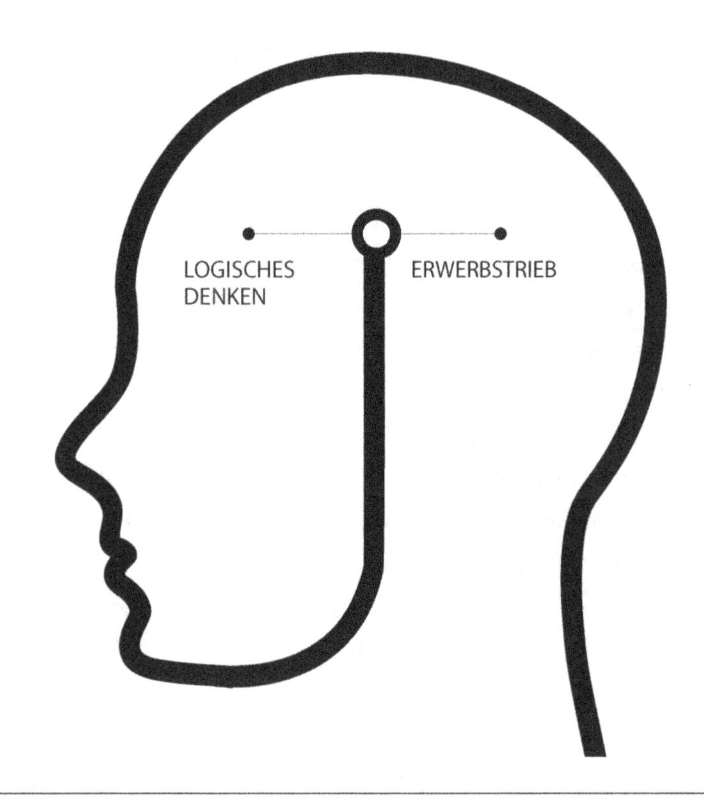

Das Modell vom integrierten Menschen dagegen schließt neben den bei den Elementen des Vorgängermodells auch folgende Faktoren ein:

- ein bewusstes analytisches System, das sogenannte »langsame Denken«,
- ein unterbewusstes intuitives System, das »schnelle Denken«,
- die ganze Bandbreite der »motivierenden Antriebe« (von denen der Erwerbstrieb nur einer ist),
- eine Grundidee von ethischem Verhalten beziehungsweise »moralische Intuitionen« und
- besondere Eigenarten oder »Persönlichkeitsmerkmale«.

Zusammengenommen liefern diese Wesenselemente alle Grundfunktionen, die ein vollständiger, integrierter Mensch zum Leben braucht. Und sie sind das Sprungbrett für die Entwicklung zur Führungsperson. Wie unsere Forschungsdaten belegen, wirkt sich die Fähigkeit, all diese Bereiche zu nutzen, darauf aus, inwiefern eine Führungskraft positive Ergebnisse für ihr Unternehmen erzielen kann.

Das Wesensmodell vom integrierten Menschen würdigt den tieferen und bedeutsamen Zusammenhang zwischen dem, wer wir sind, und dem, was wir tun. Indem wir den Charakter eines CEOs mit Hilfe dieses Modells betrachten, können wir unseren Führungsansatz besser bewerten und optimieren. Diese umfassendere Erkenntnis über die menschliche Natur können wir ebenso nutzen, um effektivere Führungsqualitäten in anderen zu erkennen und zu fördern und um aufzuzeigen, wenn Gier und Machtstreben einzelner Führungskräfte destruktiv wirken.

Skizzierung der menschlichen Denksysteme

Metaphern, die das menschliche Gehirn mit einem Computer vergleichen, sind mitunter zu vereinfachend. Dennoch haben beide Systeme gewisse Ähnlichkeiten. Diese können die Grundfunktionen unserer Instinkte und unseres Intellekts veranschaulichen. Wir können uns das menschliche Gehirn als großartiges »Hardwarekonstrukt« vorstellen, das nicht nur mit einem, sondern mit zwei Betriebssystemen ausgestattet ist, die wir lebenslang gebrauchen und anpassen können, um uns in der Welt zurechtzufinden: unser »schnelles Denken«, unterbewusst und intuitiv, und unser »langsames Denken«, bewusst und rational.[21]

Das schnelle Denken umfasst all unsere unterbewussten Intuitionen, Begierden, Gewohnheiten und Emotionen. Hauptzweck des schnellen Denkens ist es, diese unterbewussten Impulse zu geben, um Verhaltensmuster auszulösen, die uns Sicherheit, Schutz, Nahrung und sozialen Zusammenhalt verschaffen. Wir kommen mit einem voll funktionsfähigen schnellen Verstand auf die Welt, der bereits im Mutterleib zu arbeiten anfängt. Er ist immer aktiv, sucht ständig nach Informationen und zieht laufend Schlussfolgerungen aus seinen Wahrnehmungen. Diese

Schlussfolgerungen beruhen häufig auf Intuition, Gefühlen oder Begierden. Unser schnelles Denken sorgt auch für gewohnheitsmäßiges Verhalten – für automatische Reaktionen wie den Tritt auf die Bremse vor einem Stoppschild. Solche Gewohnheiten beeinflussen auch unseren Umgang mit anderen. So werden etwa reflexartige Reaktionen, wie die Wahrheit zu sagen oder Fehler zuzugeben, zu festen charakterlichen Gewohnheiten.

Intuition und andere verhaltensauslösende Schlussfolgerungen unseres schnellen Denkens erfolgen unaufgefordert und stimmen nicht unbedingt immer. Sie lösen beispielsweise Reaktionen aus, die »aus dem Bauch heraus« erfolgen und uns in die richtige Richtung lenken, aber auch in die Irre führen können. Diese Intuitionen und Schlussfolgerungen des schnellen Denkens sind auch nicht konstant. Sie verändern sich im Laufe des Lebens.

Unser langsames Denken steuert unser bewusstes und analytisches Denken. Es stellt uns die Werkzeuge der Logik und der Reflexion zur Verfügung. Dieses langsame Denken fungiert als überlegtes, analytisches Denkinstrument. Es kann Daten erfassen, analysieren und unter Anwendung der Regeln der Logik zu neuen Schlussfolgerungen führen. Unser langsames Denken kann auf etliche Überzeugungen oder Regeln zurückgreifen und sich bei Entscheidungen davon leiten lassen. Es kann auch die Intuitionen des schnellen Denkens aushebeln, ein Prozess, den wir als Willenskraft kennen. Unser langsames Denken kann ferner lernen, irreführende Signale unseres schnellen Denkens zu erkennen und zu ignorieren. Auf diese Weise demonstrieren wir Selbsterkenntnis und Weisheit.

Leider ist unser langsames Denken nicht immer aktiv. Erstaunlicherweise sind sich die meisten Wissenschaftler darin einig, dass die wenigsten Entscheidungen, die wir im Laufe eines Tages treffen – von der Essensbestellung im Restaurant bis zur Begründung geschäftlicher Allianzen – vom bewussten also langsamen Denken gelenkt werden. Viel öfter lassen wir uns von unserem schnellen Denken leiten.[22] Unser langsames Denken legt viele längere Pausen ein, etwa wenn wir schlafen. Die übrige Zeit verbringt es größtenteils im „Standby-Modus". In diesem Zustand akzeptiert unser langsames Denken tendenziell alle Intuitionen, Emotionen, Gewohnheiten oder Begierden, die unser schnelles Denken auslöst, ganz gleich, ob sie gerechtfertigt sind oder nicht.

Jedes menschliche Gehirn ist auch mit einzigartigen kognitiven Fähigkeiten ausgestattet, was schwer zu erfassen ist. In der kognitiven Wissenschaft gehen die Vorstellungen von menschlicher Intelligenz und von dem, was in IQ-Tests gemessen wird, weit auseinander. Wir dürfen jedoch davon ausgehen, dass die meisten Führungskräfte in leitenden Positionen über ausreichende kognitive Fähigkeiten verfügen, um ihre Aufgaben zu erfüllen. Man muss kein Genie sein, um ein virtuoser CEO zu werden. Ein starker Charakter ist eine viel wichtigere Voraussetzung. Unsere Lebenserfahrung und unsere Veranlagung spielen zwar eine Rolle bei der Charakterbildung, doch der Charakter ist auch ein Produkt unserer neurobiologischen »Software« in Verbindung mit den eben geschilderten »Hardware«-Elementen.

Was uns als Menschen ausmacht

Menschen werden mit Intuitionen, Antrieben und Wesenszügen geboren, die bestimmen, wie sie mit ihrer Umwelt interagieren. Solche Dispositionen, ererbt oder erworben, machen im Kern aus, wer wir als Mensch sind.[23]

Das Modell vom integrierten Menschen berücksichtigt, dass die meisten Neugeborenen, wie im ersten Kapitel erläutert, schon mit einem ganzen Satz universeller Prinzipien zur Welt kommen. Dazu gehören Fürsorglichkeit, Fairness, Autorität, Loyalität, Freiheit und Spiritualität. Der Sozialpsychologe und Forscher Jonathan Haidt bezeichnet diese sechs Grundsätze als moralische Intuitionen und hat zu diesem Thema viele Schriften veröffentlicht.[24]

Laut Haidt sind die sechs moralischen Intuitionen ebenso fest in unserem Wesen verankert wie die Fähigkeit, eine Sprache zu erlernen. Wir sind darauf programmiert, ehrlich, fair und loyal zu sein: eine Fünf-Dollar-Note aufzuheben und demjenigen zurückzugeben, der sie verloren hat, in der Schlange abzuwarten, bis wir an der Reihe sind, und bei Naturkatastrophen spontan unsere Hilfe anzubieten. Dieser Aspekt unseres Wesens prädestiniert uns, Autorität zu respektieren, unfaire Herrschaftsansprüche jedoch zurückzuweisen. Er sorgt dafür, dass wir Ganzheit und

Reinheit anziehend finden, Verfall dagegen, Verwesung und Verrottung ebenso wie Versagen oder würdelose Handlungen, abstoßend. Natürlich werden wir auch stark von unserem jeweiligen kulturellen Hintergrund beeinflusst. Manche Menschen sprechen Französisch, andere Italienisch, aber alle sprechen eine Sprache. Ebenso hat jede menschliche Kultur eigene Methoden, ihren Kindern beizubringen, wie man diesen moralischen Intuitionen Ausdruck verleiht. Doch in jeder Kultur lösen ethische Grundsätze und Prinzipien gewohnheitsgemäße Verhaltensmuster anderen gegenüber aus. Das sind die Gewohnheiten, in denen sich der Charakter zeigt.

In den charakterlichen Schlüsselgewohnheiten virtuoser Führungspersonen (Integrität, Verantwortungsbewusstsein, Versöhnlichkeit und Empathie) kommen unsere moralischen Intuitionen unmittelbar zum Ausdruck. Sie sind zum einen Teil das, was uns in einzigartiger Weise menschlich macht. Das gewohnheitsmäßige Handeln entsprechend der von ihnen verkörperten Grundsätze ist zum anderen elementar für den starken Charakter mit festen Grundsätzen, den wir mit virtuosen Führungsqualitäten assoziieren.

Außer mit moralischen Intuitionen kommen wir mit motivierenden Antrieben zur Welt, die eine ganz eigene Rolle spielen bei der Gestaltung und beim Ausleben unserer menschlichen Wesensart und unseres Charakters. In *Driven: Was Menschen und Organisationen antreibt* beschreiben Paul Lawrence und Nitin Nohria (Harvard Business School) 2002 ihre Arbeit zur Erforschung der vier menschlichen Grundtriebe, die uns allen gemein sind: Erwerbs-, Bindungs-, Lern- und Verteidigungstrieb.[25] Diese Gruppe motivierender Antriebe bildet ein zentrales Element der menschlichen Natur, das unsere Beziehungen zu anderen prägt. Die Art und Weise, wie eine Person diesen Antrieben nachgeht, hat auch Einfluss auf ihren Charakter.

In Lawrences zweitem Buch, *Driven to Lead: Good, Bad, and Misguided Leadership*, analysiert er, wie die menschlichen Grundtriebe im Hinblick auf die Führungskompetenz zur Anwendung kommen.[26] Lawrence zeigt, dass die besten Führungspersonen, die den virtuosen CEOs aus unserer Studie entsprechen, alle vier motivierenden Antriebe gleichermaßen verfolgen. Führungspersonen, die einen oder mehrere dieser Antriebe ignorieren, bezeichnet er als »fehlgeleitet«, weil eine unvollständige Reaktion auf innere Antriebe das ganze Leben aus dem Gleichgewicht bringen kann. Wird der Erwerbstrieb nicht durch den Bindungs- oder Lerntrieb gedämpft, so kann er einen Menschen in die Einsamkeit führen. Das ständige Bestreben, den eigenen Besitz zu vermehren, verhindert enge Beziehungen und verstellt den Blick darauf, warum sich jemand unerfüllt fühlt. Wie wir aus diesem Buch noch erfahren werden, zeigten die ichbezogenen Führungskräfte aus unserer Studie allesamt Verhaltensmuster, die auf ein solches Ungleichgewicht sowohl im Berufsleben als auch in ihren Beziehungen hinweisen.

Wie unsere angeborenen moralischen Intuitionen liegen auch unsere Grundtriebe in unserer menschlichen Natur. Der Erwerbs- und der Verteidigungstrieb sind auch bei allen Tierarten vorzufinden. Manche leben sogar in sozialen Gefügen und gehen monogame Bindungen ein. Doch nur bei uns Menschen liegt der Fokus so stark auf der Entwicklung und Aufrechterhaltung sozialer Bindungen, dass Einzelhaft die grausamste Bestrafung ist. Des Weiteren lassen neueste Forschungsergebnisse vermuten, dass nur wir Menschen einen Lerntrieb haben, den Drang, die Welt um uns herum zu begreifen und über unser Schicksal nachzusinnen.

In den letzten Jahren haben Persönlichkeitsforscher weltweit darüber Einvernehmen erzielt, dass der Mensch mit genetisch bestimmten Voreinstellungen in Bezug auf fünf Dimensionen der Persönlichkeit auf die Welt kommt, den sogenannten »Big Five«: Offenheit für Erfahrungen, Gewissenhaftigkeit, Extrovertiertheit, Verträglichkeit und Risikoaversion oder Ängstlichkeit.[27]

Sind solche Wesenszüge also genetisch vorgegeben, warum gelten sie dann nicht als Bestandteil unserer neurologischen »Hardware«? Ganz einfach: weil sie formbar sind. Sie müssen sich für jeden Wesenszug dieses Fünf-Faktoren-Modells einen Schieberegler vorstellen, der bewirkt, dass eine spezifische Wesensdimension jeweils unterschiedlich stark zu unserer gesamten Persönlichkeit beiträgt (siehe Abbildung 2-2).

Während unsere »Big Five«-Wesenszüge also fest in uns verankert sind, können die Erfahrungen, die wir im Laufe des Lebens sammeln, den Regler verschieben. So kann ein Mensch mit einer Voreinstellung seiner Verträglichkeit, die ihn auf andere kühl und abweisend wirken lässt, durch unterschiedliche Lebensereignisse umgänglicher und freundlicher werden. Ebenso kann ein sehr risikofreudiger Mensch diese Eigenschaft zurückdrängen und lernen, angemessene Vorsicht walten zu lassen, oder eine Reihe schwerer Rückschläge erleiden, die sein Bedürfnis nach Stabilität übermäßig steigern.

Welche Rolle spielen diese Voreinstellungen angesichts ihrer Justierbarkeit für den Charakter einer Führungsperson? Das ist nicht ganz einfach zu beantworten. Persönlichkeit an sich bestimmt im Grunde nicht unseren Charakter. Und sie ist auch nicht unbedingt ein wesentlicher Faktor für Führungserfolg, sofern die betreffende Führungsperson auf einer soliden Basis aus ethischen Grundsätzen und charakterlichen Gewohnheiten agiert.

Ein Manager, der extrem schüchtern ist, kann tatsächlich Probleme haben, auf großen Unternehmensversammlungen seine Vision, seine Leidenschaft und seine strategische Ausrichtung zu kommunizieren.
Der Regler für Extrovertiertheit kann sich bei dieser Führungskraft mit der Zeit nach rechts verschieben, wenn sie sich in ihrer Rolle und mit ihren Entscheidungen wohler fühlt. Bis dahin dürften ihr ihre starken Prinzipien und ihr charakterstarker Führungsstil das Vertrauen und die Unterstützung der Mitarbeiter sichern, auch wenn die Beschäftigten auf die Persönlichkeit der Betreffenden nicht ansprechen. Ein extrovertierter Manager, der gern im Rampenlicht steht, es aber mit charakterlichen Gewohnheiten und Prinzipien nicht so genau nimmt, stellt dagegen vielleicht fest, dass seine offene, umgängliche Persönlichkeit effektiver Führung im Wege steht.

Persönlichkeitsmerkmale beeinflussen unseren Führungsstil zwar, bestimmen aber weder unseren Charakter noch entscheiden sie über unseren Erfolg. Was aus diesen Merkmalen entsteht, durch Lebens- und Berufserfahrung und durch alltägliches Handeln nach ethischen Grundsätzen und moralischen Intuitionen gemäß unseren Charaktergewohnheiten, übt den stärksten Einfluss auf unseren Führungsansatz und auf die erzielten Geschäftsergebnisse aus.

ABBILDUNG 2-2:

Die »Big Five«-Persönlichkeitszüge

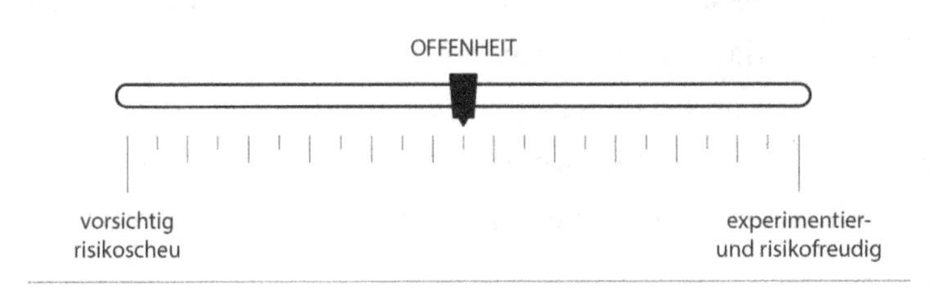

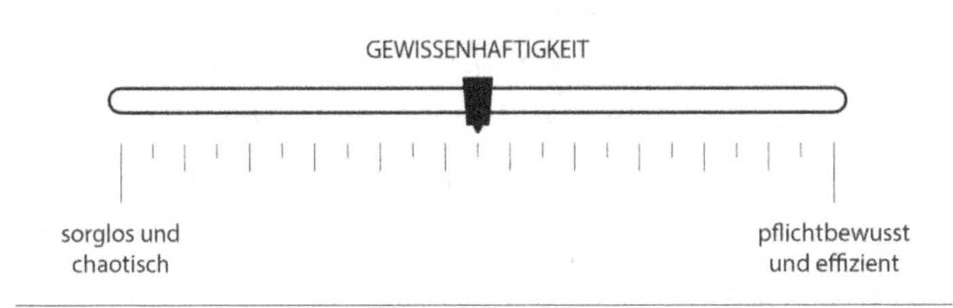

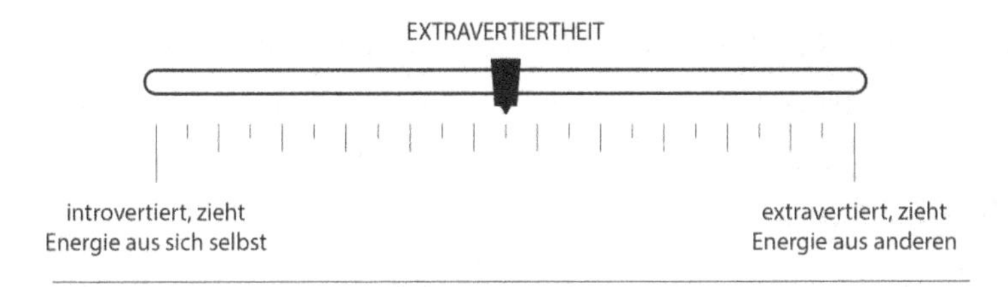

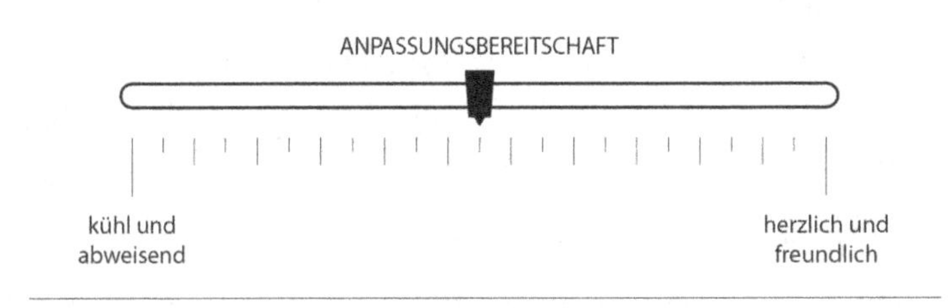

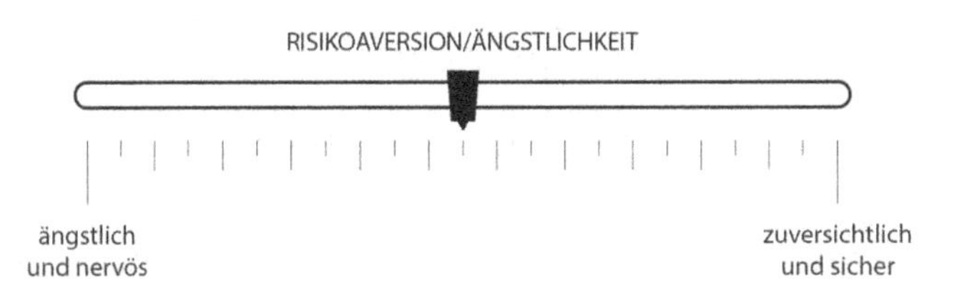

Der integrierte Mensch

Wir sind also alles andere als die eindimensionale Karikatur menschlichen Lebens, die das Bild vom *Homo oeconomicus* vermittelt. Wir sind komplexe Wesen, die mit der Veranlagung zu ethischem Verhalten auf die Welt kommen, mit Erwerbs-, Bindungs-, Lern- und Verteidigungstrieb und mit weitaus mehr Rüstzeug als nur einem rationalen Gehirn, das allein von der Logik regiert wird.

In Wirklichkeit haben wir zwei Gehirne – eines, das schnell denkt, und ein langsames. Sie helfen uns, Kompromisse zu schließen, die wir eingehen müssen, um zu überleben und Erfolg zu haben. Von Geburt an besitzen wir auch eine Persönlichkeit, also eine bestimmte Kombination aus Wesenszügen, die sich mit der Zeit und als Reaktion auf unsere Lebenserfahrungen entwickelt. Neben der intellektuellen Grundausstattung sind das wesentliche Elemente unserer menschlichen Natur. Sie bestimmen aber auch, was für Menschen wir sind, wie wir mit anderen interagieren und wie wir unsere Umwelt begreifen. Diese Veranlagungen, Werkzeuge und Wesenszüge bilden in ihrer Gesamtheit den in Abbildung 2-3 dargestellten integrierten Menschen.

Das überholte Menschenbild ist dabei nicht ganz falsch. Mitunter sind Menschen tatsächlich absolut ichbezogen oder rational. Doch das sind nur Teile des Puzzles, die ein unvollständiges Modell zur Erklärung der menschlichen Natur und des Verhaltens im Berufsleben abgeben.

Das Bild vom integrierten Menschen vermittelt uns dagegen ein besseres Verständnis von der tatsächlichen Komplexität des menschlichen Wesens, von der neurologischen Hardware, der Veranlagung und den formbaren Persönlichkeitszügen und ethischen Neigungen, die uns viel eingängiger erklären, wie wir werden, wer wir sind. Mit diesen Erkenntnissen können wir das Wesen und den Charakter von Führungspersonen weitaus besser erkennen und bewerten. Gleichzeitig erleichtert uns dieses neue, integrierte Bild von der menschlichen Natur den Vorstoß zu den Grundlagen unseres ganz eigenen Führungsansatzes, die Ermittlung der Quellen unserer charakterbedingten Stärken und Schwächen und die genaue Erkenntnis, wo wir ansetzen müssen, um an ihnen zu arbeiten.

ABBILDUNG 2-3:

Der integrierte Mensch

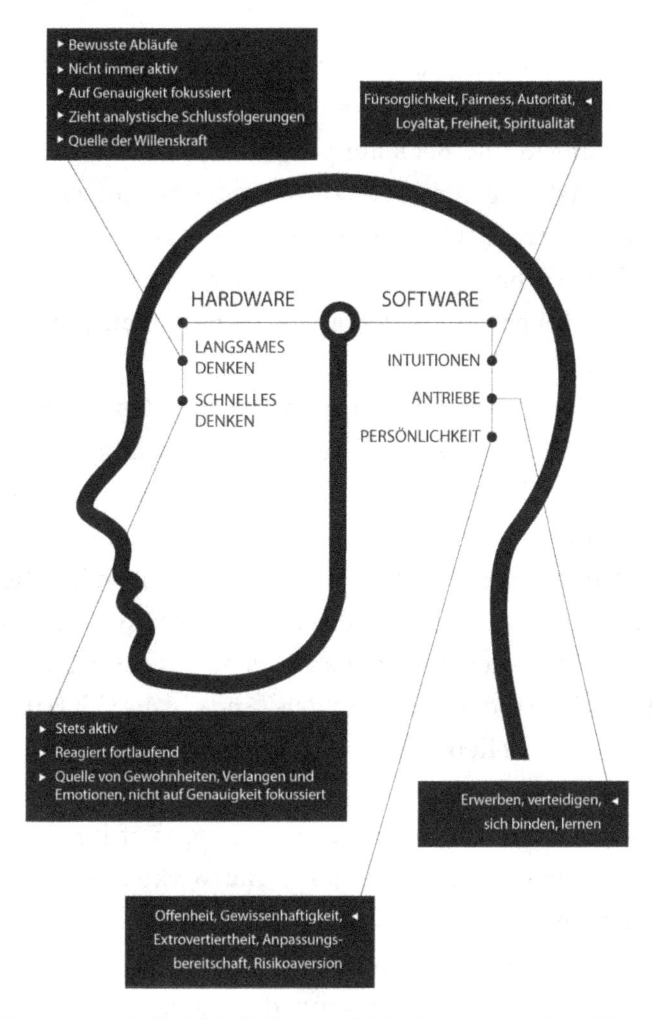

Die laufende Forschung vermittelt uns einen immer tieferen Einblick in unsere menschliche Wesensart und die von ihr getragenen Veranlagungen und Lebenserfahrungen, die unsere Individualität ausmachen. Wir können diese neuen Erkenntnisse nutzen, um uns ein Modell der menschlichen Natur zu eigen zu machen, das uns als Wesen beschreibt, die zu reifen, ganzheitlichen Individuen werden können, nicht nur zu ichbezogenen Rationalisten. Dieses Modell liefert den Unterbau für das

Organisationsleben in all seiner komplexen Fülle, und gibt einen tieferen Einblick in die Sinnhaftigkeit des Zusammenhangs zwischen dem, wer wir sind, und dem, was wir tun.

Im Kern ist unser Verhalten ein Produkt unserer genetischen Ausrüstung und unserer menschlichen Natur, gefiltert und feinjustiert durch Umwelt, Erfahrungen und Beziehungen, die unseren Lebensweg bilden. Im Zusammenspiel prägen diese Faktoren – die sowohl von unserer Natur als auch von unserer Erziehung abhängen – unsere Glaubenssätze und unsere ethischen Verhaltensweisen, die unseren Charakter bilden, und lösen wiederum das gewohnheitsmäßige Verhalten aus, in dem er zum Ausdruck kommt.

In diesem Kapitel haben wir ein tragfähiges Konzept der Rolle erstellt, die unsere Natur für die erste Hälfte der *ROC*-Wertschöpfungskette spielt: wie Veranlagungen durch Lebenserfahrung zu konkreten moralischen Vorstellungen, Glaubenssätzen, Charaktergewohnheiten und Fähigkeiten werden, die dann bestimmen, wer wir sind. Im nächsten Kapitel befassen wir uns näher mit den Umfeldfaktoren in diesem Teil der Wertschöpfungskette. Wir untersuchen, wie die CEOs aus unserer Studie wurden, wer sie sind. Unsere Studie analysiert, wie (und ob) die CEOs ihre Lebensgeschichte selbst verstehen, und zeigt, welchen Einfluss der Lebensweg dieser Manager auf ihre ethischen Überzeugungen und Weltanschauung hatte und wie sich diese Faktoren später im Leben auf ihre Leitsätze und Charaktergewohnheiten als Führungskraft auswirkten. Auf der Grundlage dieser Erkenntnisse können wir dann zum zweiten Teil übergehen, indem wir zunächst untersuchen, wie sich manche Menschen zu virtuosen Führungskräften entwickeln und warum das anderen nicht gelingt.

ZUSAMMENFASSUNG:

Ein neues Konzept der menschlichen Führungsnatur

1. **Die persönlichen Wesenszüge und die einzigartige menschliche Natur einer Führungskraft bilden ein grundlegendes Element ihres *ROC*.** Um zu erörtern, welchen Einfluss die individuelle Veranlagung eines Managers auf den Unternehmenserfolg hat, müssen wir zunächst genau ergründen, wie uns unser Gehirn und unsere Veranlagung zu Menschen und Individuen machen.

2. **Das alte Bild des Menschen als *Homo oeconomicus* ist unvollständig.** Die Anschauung der klassischen Wirtschaftstheorie, der Mensch sei absolut rational und ichbezogen, ist ein unzulängliches Modell für die Analyse effektiver Führungsqualitäten.

3. **Aktuelle Forschungsergebnisse ermöglichen uns die Entwicklung eines neuen und vollständigen Bildes von der menschlichen Wesensart, den integrierten Menschen.** Diesem Modell von der menschlichen Natur zufolge sind Menschen in der Lage, sich zu reifen, ausgewogenen und integrierten Individuen zu entwickeln, nicht nur zu ichbezogenen Rationalisten.

4. **Unsere menschliche Natur und unser individueller Charakter werden von neurologischer »Hardware«, Veranlagung und Lebenserfahrung in Form der folgenden fünf Elemente geprägt:**
   - **Schnelles Denken**, das immer aktiv ist und das Freud als das Unterbewusste identifizierte.
   - **Langsames Denken**, das bewusste Denkprozesse liefert und als reflektierendes, analytisches Denkwerkzeug funktioniert.
   - **Moralische Intuition** für Fürsorglichkeit, Fairness, Autorität, Loyalität, Freiheit und Spiritualität, die in ethischen Grundsätzen, Glaubenssätzen und charakterlichen Gewohnheiten ihren Ausdruck finden.

- **Erwerbs-, Bindungs-, Lern- und Verteidigungstrieb** als entscheidende Voraussetzung für unsere Fähigkeit, Beziehungen einzugehen.
- Und die **»Big Five«-Wesenszüge** Offenheit, Gewissenhaftigkeit, Extrovertiertheit, Verträglichkeit und Risikoaversion oder Ängstlichkeit, deren Ausprägungen durch Lebenserfahrungen verändert werden.

Dieses komplexere Modell der menschlichen Natur als integrierter Mensch liefert uns eine Grundlage zur Bewertung des Führungscharakters und seiner Auswirkungen auf den Unternehmenserfolg sowie der Frage, wann oder wo er verändert werden kann, um den Erfolg zu steigern.

3

Der Weg von der Kindheit bis in die Führungsetage

Ungeachtet unserer Veranlagung, unserer moralischen Intuitionen oder unserer Persönlichkeitszüge entwickeln und gestalten wir unseren gesamten Lebensweg hindurch unseren Charakter, unsere Glaubenssätze und unser Verhalten. Auch die CEOs und Führungsteams aus unserer Studie brachten diese Fähigkeit zur Veränderung mit. Im Laufe des Erwachsenwerdens wirkten ihre Lebenserfahrung und ihre genetische Veranlagung zusammen, und sie entwickelten sich zu den einzigartigen Individuen, die schließlich Führungsverantwortung übernahmen. Um genau zu verstehen, wie die Führungskräfte aus unserer Studie ihren Charakter und ihr Verhalten, in dem sich dieser Charakter äußerte, entwickelten, schauen wir uns den Weg an, den jeder und jede Einzelne gleichsam von der Kindheit bis in die Führungsetage zurückgelegt hat.

Man muss nicht die Persönlichkeit eines Rockstars mitbringen oder ein genialer Wissenschaftler sein, um eine virtuose Führungskraft zu werden. Die *ROC*-Studie ergab, dass eine durchschnittliche genetische Veranlagung völlig ausreicht. Fast alle Führungskräfte aus unserer Studie hatten ganz normale Veranlagungen, was Wesenszügen, Neigungen und Fähigkeiten betrifft. Dennoch wiesen nur einige wenige einen starken

Charakter auf, um ihnen das Attribut »virtuos« zuzuordnen. Sie mussten auf ihrem Lebensweg Abzweigungen genommen haben, die ichbezogene Manager entweder ignorierten oder die sich ihnen gar nicht eröffneten. Wir wollten mehr darüber erfahren, worin sich die Lebenswege unterschieden, um in den Ähnlichkeiten Muster zu erkennen. Solche Muster können deutlich machen, wie man sich die Merkmale einer herausragenden Führungskraft aneignen oder sie weiterentwickeln kann.

Der Lebensweg jedes Menschen ist zweigleisig und besteht aus einer inneren und einer äußeren Entwicklung. Wie aus Abbildung 3-1 ersichtlich, ist der äußere Entwicklungsweg der der Erfahrungen, geprägt von wichtigen Beziehungen zu Eltern, Lehrern, Mentoren, Arbeitgebern, Kollegen und anderen erwachsenen Bezugspersonen, die wir während der Ausbildung und in den ersten Arbeitsjahren kennenlernen. Der innere Entwicklungsweg ist der des Selbstverständnisses. Wir entwickeln durch Reflexion Charaktergewohnheiten, Selbstbewusstsein, Weltanschauungen und eine geistige Komplexität, die es uns ermöglicht, uns selbst zu definieren. Während wir unsere Lebensgeschichte formen und das, was wir tun, mit dem verknüpfen, wer wir sind, verbinden sich beide Entwicklungswege zu einem einzigen Pfad, den wir weiter verfolgen, und auf dem wir die Fehler, die Misserfolge und die Erfolge, die unseren Lebensweg bestimmen, erleben. Auf dieser Etappe unserer Reise entwickeln wir uns zu einem ganzen, integrierten Menschen.

Unter den CEOs aus der *ROC*-Studie generierten diejenigen den meisten Wert für ihre Unternehmen, deren Verhalten am konsequentesten dem Modell vom integrierten Menschen entsprach – und zwar sowohl durch höheres Mitarbeiterengagement als auch durch ein besseres wirtschaftliches Ergebnis. Neben ihrer ausgeprägten Führungskompetenz (über die wir im zweiten Teil noch mehr erfahren) legten diese virtuosen Führungskräfte ethisches Verhalten sowie passende Charaktergewohnheiten an den Tag und zeigten ihren Mitarbeitern richtungsweisende und erstrebenswerte Visionen auf.

Von den ichbezogenen CEOs aus unserer Studie konnten manche zwar mit positiver Kapitalrendite aufwarten, doch nur den wenigsten gelang es, nennenswerten Wert für ihre Unternehmen zu erwirtschaften – und zwei verursachten sogar hohe Verluste. Um genauer zu verstehen, wie sich die von diesen Geschäftsführern erzielten Ergebnisse unterscheiden, können wir zunächst die Unterschiede in der Entwicklung ihrer Lebenswege näher betrachten – anhand der Unterschiede, die die CEOs selbst im Zuge unserer Studie eingehend schilderten.

ABBILDUNG 3-1:

Innerer und äußerer Entwicklungsweg

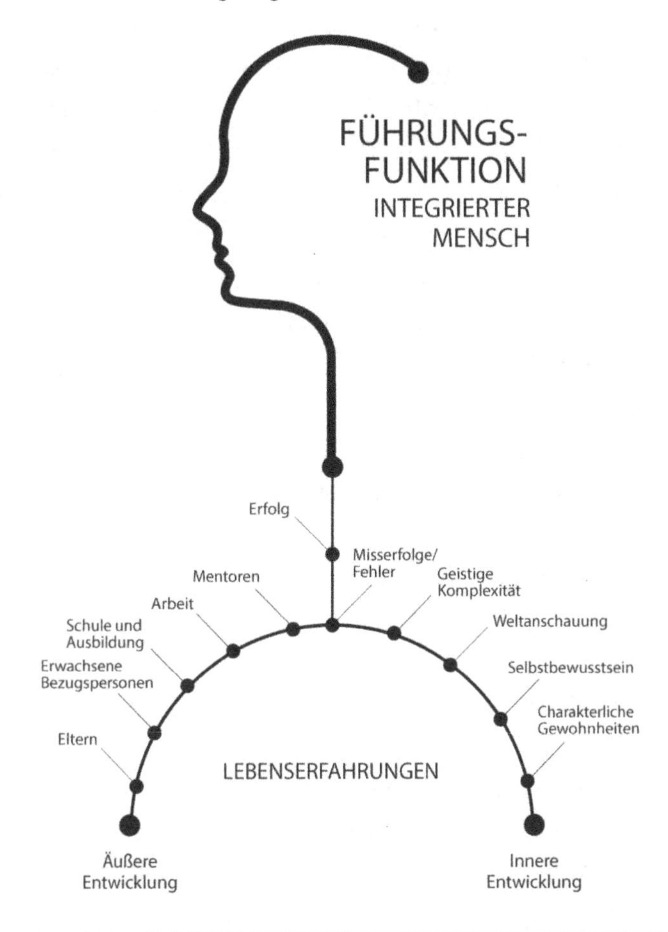

Worin unterschied sich also der Weg der beiden CEO-Gruppen in die Führungsetage? An welchen Punkten haben sie unterschiedliche Entscheidungen getroffen? Wie begreifen diese Führungspersonen ihre eigene Geschichte und wie wirkt sich diese Auffassung auf die Grundsätze und ethischen Vorstellungen aus, die ihren Charakter und das Verhalten prägen, in dem sich dieser Charakter am Arbeitsplatz manifestiert? In diesem Kapitel befassen wir uns etwas gründlicher mit den Antworten, die die *ROC*-Studie auf diese und andere maßgebliche Fragen dazu lieferte, wie wir werden, wer wir als Individuen und als Führungskräfte sind.

Die Antworten darauf sind äußerst vielsagend. Natürlich können wir unsere persönliche Geschichte nicht rückblickend umschreiben, um sie an den ersten Entwicklungsschritten eines virtuosen CEO zu orientieren. Wissen wir aber, wie solche Menschen ihre eigene Lebensgeschichte geschaffen haben und sie selbst verstehen, wie sie zu ihrer Weltanschauung gelangt sind und die Charaktergewohnheiten einer erfolgreichen Führungskraft entwickelt haben, können wir daraus wertvolle Anregungen und Methoden ableiten, um die virtuosen Führungspersonen unter uns zu erkennen und zu entwickeln und die unbestreitbaren Wettbewerbsvorteile virtuoser Führung für uns selbst nutzen zu können. Diese Erkenntnisse sind geeignete Instrumente zur Auswahl der Führungskräfte von heute, zur Ausbildung des Nachwuchses für morgen und zur ständigen Verbesserung unseres eigenen Führungsverhaltens.

Die Lebensgeschichte als kohärente Erzählung

Ihre Lebensgeschichte ist das Narrativ, das Sie sich selbst und anderen erzählen und durch das Sie Ihren Lebenserfahrungen von den frühesten Erinnerungen an Sinn geben. Ihre Lebensgeschichte beantwortet aus Ihrer persönlichen Sicht die beiden Schlüsselfragen: Wer bin ich und wie wurde ich zu dem Menschen, der ich bin?[28]

Natürlich haben wir alle eine Lebensgeschichte, doch nicht jeder hat diese Geschichte schon einmal rekapituliert und über ihren Sinn nachgedacht. John Lennon sagte treffend: »Leben ist das, was passiert, während du damit beschäftigt bist, andere Pläne zu schmieden.«[29] Tatsächlich erleben wir die prägendsten Momente unseres Lebens – unsere Ausbildung, Verliebtheit, Trennung, den beruflichen Werdegang, Misserfolge, Erfolge –, ohne dass wir immer die Gelegenheit haben, innezuhalten und sie zu analysieren. Erst später erkennen wir dann nach genauerer Reflexion die Zusammenhänge und den tieferen Sinn in unserer persönlichen Geschichte. Dieser Prozess hilft uns, die wegweisenden Momente und Entscheidungen in unserer Vergangenheit, ihre Muster und ihren Beitrag zu unserer aktuellen Situation zu erfassen.

Natürlich wissen wir alle, dass unser Gedächtnis nicht unfehlbar ist und dass die Lebensgeschichte, die wir über die Jahre verfassen, nicht unbedingt den historischen Fakten entspricht. Doch dass Details verschwimmen, spielt keine Rolle. Die meisten Menschen erinnern sich gut an den Kern einschneidender, lebensbestimmender Erfahrungen aus ihrer persönlichen Vergangenheit. Entscheidend ist, wie wir unsere Lebensgeschichte verstehen; und im Rahmen des *ROC*-Forschungsprojekts wollten wir klären, wie die teilnehmenden CEOs ihre Lebensgeschichten einordnen. Deshalb baten wir sie, uns aus ihrem Leben zu erzählen. Wir stellten ihnen rund 50 Fragen, von ganz einfachen wie: »Wann und wo wurden Sie geboren?«, bis hin zu eingehenderen wie: »Wie lernten Sie zu unterscheiden, was richtig und was falsch ist?«, oder: »Was ist Ihre schönste Kindheitserinnerung, was Ihre schlimmste?« Weitere Fragen gingen über die Kindheit und Jugend hinaus und betrafen Themen wie Ehe, Elternschaft, Religionsausübung, politische Präferenzen, erste Arbeitsstellen und den beruflichen Werdegang. In einer gesonderten Befragung baten wir die CEOs, uns ihre Glaubenssätze zu ihrem Daseinszweck, zur menschlichen Natur, zum Arbeitsleben und zur Funktion von Führung offenzulegen.

Die wichtigste Erkenntnis aus diesen Interviews war aber wahrscheinlich, ob die Manager ihre Lebensgeschichte überhaupt kannten. Konnten sie ihre Vergangenheit in Form einer zusammenhängenden Erzählung schildern, dabei auf verschiedene – positive wie negative – wichtige Ereignisse eingehen und nachvollziehbar beschreiben, welche Auswirkungen diese auf ihre persönliche Entwicklung hatten?

Die CEOs, die wir später als virtuose Führungskräfte identifizierten, konnten alle erkennen, aus welchen Fäden sie ihre Lebensgeschichte gewoben hatten, und wie sich ihre Prinzipien und Glaubenssätze in ihren

Handlungen und Entscheidungen niederschlugen. Sie räumten auch ein, dass sie bei schmerzlichen Erfahrungen durchaus in die Versuchung gerieten, mit Angst und Wut zu reagieren, eine solche Reaktion jedoch eine seltene Ausnahme gewesen sei, kein übliches Verhalten in schwierigen Situationen.

Alle Führungskräfte aus unserer Studie, die den Beurteilungen ihrer Mitarbeiter zufolge der ichbezogenen Kategorie zugeordnet wurden, hatten eine ganz andere Sichtweise ihrer Vergangenheit. Manche hatten dazu gar keine Meinung. Sie erzählten ihre Lebensgeschichte bruchstückhaft und zusammenhanglos. Auf die Bitte, mehr über ein schmerzliches oder anderweitig bedeutsames Ereignis zu erzählen, das sie in ihrer Geschichte erwähnt hatten, erklärten sie häufig, dass sie sich darüber noch keine Gedanken gemacht hätten. Sie sahen auch wenig Zusammenhang zwischen ihren früheren Reaktionen auf Ereignisse und ihren heutigen Reaktionen in ähnlichen Situationen. Weil sie kaum je über die Vergangenheit nachdachten oder darüber, wie sich ihre Vorstellungen vom Leben oder ihre Reaktionen auf Ereignisse im Laufe der Jahre entwickelt hatten, hatten ichbezogene Führungskräfte offenbar wenig Gelegenheit, ein sinnstiftendes Fundament aus Glaubenssätzen oder Grundsätzen aufzubauen. Die Charaktergewohnheiten oder Intuitionen, die ihr Verhalten leiteten, blieben weitgehend unreflektiert und waren ihnen oft gar nicht bewusst.

So erzählte mir ein virtuoser CEO beispielsweise auf meine Frage nach dem schlimmsten Ereignis in seiner Jugend folgende Geschichte:

> *»Mit 17 habe ich Drogen genommen. LSD. Das kam nicht oft vor, doch es war furchtbar. Noch 10 Jahre später hatte ich kleine Flashbacks von Trips. Darunter litt ich entsetzlich. Das war das Schlimmste überhaupt. Ich erinnere mich, wie ich zu Hause LSD genommen hatte, die Treppe hinunterfiel und dann in die Stadt ging, durch Clubs zog, Mädchen kennenlernte und Spaß hatte. Mein Freund erzählte mir später, dass ich in Wirklichkeit nur sieben Stunden lang stöhnend auf dem Boden gelegen hätte. Das machte mir Angst. Es war alles so lebensecht und real gewesen – ich hätte schwören können, dass es wirklich passiert war. Manchmal frage ich mich, ob ich irgendwann zu mir komme, bei meinen Eltern im Keller auf dem Boden liege und feststelle, dass die letzten 40 Jahre meines Lebens nur ein Drogenrausch waren!*

Schlimm fand ich auch Zurückweisung. Ich konnte nicht so gut mit Mädchen, und wenn ich abgewiesen wurde, tat das richtig weh. Meine Beziehungen zu Frauen waren schwierig. Das war während der Disco-Welle – und ich hasste diese Zeit. Konnte nicht tanzen. Fand es zu laut. Während dieser Zeit jemanden kennenzulernen, war emotional ganz schön schwierig. Das hätte jedem zugesetzt.

Dann arbeitete ich 5 Jahre lang als Hilfsarbeiter, und in dieser Zeit kam ich zur Besinnung. Ich wurde erwachsen. Damals, vor 28 Jahren, lernte ich auch meine Frau kennen und heiratete. Mir wurde klar, dass ich diese schwierigen Jahre hinter mir lassen und etwas aus mir machen konnte.«

Wie anders klingt da die folgende Geschichte von einem ichbezogenen CEO, der bei der Antwort auf dieselbe Frage jede Selbstreflexion vermissen ließ:

»In meinem ersten Jahr an der Highschool wurde ich bei einem Autounfall schwer verletzt. Mein Bein war gebrochen und deformiert, bis ich es mit über zwanzig operieren ließ. Vorher war ich sportlich sehr erfolgreich, danach plötzlich ein Niemand, der keine Leistung mehr brachte. Das war nicht lustig. Ich zog mich zurück. In meiner Highschool-Zeit hatte ich deshalb nicht so viele soziale Kontakte, wie vielleicht möglich gewesen wären.«

Als ich diesen CEO fragte, wie sich diese Tragödie in der Schulzeit langfristig ausgewirkt habe, hielt er inne, dachte kurz nach und entgegnete dann: »*Keine Ahnung. Ich habe mir darüber nie viel Gedanken gemacht. Ich bin auch heute noch jemand, der nach der Arbeit Wert auf sein Privatleben und auf Freiräume legt.*«

Derselbe Mann erzählte auch, dass er in seiner Kindheit jeden Abend beim Abendessen von seinem Vater zu Diskussionen gezwungen worden war. Auf Nachfrage offenbarte er uns, dass er auch über diese Erfahrung und ihren prägenden Einfluss auf seinen Führungsansatz nie intensiver nachgedacht habe. Seine tiefsinnigste Erkenntnis war: »*Manche sagen mir Kampflust nach. Das sehe ich nicht so.*«

Über die Frage: »Wie werden Sie Ihrer Ansicht nach von Ihren Mitarbeitern beurteilt?«, grübelte er kurz und sagte dann: »*Vermutlich meinen sie, dass ich nie ganz zufrieden bin und ein bisschen streitlustig. Manche würden mir vielleicht vorwerfen, Aufruhr sei mir lieber als Veränderung.*« Ob er diesem Eindruck zustimme? »*Eigentlich schon*«, erklärte er, selbst überrascht. Nach kurzem Nachdenken setzte er hinzu: »*Ich könnte vermutlich sagen, dass ich mir das als Herzstück meines Führungsstils zu eigen gemacht habe.*« Weniger überraschend kam, dass dieser CEO von allen Studienteilnehmern einen der niedrigsten Punktwerte erreichte.

Diese Geschichten verdeutlichen eine der interessantesten Erkenntnisse aus der *ROC*-Studie über die Charakterbildung eines virtuosen CEOs. Die charakterstärksten und wirtschaftlich erfolgreichsten Studienteilnehmer unter unseren CEOs waren selbstbewusst im eigentlichen Sinn des Wortes. Sie haben sich Zeit genommen, um über ihr Leben nachzudenken. Sie wussten um wichtige Meilensteine in ihrem Leben und konnten sagen, wie diese zusammenhängen und wohin sie führen. Sie wussten, wohin die Reise ging, weil sie wussten, woher sie kamen. Die CEOs mit wenig ausgeprägten klaren Grundsätzen aus der Studie, deren Verhalten gering ausgeprägten Charakter bewies und deren Unternehmenserfolg tendenziell weniger gut war, liefen dagegen eher blind durchs Leben.

Mehrere der ichbezogenen CEOs haben frühere Erfahrungen, Entscheidungen, Erfolge und Fehlschläge nie gründlich analysiert, so dass sie auch kein klares Bild von ihrer eigenen Entwicklung zu dem Menschen und Manager, der sie heute sind, aufbauen konnten. Infolgedessen fehlen ihnen die Grundlagen für tragfähige Beziehungen, Charaktergewohnheiten, Selbstbewusstsein und geistige Komplexität – die Faktoren, auf die sich die charakterbedingte Führungskompetenz gründet, die zuverlässig zu soliden Entscheidungen und starkem, nachhaltigem Unternehmenserfolg beiträgt.

Dies ist nur eine von den Feststellungen, die sich aus unseren Gesprächen mit den CEOs ergaben. Jenseits des übergreifenden Interesses herauszufinden, welche Führungskräfte sich darüber im Klaren waren, wie sie von ihrer Vergangenheit geprägt werden, stellten wir in dieser Studienphase Fragen, die aufschlussreiche Informationen über die Ähnlichkeiten und Unterschiede zwischen den Lebensläufen der am Projekt beteiligten virtuosen und ichbezogenen CEOs zutage förderten.

Der äußere Entwicklungsweg

Es heißt, Verwandte kann man sich nicht aussuchen. Doch beim Zusammenfügen einer schlüssigen Lebensgeschichte müssen wir reflektieren, wie frühe familiäre Beziehungen und Erfahrungen unsere Ideen, Einstellungen und ethischen Grundsätze und charakterlichen Gewohnheiten beeinflussten, die unserem Führungsansatz zugrunde liegen.

Ausnahmslos alle CEOs aus unserer Studie – in beiden Gruppen – verfügten über reichlich Berufserfahrung. Sie traten als Teenager in die Arbeitswelt ein und haben sie nie verlassen. Auch beim Bildungsniveau gab es keine nennenswerten Unterschiede zwischen den beiden Gruppen. Beide sind in aller Regel hoch gebildet und viele haben einen MBA oder einen anderen Masterabschluss. Bei Ausbildung und Berufserfahrung haben diese Manager zwar viel gemein, doch ihre frühen Kindheitserlebnisse und zwischenmenschlichen Beziehungen weisen auf eklatante Unterschiede in ihrem äußeren Entwicklungsweg hin.

Es ist offenbar immer von Vorteil, wenn man in der Kindheit und Jugend von liebevollen, zuverlässigen Bezugspersonen, Unterstützung durch die Familie und einer Gemeinschaft erwachsener Bezugspersonen umgeben ist, die als Mentoren fungieren. Doch ein solcher Verlauf des äußeren Entwicklungsweges ist nicht die Voraussetzung dafür, dass sich ein Mensch zur virtuosen Führungskraft entwickelt. Von den zehn virtuosen Führungskräften aus unserer Studie hatte einer eine psychisch kranke Mutter und einen schwachen Vater, der die Kinder nicht vor ihrem abnormen Verhalten schützen konnte. Ein anderer wurde von seiner Mutter mehrere Jahre in ein Waisenhaus gegeben, nachdem sein Vater gestorben war.

Dennoch bietet ein stützendes Netz aus liebevollen, stabilen Erwachsenen offenbar eine Basis zur Ausbildung von Charakter. Die übrigen acht virtuosen Studienteilnehmer hatten zumindest eine zuverlässige, unterstützende Bezugsperson, und die Hälfte gab an, beide Elternteile seien so gewesen.[30]

Es folgen ein paar repräsentative Antworten virtuoser CEOs auf die Frage nach ihren Eltern:

- *»Sie war immer an allen meinen Aktivitäten interessiert.«*
- *»Meine Mutter war immer für mich da, wenn ich sie brauchte.«*
- *»Mein Vater hat mich sehr unterstützt.«*
- *»Ich glaube, er hat mich verstanden. Er hat mir viele Freiheiten gelassen.«*
- *»Wir kamen gut miteinander aus – und tun es noch.«*

Die ichbezogenen CEOs zeichneten ein ganz anderes Bild von ihrer Familie. Bei zwei Teilnehmern waren beide Eltern zuverlässige Bezugspersonen und nur vier hatten einen Elternteil, der sich zuverlässig um sie kümmerte. Drei Mitglieder dieser Gruppe hatten innige Beziehungen zu warmherzigen Müttern, die sie unterstützten. Die übrigen sieben beschrieben ihre Mütter als gereizt, emotional distanziert oder narzisstisch. Noch größere Unterschiede zwischen den Gruppen ergaben sich im Hinblick auf die Beziehung zum Vater. Die Hälfte der virtuosen CEOs berichtete von einer engen Beziehung und starker Verbundenheit zu ihrem Vater. Das konnte nur eine ichbezogene Führungsperson von sich behaupten. Die Väter der übrigen ichbezogenen CEOs waren distanziert, gefühlsmäßig unbeteiligt und hatten eigene Probleme. Zwei waren Alkoholiker. Hier ein paar Kommentare aus dieser Gruppe über ihre Eltern:

- *»[Meine Mutter war] ein sehr guter Mensch. Ihr einziger tragischer Fehler war, dass sie an meinem Vater hing.«*
- *»[Meine Mutter war] intelligent. Eigenwillig. Ehrgeizig. Sie hatte Klasse. Doch die Einzige, die sich wirklich um mich gekümmert hat, war meine ältere Schwester.«*
- *»Sie war streng und hatte hohe Erwartungen. Unsere Freunde hatten ein bisschen Angst vor ihr. Ich stand ihr sehr nahe.«*
- *»Er war ein Alkoholiker, ein boshafter Mensch.«*
- *»[Mein Vater war] distanziert. Im Rückblick erkenne ich, dass er sich nur für sein Geschäft interessierte.«*

Wie unsere Recherchen ergaben, werden wir von wichtigen Beziehungen weit über unsere Kindheit hinaus beeinflusst, und das schließt auch Menschen außerhalb des Familienkreises mit ein. Die CEOs beider Gruppen erinnerten sich gern an andere Erwachsene, die sie in ihrer Kindheit und Schulzeit förderten und ihnen zur Seite standen. Mit einer Ausnahme hatten alle ichbezogenen CEOs in ihrer Jugend eine bedeutsame Beziehung zu mindestens einem prägenden, ihnen zugetanen Erwachsenen, doch nur zwei hatten mehr als eine solche Beziehung. Wiederum genossen die virtuosen CEOs in dieser Phase ihrer äußeren Entwicklung einen eindeutigen Vorteil. Wie Abbildung 3-2 veranschaulicht, hatten sie etwa 30 Prozent mehr solcher Beziehungen als die ichbezogenen CEOs.

Mit dem Eintritt ins Berufsleben gelang es den CEOs aus beiden Gruppen meist, Bindungen zu älteren Mentoren zu entwickeln. Doch die virtuosen CEOs kamen in den Genuss verstärkter Förderung durch Mentoren in ihren ersten Berufsjahren. Sie knüpften mehr als doppelt so viele solche Beziehungen wie die ichbezogenen CEOs. Von den virtuosen CEOs nutzten alle bis auf einen die Gelegenheit, zu einem oder mehreren Mentoren Bindungen aufzubauen, doch nur zwei der ichbezogenen CEOs taten das. Und auch diese beschrieben die Qualität der Förderung als nicht immer optimal.

Einer der ichbezogenen CEOs berichtete:

> *»Der interessanteste Mentor, den ich je hatte, war vermutlich ein Selfmade-Unternehmer. Er war clever, rücksichtslos und ging nie den einfachen Weg. Er sagte immer, der einfache Weg bringe nichts. Wenn ich etwas auf eine meiner Ansicht nach bessere und einfachere Art angehen wollte, erklärte er mir, er würde mich feuern, wenn ich das täte.«*

Eine weitere ichbezogene Führungsperson erklärte mir den Mangel an Mentoren in ihrer Karriere damit, dass sie festgestellt habe, dass ihre interessanten und einflussreichen Vorgesetzten allesamt keine guten Lehrer waren. *»Oft war es sogar beinahe umgekehrt: Ich entwickelte mich rasch so weit, dass ich ihnen Dinge abnahm.«*

Ein virtuoser CEO dagegen erinnerte sich an folgende Erfahrung mit einem Mentor aus seiner Zeit als Berufsanfänger:

> *»Er war der Vertriebschef in unserer Firma. Ich bin sehr introvertiert, und er genau das Gegenteil. Ich glaube, von ihm habe ich gelernt, mit Menschen umzugehen. Er bezeichnete uns als ›das seltsame Paar‹. Wir arbeiteten sehr gut zusammen. Manchmal diskutierten wir ein oder zwei Stunden lang, doch dann einigten wir uns und begossen das mit einem Bier. Er war etwa 7 oder 8 Jahre älter als ich. Er hat mir viel beigebracht.«*

Ein anderer virtuoser CEO profitierte von vier Mentoren, bevor er seine erste CEO-Position übernahm. Sein Fazit:

> *»Die vier CEOs, für die ich auf dem Weg nach oben gearbeitet habe, haben mich alle als Mentoren gefördert. Vom ersten lernte ich, wie das Unternehmen wirklich funktionierte, und warum es so lange Bestand hatte. Der zweite vermittelte mir viel über Kreativität und Innovation im Geschäft. Der dritte setzte einen ethischen Schwerpunkt, und der vierte schaute sehr auf das Ergebnis. Noch einmal: Von allen vier Vorgesetzten übernahm ich Methoden, die mir zusagten, wollte mehr darüber erfahren und sie nachahmen. Taten sie Dinge, die mir nicht gefielen, überlegte ich mir, wie ihr Alter Ego aussehen könnte und wie das in mein Wertesystem passen würde.«*

Beide CEO-Gruppen aus unserer Studie machten unmissverständlich deutlich, wie wichtig Mentoren sind – von der Kindheit bis ins Berufsleben –, um Führungskompetenz zu entwickeln. Solche Beziehungen unterhielten de facto fast alle der erfolgreichsten Manager, die an unserer Studie teilnahmen. Das mögen keine neuen Erkenntnisse sein, doch es sind wichtige Werkzeuge für Manager, die Führungsnachwuchs ausfindig machen und ausbilden, und auch für solche, die selbst an die Spitze aufsteigen oder ihren aktuellen Führungsstil optimieren möchten.

Unsere Befunde über den äußeren Entwicklungsweg von der Wiege in die Vorstandsetage sagen uns viel über die externen Einflüsse auf die Heranbildung eines Führungscharakters, doch wirklich herausragend erscheinen die virtuosen CEOs beim inneren Entwicklungsweg. Nehmen wir daher diesen Aspekt im Lebenslauf eines Managers genauer unter die Lupe.

ABBILDUNG 3-2:

Prägende Beziehungen der CEO

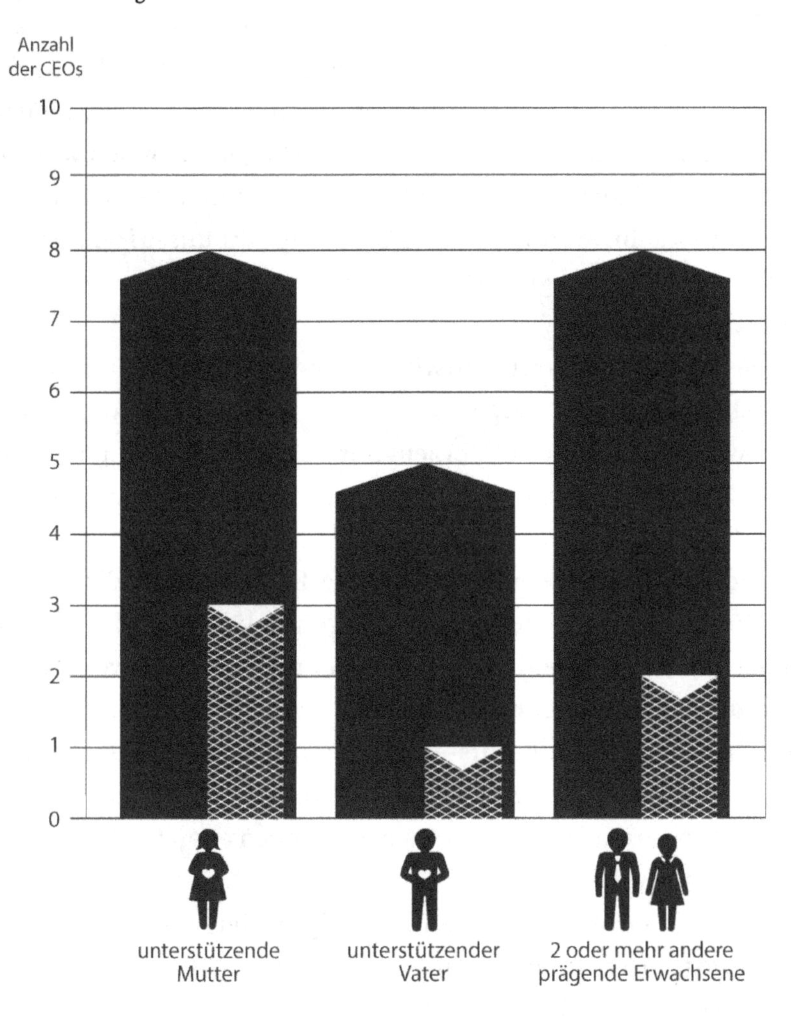

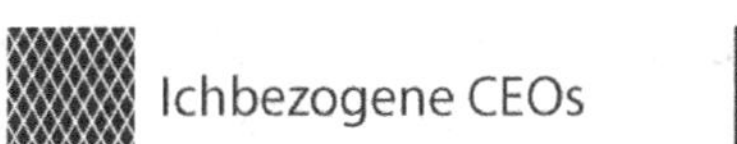

Der innere Entwicklungsweg

Jeder CEO aus unserer Studie vollzog auch einen inneren Entwicklungsweg hin zu einem integrierten Erwachsenen, während er gleichzeitig die Herausforderungen und Erfahrungen des äußeren Entwicklungsweges meistern musste. Auf dem inneren Entwicklungsweg bilden wir unseren Charakter aus, indem wir unsere Vorstellungen und moralischen Intuitionen entwickeln, die uns dann als Grundlage für unser Handeln dienen. Das Ziel der Selbstintegration ist erreicht, wenn Kopf und Herz zusammen wirken.

Im Verlauf des inneren Entwicklungsweges entsteht unsere Selbstwahrnehmung, und es prägen sich unsere Charaktergewohnheiten aus, sodass wir uns in unseren Überzeugungen und im Umgang mit anderen gut und aufrichtig fühlen. Dabei gewinnen wir eine Weltanschauung, aus der wir Rückschlüsse ziehen, wie wir in dieser Welt zurechtkommen können, und wir übernehmen Werte und Verhaltensregeln, die diese Weltsicht stützen. Wir entwickeln die nötige geistige Komplexität, um die Feinheiten von Entscheidungsprozessen und Verhaltensweisen bei Fehlern und Erfolgen zu verstehen, sodass wir unsere Leistung laufend verbessern und auch unser Berufs- und Privatleben immer besser verstehen. Menschen, die ihr innerer Entwicklungsweg zur Selbstintegration führt, vermissen in ihrem Leben nichts, sie empfinden es vielmehr als vollständig und sinnerfüllt.

Wir Menschen entwickeln uns ständig weiter, und der Weg hin zu einem integrierten Individuum ist ebenso wichtig wie das Ziel selbst. Der Prozess ist jedoch bisweilen schmerzhaft. Wer sich aber zu einem integrierten Menschen entwickelt, hat ungeachtet der erforderlichen Anstrengungen in allen Lebenslagen enorme Vorteile, ob als Taxifahrer oder Atomphysikerin, als Kassiererin bei Costco oder als Manager bei American Express, als Hausmann oder als darstellende Künstlerin. Ein Gefühl der Zufriedenheit mit sich selbst hat positive Effekte auf die Gesundheit von Körper und Geist, und außerdem ermöglicht es uns, bessere Leistungen auf dem eingeschlagenen Berufsweg zu erbringen.

Leider ist es keine Bedingung für einen Aufstieg in die Führungsetage, ein integriertes Selbst und einen starken Charakter zu entwickeln. Diese

Entwicklung war jedoch praktisch allen CEOs aus unserer Studie gemein, deren Verhalten sie als virtuose Führungskräfte auswies, also eben den CEOs, die die besten Geschäftsergebnisse erzielten. Im Folgenden wollen wir die einzelnen Schritte auf diesem inneren Entwicklungsweg analysieren, wie er bei den jeweiligen CEOs aus unserer Studie aussah und wohin er sie am Ende führte.

Die charakterlichen Schlüsselgewohnheiten

Im ersten Kapitel haben wir festgestellt, dass Charakter eine einzigartige Kombination von Glaubenssätzen, Prinzipien und Verhaltensweisen ist, die unseren Umgang mit anderen und mit der Umwelt prägen. Die vier universellen ethischen Prinzipien Integrität, Versöhnlichkeit, Verantwortungsbewusstsein und Empathie erwachsen aus den moralischen Intuitionen, die allen Menschen gemein sind. Ein integrierter Mensch reagiert bei allen Interaktionen spontan entsprechend dieser Prinzipien – sie sind eine feste Gewohnheit. Doch damit nicht genug: Übernehmen wir die aus diesen Prinzipien abgeleiteten Verhaltensweisen, so wirken sie sich auf alle unsere Überzeugungen und Gewohnheiten aus, in denen sich unser Charakter äußert, weil sie Hintergrundinformationen liefern und diese Entwicklung unterstützen und vorantreiben. Deshalb bezeichnen wir Integrität, Empathie, Versöhnlichkeit und Verantwortungsbewusstsein in unserer *ROC*-Studie als charakterliche Schlüsselgewohnheiten. Diese entscheidenden Gewohnheiten drücken wir beispielsweise durch folgendes Verhalten aus, in dem sich unser Charakter zeigt:

> **Integrität**: Konstantes Handeln nach erklärten Grundsätzen, Werten und Glaubenssätzen; Wahrheitsliebe; Einsatz für das Richtige; Einhalten von Versprechen.
>
> **Verantwortungsbewusstsein**: Zu seinen persönlichen Entscheidungen stehen; Fehler und Misserfolge zugeben; sich für andere einsetzen – also sich engagieren, um die Welt ein wenig besser zu machen.

> **Versöhnlichkeit**: Fehler sich selbst wie auch anderen verzeihen und hinter sich lassen; den Fokus auf Lösungen legen, anstatt auf die Fehler zu starren.
>
> **Empathie**: Einfühlungsvermögen; anderen Raum für eigene Verantwortung und Entscheidungsbefugnis geben, aktive Fürsorge für andere und Engagement für ihre Weiterentwicklung.

Aber wie entwickeln wir unsere gewohnheitsmäßigen Reaktionen auf die Umwelt? Wie alle Gewohnheiten werden auch unsere Charaktergewohnheiten von unserem schnellen Denken hervorgebracht – im Unterbewusstsein also. In einer aktuellen Studie zur Struktur von Gewohnheiten behauptet der mit dem Pulitzer-Preis ausgezeichnete Reporter und Autor Charles Duhigg, dass eine Abfolge von Emotionen, Gedanken oder Verhaltensweisen erst zur Gewohnheit wird, wenn sie so viel Nutzen bringt, dass dieser sehnsüchtig erwartet wird.[31] In der Wissenschaft wird das als »Verlangen« bezeichnet, das eine Gewohnheit auslöst. Ein Verlangen kann physischer Natur sein, wie das Verlangen nach bestimmten Nahrungsmitteln oder Aktivitäten. Es kann aber auch psychischer oder spiritueller Natur sein – wie das Verlangen nach Liebe, Zugehörigkeit, Status oder persönlichem Wohlbefinden. Es liegt in unserer Natur als Menschen, Gewohnheiten anzustreben, die sich mit unseren angeborenen moralischen Intuitionen der Fürsorge, der Fairness, der Autorität, der Loyalität und dergleichen decken (mehr dazu in Kapitel 2).

Dieses Verlangen kann Führungspersonen zur Selbstintegration führen, indem es sie dazu bringt, so zu handeln, dass ihre Handlungen mit ihren Ansprüchen an sich selbst übereinstimmen. Betrachte ich mich als ehrlichen Menschen, empfinde ich ein Verlangen nach den Gefühlen, die sich einstellen, wenn ich diesem Standard gerecht werde, indem ich beispielsweise die Wahrheit sage. Je mehr Verlangen ich nach diesen Gefühlen habe, desto öfter verhalte ich mich so, dass ich sie empfinden kann, und das bestärkt mich in meiner Gewohnheit, die Wahrheit zu sagen. Entwickelt sich diese Gewohnheit, so ist sie ein Musterbeispiel für die Integration von Kopf (meinen Handlungen) und Herz (meinen Ansprüchen).

Duhigg zufolge ist eine Schlüsselgewohnheit dadurch gekennzeichnet, dass sie weitere wünschenswerte Überzeugungen, Gefühle und Verhaltensweisen mit sich bringt. Aus unserer Studie ergibt sich, dass die charakterlichen Gewohnheiten Integrität, Verantwortungsbewusstsein, Versöhnlichkeit und Empathie eine Schlüsselfunktion für den Führungscharakter haben, da sie die Entwicklung unserer angeborenen moralischen Intuitionen fördern. Eine virtuose Führungsperson, bei der die charakterliche Schlüsselgewohnheit Empathie besonders ausgeprägt ist, entwickelt gewöhnlich auch ihre moralische Intuition der Fairness weiter, was sie zum Beispiel von Nepotismus abhält. Ein Manager, bei dem die charakterliche Gewohnheit des Verantwortungsbewusstseins besonders stark zu Geltung kommt, wirkt auf andere inspirierend, gewinnt Respekt. Und so gibt es zahlreiche weitere Beispiele.

Was die virtuosen CEOs aus unserer Studie besonders auszeichnet, ist die starke Ausprägung der charakterlichen Schlüsselgewohnheiten, die sie im Umgang mit anderen am Arbeitsplatz zeigen, wie von ihren Mitarbeitern beobachtet und bestätigt wurde. Um herauszufinden, wie sie sich so ausgeprägte Gewohnheiten aneignen konnten, baten wir die an unserer Studie teilnehmenden CEOs, ähnliche Fragen zu beantworten wie folgende: »Wie haben Sie gelernt, zwischen richtig und falsch zu unterscheiden?« Die meisten der virtuosen CEOs berichteten, sie hätten ihre starken Charaktergewohnheiten den maßgeblichen Erwachsenen in ihrem Leben zu verdanken. Viele erwarben sie einfach, indem sie die Charaktergewohnheiten übernahmen, die sie an den Menschen beobachteten, die sie bewunderten. Manche wählten sie aber auch ganz bewusst und sorgfältig aus.

Einer der Manager hatte eine besondere Geschichte zu erzählen. Er hatte seinen Vater folgendermaßen beschrieben: *»Hart. Unnahbar. Strafend. Kein netter Mensch.«* Dieser CEO, der zum Zeitpunkt der Befragung zwischen 50 und 60 Jahre alt war, erhielt von seinen Mitarbeitern für alle vier charakterlichen Schlüsselgewohnheiten Spitzenbewertungen. Auf die Frage, wie er sich Empathie und Versöhnlichkeit aneignen konnte, obwohl sein Vater ganz andere Eigenschaften hatte, antwortete er: *»Ich merkte, wie die Menschen auf meine Mutter reagierten. Sie war sehr großzügig, was bei anderen viel Herzlichkeit auslöste. Ich nehme an, ich orientierte mich an ihr. Vermutlich habe* *ich irgendwie begriffen, dass man die Menschen nicht zurückweisen darf, wenn man Wert auf ihre Nähe legt.«*

Derselbe Mann erzählte mir, er habe gelernt, sich integer zu verhalten, weil er beim Betrügen erwischt und dafür bestraft worden sei:

> *»Ich weiß noch, wie ich in der Highschool beschloss, bei einem Test abzuschreiben. Der Lehrer ertappte mich dabei, griff sich meine Arbeit und gab mir null Punkte. Das war für mich eine einschneidende Erfahrung. Es rüttelte mich wach. Nach dem ersten Quartal wäre ich durchgefallen, doch am Ende des dritten Trimesters bestand ich meine Tests mit 98 von 100 Punkten.«*

Er erzählte auch, wie er zu einer versöhnlichen Einstellung kam – gegenüber sich selbst ebenso wie gegenüber anderen. Wie er sagte, hatte er gelernt,

> *»wie viel besser es sich anfühlt, etwas zu vergeben und zu vergessen. Bei mir laufen die Dinge oft nicht so, wie sie sollen. Wenn ich Glück habe, liegt die Erfolgsquote bei 70 Prozent. Ich darf mir Fehlschläge daher nicht zu sehr zu Herzen nehmen. Ich muss loslassen können – und zwar meine eigenen Fehler ebenso wie die Fehler anderer.«*

Als ich ihn fragte, wie ein Lebensweg seiner Ansicht nach den Charakter formte, brachte er seine Gedanken dazu folgendermaßen auf den Punkt: *»Irgendwann startet man aus eigenem Antrieb durch und wird ein ganzer Mensch.«*

Eine Führungskraft, die andere mitreißen und motivieren will, muss alle charakterlichen Schlüsselgewohnheiten an den Tag legen, die des Kopfes und die des Herzens.[32] Aber es gibt eine gute Nachricht: Wie jede Angewohnheit sind auch die charakterlichen Schlüsselgewohnheiten erworbene Reaktionen, die wir durch (gleichermaßen) erlernte Verhaltensweisen zum Ausdruck bringen. Auf dem Weg zum integrierten Menschen entwickeln wir unsere angeborenen moralischen Intuitionen zu den charakterlichen Schlüsselgewohnheiten virtuoser Führungskräfte weiter. Wir werden nicht als exzellente Führungspersonen geboren. Wir entwickeln uns dazu, indem wir es uns darauf trainieren, entsprechend zu denken und zu handeln.

Alte Gewohnheiten abzulegen und sich neue anzueignen ist ein Prozess, der kontinuierliche Aufmerksamkeit und Arbeit erfordert, doch es ist machbar (mehr dazu in Kapitel 7). Das Rohmaterial und die nötigen Fähigkeiten für diese Veränderung haben wir von Geburt an. Je mehr wir darüber nachdenken und unsere automatischen Reaktionen auf die Ereignisse und Personen ausrichten, mit denen wir im Alltag konfrontiert sind, desto besser sind wir in der Lage, die Charaktergewohnheiten zu entwickeln, die unseren Führungsstil und damit auch die erzielten Ergebnisse eine Stufe weiterbringt.

Selbstwahrnehmung und virtuose Führung

In seinem Gedicht »An eine Laus« über eine Laus auf dem Sonntagshäubchen einer Kirchgängerin schrieb Robert Burns 1786, wie wunderbar es doch wäre, wenn wir nur die Gabe besäßen, uns selbst mit den Augen anderer zu sehen. Burns spielte damit auf die Selbstwahrnehmung an. Doch wenn es um Führung geht, ist das keine Gabe, sondern eine für die Erfüllung unserer Aufgaben notwendige Voraussetzung, die wir selbst schaffen müssen.

Wie bereits gezeigt, lässt sich die eigene Selbstwahrnehmung unter anderem dadurch prüfen, dass wir selbstkritisch hinterfragen, wie stimmig und (zumindest ansatzweise) folgerichtig unsere Lebensgeschichte ist. Fast alle virtuosen CEOs aus unserer Studie erzählten eine Lebensgeschichte, die kohärent und für sie und andere nachvollziehbar war. Sie konnten aufzeigen, inwieweit ihre frühen Erfahrungen mit ihrer späteren Entwicklung zusammenhingen. Sie räumten positive und negative Aspekte familiärer Erfahrungen ein und konnten schlüssig darlegen, wie ihre schlimmsten und ihre schönsten Erlebnisse ihr Leben beeinflusst hatten. Die ichbezogenen CEOs dagegen zeigten wenig Fähigkeit zur Selbstwahrnehmung, wie sie aus der Reflexion von Ereignissen und ihren prägenden Folgen entsteht.

Überrascht stellten wir fest, dass ichbezogene CEOs außerdem in erheblichem Umfang der Selbsttäuschung unterliegen. So bin ich beispielsweise öfter gefragt worden: »*Wie haben Sie es eigentlich geschafft, CEOs mit mangelnder Integrität zur Teilnahme an einem Forschungsprojekt über Charakter zu bewegen?«* Die Antwort darauf ist schlicht: Alle CEOs aus unserer Studie schrieben sich selbst ein hohes Maß an Integrität zu, auch diejenigen, deren Integrität von anderen als sehr gering eingestuft wurde.

Wir wissen, dass Menschen grundsätzlich gut verdrängen können. Das ist oftmals ein durchaus positiver Zug, denn könnten wir das nicht, würde uns schon allein das sichere Wissen, dass wir alle irgendwann sterben müssen, in tiefe Depression und Angst stürzen. Tatsachen verdrängen zu können, ist die Grundlage für Optimismus und auch für die meisten der erstrebenswerten Überzeugungen, die in diesem Kapitel beschrieben werden.

Andererseits birgt das Nichtwahrhabenwollen auch Gefahren.[33] Das englische Sprichwort vom Affen, dessen Hinterteil alle anderen umso besser sehen können, je höher er auf den Baum klettert, verdeutlicht, wie sehr das Verhalten einer Führungskraft im Fokus steht und wie ahnungslos manche Führungskräfte in Bezug darauf sind, was der Blick »von unten« offenbart. Den virtuosen Führungspersonen aus unserer Studie waren die Gefahren des Selbstbetrugs offenbar bewusst, und sie holten immer wieder objektives Feedback ein, um ihnen entgegenzuwirken. Unsere Recherchen ergaben, dass diese Führungspersonen die Wahrheit wissen wollten und dass ihnen andere gefahrlos die Wahrheit sagen durften, auch wenn sie nicht schmeichelhaft war. Die ichbezogenen CEOs aus unserer Studie dagegen zeigten viel weniger Interesse an kritischen Kommentaren oder daran, sich ständig mit ihren potenziellen Unzulänglichkeiten auseinanderzusetzen. Vielmehr redeten sie sich offenbar ein, dass andere an ihrer Arbeitsweise nichts auszusetzen hätten.[34]

Ganz gleich wie viel wir selbst reflektieren, wir brauchen auch Feedback von anderen, um uns selbst wahrnehmen zu können. In manchen Unternehmen werden zu diesem Zweck Befragungen unter den Beschäftigten durchgeführt, doch die bringen wenig, wenn die Mitarbeiter nicht auf deren Anonymität vertrauen kann und Angst vor negativen Folgen kritischer Äußerungen über Vorgesetzte hat. Leider gilt, dass gerade diejenigen Führungskräfte, die vom ehrlichen Feedback anderer am meisten profitieren könnten, dieses weder ernsthaft nachfragen noch die nötigen Voraussetzungen dafür schaffen.

Viele der CEOs aus unserer Studie hatten zuvor noch nie ein ungefiltertes Feedback ihrer Mitarbeiter erhalten. Konfrontiert mit dem negativen Bild von seiner Integrität, das unsere Erhebung aus einer nach dem Zufallsprinzip ausgewählten Stichprobe seiner Mitarbeiter ergeben hatte, reagierte ein ichbezogener CEO aus unserer Studie zunächst überrascht, doch dann unverzüglich abweisend. »*Wo haben Sie denn diese Daten her?*«, fragte er. »*Wir führen seit Jahren Befragungen unter den Beschäftigten durch, und mein Team und ich erhalten für Integrität stets Spitzenbewertungen. Ihre Studie muss fehlerhaft angelegt sein!*« Dieser »Spitzen-CEO« wurde 3 Monate später mit seinem kompletten Führungsteam entlassen, als sein Unternehmen zerschlagen und an Konkurrenten verkauft wurde.

Die Kluft zwischen der Selbsteinschätzung der CEOs und der Bewertung durch ihre Mitarbeiter diente uns in unserer Studie als verlässlicher Maßstab für die Selbstwahrnehmung. Wie aus Abbildung 3-3 ersichtlich unterschätzen virtuose CEOs ihre Charaktergewohnheiten tendenziell geringfügig und bewerten sich selbst etwas schlechter, als es ihre Mitarbeiter tun. Dieser Unterschied spricht für eine gewisse Bescheidenheit dieser Führungskräfte. Die ichbezogenen CEOs dagegen überschätzen ihr eigenes moralisches Verhalten und siedeln ihren Charakter-Punktwert deutlich höher an als ihre Mitarbeiter. Der große Unterschied zwischen der Selbsteinschätzung ihres Charakters durch die Führungskräfte und den Bewertungen ihrer Mitarbeiter verdeutlicht das Ausmaß der Selbsttäuschung der ichbezogenen CEOs aus unserer Studie.

Die Forschungsergebnisse belegten klar, dass die Entwicklung zu einem integrierten, vollständigen Menschen Selbstwahrnehmung erfordert. Glücklicherweise kann jeder seine Selbstwahrnehmung verbessern, indem er die Beobachtungen von Menschen erfragt, die ihn gut kennen. Wenn wir unsere Lebensgeschichte Revue passieren lassen und über die Grundsätze und das ethische Verhalten reflektieren, die unseren Charakter prägen, wenn wir uns die Verhaltensweisen, in denen dieser Charakter zum Ausdruck kommt, bewusst machen und uns von den Menschen, mit denen wir zusammenleben und -arbeiten, ein objektives Feedback holen, dann können wir die Selbstwahrnehmung entwickeln, die ein integrierter Mensch braucht. Diese Selbstwahrnehmung schließlich ist die Voraussetzung für den Charakter einer virtuosen

Führungskraft. Und wir können sie gezielt einsetzen, um unser Berufs- und Privatleben erfolgreicher zu gestalten.

ABBILDUNG 3-3:

Bewertung der Ausgeprägtheit der Charaktergewohnheiten

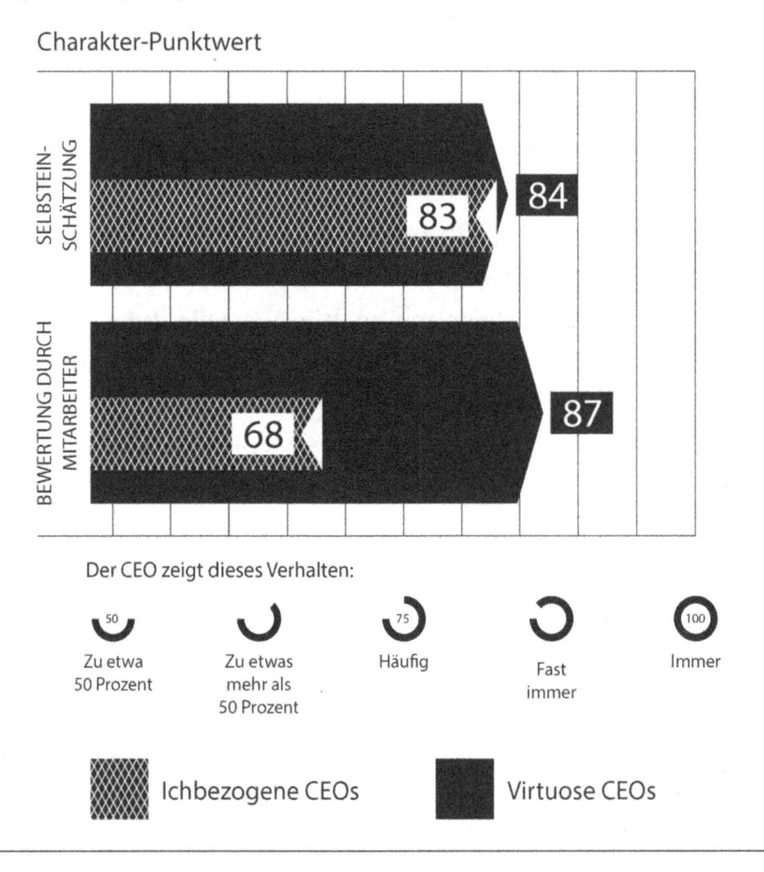

Die Welt von der Erfolgsseite aus gesehen

Unser Bewusstsein lebt in seiner ganz eigenen Welt. Wir alle erschaffen im Geist ein Modell der Wirklichkeit, und jeder von uns führt einen ständigen inneren Monolog, um sich die Welt zu erklären und sie zu verstehen. Dieses mentale Modell ist unsere Weltanschauung: ein System zum Ordnen unserer Glaubenssätze über die Welt und ihre Ereignisse. Diese

Glaubenssätze gewinnen wir aus Lebenserfahrungen oder übernehmen sie von unserer Kultur, unserer sozialen Gruppe, unserer Familie oder durch maßgebliche Einflüsse von Mentoren, Vorgesetzten oder Freunden. Die eigene Lebensgeschichte spielt eine wichtige Rolle für unsere Weltanschauung, denn sie liefert den Hintergrund und die Erklärungen dafür, wie ein Mensch zu seiner spezifischen Konstellation von Glaubenssätzen gelangt ist.

Wenn wir unser eigenes Verhalten erklären müssen, fügen wir unserer Weltanschauung je nach Bedarf Glaubenssätze hinzu oder entfernen sie. Aus der *ROC*-Studie und aus verschiedenen anderen Forschungsprojekten lässt sich schlussfolgern: Unsere bewussten Überzeugungen formulieren wir überwiegend, um uns und anderen unsere Handlungen zu erklären und/oder um sie zu rechtfertigen.[35]

Der integrierte Mensch eignet sich eine Weltanschauung an, die aus positiven Überzeugungen von der menschlichen Natur, dem Arbeitsleben und dem eigenen Lebenssinn besteht. Eine derart positive Sicht der Dinge ist offenbar ein klarer Vorteil für Führungskräfte und ganz eindeutig ein Faktor, der virtuose CEOs von den charakterschwächeren, ichbezogenen Kollegen unterscheidet.

Um ein klares Bild von den Weltanschauungen zu erhalten, die das Verhalten der Führungspersonen unserer Studie vermittelte, legten wir ihren Mitarbeitern eine Liste mit 85 Aussagen vor und baten sie zu bewerten, wie exakt diese Aussagen die von ihren CEOs an den Tag gelegten Überzeugungen beschrieben. Welche Überzeugungen entsprechen allem Anschein nach der Weltsicht erfolgreicher Führungspersonen? Nach Angaben ihrer Mitarbeiter zeigten virtuose CEOs im Arbeitsalltag die folgenden neun positiven Überzeugungen:

1. Die meisten Menschen entwickeln und verändern sich ihr ganzes Erwachsenenleben lang.
2. Die meisten Menschen möchten ehrlich, verantwortungsbewusst und freundlich zu anderen sein.
3. Die meisten Menschen sind vertrauenswürdig, bis sich das Gegenteil erweist.

4. Führungskräfte geben ihrem Handeln Sinn, indem sie sich weiterentwickeln und ihre angeborenen Begabungen und Fähigkeiten bis an die Grenzen nutzen.
5. Führungskräfte sind von dem Wunsch getragen, die Welt „zu einem besseren Ort zu machen".
6. Alle Unternehmen, ungeachtet ihrer Größe, sind mitverantwortlich dafür, zum Allgemeinwohl beizutragen.
7. Alle Menschen verdienen den gleichen Respekt, ungeachtet der Größe ihrer Aufgabe oder ihres Status.
8. Alle Menschen haben besondere Stärken und Begabungen und sollten die Möglichkeit haben, sie einzubringen.
9. Die besten Führungskräfte verfügen über hohe Beziehungs- und Kommunikationskompetenz.

Wie diese Liste zeigt, sind virtuose Führungskräfte selten von Angst und/oder einer negativen Weltsicht geleitet. Von den weniger charakterfesten Managern mit gering ausgeprägten klaren Grundsätzen aus unserer Studie lässt sich das nicht sagen. Die Beschäftigten geben zwar an, dass die ichbezogenen CEOs mitunter die oben aufgeführten Überzeugungen an den Tag legen, doch ihrer Bewertung zufolge zeigen sie häufiger mit einer negativen Weltsicht einhergehende Überzeugungen, wie sie die folgenden elf Aussagen zum Ausdruck bringen:

1. Das Management soll Beschäftigte nicht zu freundlich behandeln, sonst werden sie faul und unproduktiv.
2. Durch das Provozieren von Konflikten lässt sich gewöhnlich erkennen, wie sich ein Sachverhalt wirklich darstellt.
3. Es ist in aller Regel klüger, Quartalsziele zu erreichen, als sich auf eine langfristige Perspektive auszurichten, denn das ist mit vielen Unbekannten behaftet.
4. Wenn es darauf ankommt, kann man kaum jemandem vertrauen.
5. Die meisten Menschen müssen ständig überwacht werden, wenn sie Leistung bringen sollen.
6. Jeder Mensch hat Grenzen und Schwächen, und es macht keinen Sinn, ihn ändern zu wollen.
7. Letztendlich kann man sich nur auf sich selbst verlassen.

8. In der Firma ist niemand für uns da, niemand steht hinter uns.
9. Ich habe Angst vor Veränderungen, es sei denn, ich kann sie kontrollieren.
10. Ich weiß nicht genau, was mich antreibt oder mir sinnvoll erscheint.
11. Motivation und Lebenssinn heißt für mich, den mir in meinem Leben wichtigen Personen zu beweisen, dass ich es geschafft habe.

Was uns noch mehr überraschte: Unsere Studie wies nach, dass die religiösen und politischen Überzeugungen von Führungskräften offenbar wenig Auswirkungen darauf hatten, wie die Mitarbeiter ihre Leistung oder ihren geschäftlichen Erfolg einschätzte, obwohl diese Überzeugungen der gängigen Meinung nach großen Einfluss ausüben. Das galt zumindest, sofern die CEOs diese Überzeugungen für sich behielten.

Manche der CEOs aus unserer Studie bezeichneten sich als regelmäßige Kirchgänger, die bei Präsidentschaftswahlen stets für den republikanischen Kandidaten gestimmt hatten, während eine andere Gruppe nach eigener Aussage nie in die Kirche ging und grundsätzlich demokratisch wählte. Ein Vergleich des Unternehmenserfolgs beider Gruppen anhand des Engagements der Mitarbeiter, der Wettbewerbsfähigkeit des Unternehmens und der Umsetzung des Geschäftsplans ergab keine Unterschiede bei diesen Messgrößen. Daraufhin verglichen wir die Charakter-Punktwerte der Gruppen und stellten wiederum keinen Unterschied fest. In beiden politischen und religiösen Lagern gab es Vertreter mit starkem und ohne starken Charakter. Behielten die CEOs ihre persönlichen politischen und religiösen Ansichten also für sich, so hatten diese keine messbaren Auswirkungen auf ihre Effektivität in der Geschäftsführung.

Alles, was zählt, ist, wie sich ein Manager verhält. Die *ROC*-Daten zeigten, dass Führungskräfte – ob sehr religiöse, konservativ eingestellte oder ausgesprochen weltliche, progressive – nur dann effizient sind, wenn aus ihrem Verhalten ein von starken ethischen Grundsätzen geprägter Charakter spricht. Die Studie belegte ferner, dass Führungsverhalten, das auf Charaktergewohnheiten und Glaubenssätzen beruht, die zu einer positiven Weltanschauung beitragen, stabiler mit positiven, nachhaltigen Geschäftsergebnissen einhergeht als ein von einer negativen Weltsicht getragener Führungsstil.

Aus den Ergebnissen unserer Studie lässt sich ableiten, dass viele der gängigen Vorstellungen im Hinblick auf Glaubenssätze falsch sind. Offenbar wird eine negative, pessimistische Einstellung zu Menschen, persönlichem Lebenssinn und Arbeitsleben häufig mit erfolgversprechender Cleverness in Verbindung gebracht; doch wer das glaubt, der irrt gewaltig. Die virtuosen Führungskräfte aus unserer Studie beweisen ganz klar, dass sich die erfolgreichsten Führungskräfte auf das konzentrieren, was in der Welt um sie herum richtig und gut ist.

Wenn Sie an Ihren Kompetenzen als virtuoser CEO arbeiten, sollten Sie Ihre Weltanschauung daraufhin überprüfen, ob Sie das sprichwörtliche Glas eher für »halb voll« oder für »halb leer« halten. Dabei sollte Ihnen aber auch klar sein, dass eine positive Weltanschauung mehr ist als eine optimistische Einstellung. Diese Überzeugung steht für den festen Glauben an den Menschen, das Vertrauen auf das Gute im Menschen und darauf, dass wir alle mit denselben moralischen Intuitionen zur Welt kommen und nie menschlicher sind, als wenn wir diese Intuitionen weiterentwickeln und in unseren zwischenmenschlichen Beziehungen an den Tag legen.

Die angstgesteuerte Weltanschauung ichbezogener CEOs dagegen sorgt für Distanz und trennt uns von den Menschen, die uns helfen könnten, eine bessere Selbstwahrnehmung sowie stärkere charakterliche Gewohnheiten zu entwickeln und ein reichhaltiges, differenzierteres Verständnis von der Welt, in der wir leben, zu erlangen. Unsere Weltanschauung wirkt sich ganz wesentlich darauf aus, wie erfolgreich wir die prägenden Gelegenheiten nutzen, die sich uns auf unserem inneren Entwicklungsweg zur Selbstintegration ständig bieten. Um diesen Weg erfolgreich zu beschreiten und damit ein virtuoser CEO zu werden, müssen Sie sich eine positive Weltanschauung aneignen.

Die geistige Komplexität der virtuosen Führungskraft

Der Begriff »geistige Komplexität« bezieht sich auf unsere Fähigkeit, die subtilen Nuancen wahrzunehmen, die ähnliche Vorstellungen, Themen und Ereignisse in unserer Umwelt unterscheiden. Dies ist die differenzierte Sicht, die an die Stelle der rein schwarz-weißen Weltsicht tritt, wie sie die meisten jungen Menschen noch haben. Mit zunehmendem Alter erhöht sich unsere geistige Komplexität. Wir lernen, gängige Meinungen und Autoritäten zu hinterfragen und eigene Einstellungen und Ideen zu entwickeln. Mit wachsender geistiger Komplexität sind wir auch besser in der Lage, Themen aus verschiedenen Perspektiven zu betrachten und zu begreifen, dass es zu manchen Fragestellungen nicht nur eine richtige Meinung gibt. Gegensätzliche Positionen können gleichermaßen richtig sein. Lernen wir dann noch, unsere eigenen Ideen und Überzeugungen routinemäßig infrage zu stellen, haben wir die höchste Stufe geistiger Komplexität erreicht. Dann sind wir in der Lage, unser Selbstverständnis und unsere Weltanschauung kontinuierlich zu verbessern. Und haben wir das geschafft, können wir auch unsere persönliche Leistung als Mitglieder einer Gemeinschaft und als Führungskräfte steigern.

Auf diesem Niveau der geistigen Komplexität haben wir erreicht, was der Psychologe Robert Kegan als ein »sich selbst transformierendes Bewusstsein« bezeichnet.[36] Kegan zufolge ist einem Menschen auf dieser Bewusstseinsstufe stets klar, dass er nicht allwissend ist: Er weiß, dass seine Weltanschauung unvollständig ist und dass er zu keinem Thema alles wissen kann. Diese höchste Ebene der geistigen Komplexität bildet sich mit zunehmendem Alter heraus, wird aber nur von rund 7 Prozent der Menschen erreicht. Zu diesen 7 Prozent zählten alle virtuosen CEOs, die an der *ROC*-Studie teilnahmen.[37]

Natürlich waren manche der virtuosen CEOs aus unserer Studie älter und hatten mehr Lebenserfahrung. Sie genossen insofern von Haus aus den Vorteil einer höheren Stufe geistiger Komplexität. Doch ausnahmslos alle zeigten durch ihr Verhalten ungeachtet ihres Alters, dass sie sich ihrer eigenen Grenzen sehr bewusst waren. Und sie waren stets offen für neue Erkenntnisse.

Um ein integrierter Mensch mit Verbindung von Kopf und Herz, starken Charaktergewohnheiten und positiver Weltsicht zu sein, muss man nicht zwingend eine hohe geistige Komplexität aufweisen. Aber meistens geht ein hohes Maß an Selbstintegration mit hoher geistiger Komplexität einher. Auf jeden Fall liefert die *ROC*-Studie Hinweise darauf, dass virtuose Führungskräfte geistige Komplexität aufweisen. Die Antworten der Führungskräfte und ihrer Mitarbeiter aus der Befragung offenbaren, dass solche CEOs die meisten Situationen eher differenziert wahrnehmen als bloß schwarz oder weiß. Sie sind in der Lage, gegensätzliche Vorstellungen mental auszugleichen. Sie tolerieren Ambiguität. Sie haben sich eine natürliche Neugier auf die Welt und die Ereignisse bewahrt. Exzellente Führungskräfte haben keine Angst vor Fakten. Sie möchten so viel wie möglich wissen und verstehen, denn so entwickeln sie ihr Bewusstsein ständig weiter, stärken ihren Charakter, verbessern ihre Selbstwahrnehmung und erreichen eine höhere geistige Komplexität, die es ihnen ermöglicht, die richtigen Entscheidungen zu treffen.

Auf Ihrem inneren Entwicklungsweg zur Selbstintegration und zur virtuosen Führungskompetenz müssen Sie laufend an der geistigen Komplexität des sich selbst transformierenden Bewusstseins arbeiten. Wie alle Merkmale herausragender Führungskompetenz lässt sich auch ein solches Niveau der geistigen Komplexität nur mit der Zeit, mit Aufmerksamkeit und mit Disziplin erreichen. Was Sie dafür tun müssen, ist aber relativ leicht erklärt.

Zunächst sollten Sie sich grundsätzlich von der Vorstellung lösen, dass die Welt und die Menschen darin schwarz oder weiß sind. Sie müssen Ihre Wahrnehmung für die vielen Grautöne schärfen, die sich in den meisten Lebenslagen erkennen lassen. Am besten fangen Sie damit an, Ereignisse, Vorstellungen und Themen aus der Perspektive verschiedener Menschen oder Organisationen zu betrachten. Üben Sie sich darin, in Ihrem Denken gegensätzliche Ansichten gelten zu lassen. Wenn Sie versuchen, im Kopf die verschiedenen Standpunkte in einer Diskussion zu vertreten, merken Sie schnell, wie leicht es ist, sich eine Ansicht zu eigen zu machen, und wie verführerisch es sein kann, stur an dieser Sichtweise festzuhalten, obwohl die Indizien dagegen sprechen. Statt mental abzutauchen und die unliebsamen Wahrheiten der Welt um sich herum zu ignorieren, sollten

Sie sich bewusst aufgeschlossen verhalten und Ihrer natürlichen Neugier Nahrung geben. Damit haben Sie einen wichtigen Meilenstein auf dem Weg zum selbstintegrierten Menschen und damit auch auf dem Weg zur virtuosen Führungskraft erreicht.

Das eigene Ziel festlegen

In diesem Kapitel haben uns die Ergebnisse der *ROC*-Studie den Beleg dafür geliefert, wie stark unser Lebensweg unseren Führungsansatz und damit unseren Erfolg als Führungskraft prägt. Zwar ist kein Lebensweg wie der andere, doch die Meilensteine sind vielfach dieselben: Eltern, Familienangehörige, Lehrer, Mentoren und andere erwachsene Bezugspersonen, an deren Verhalten und Vorbild wir uns orientieren können, wenn wir in der Ausbildung und im Berufsleben Erfahrungen sammeln, die unseren äußeren Entwicklungsweg beeinflussen; Charaktergewohnheiten, Selbstwahrnehmung, Weltanschauung und geistige Komplexität, die wir unter dem Einfluss dieser Menschen und Erfahrungen im Zuge unserer inneren Entwicklung zum Erwachsenen entfalten. Im Idealfall laufen diese beiden Gleise in der Entwicklung zur Selbstintegration, zum ganzen Menschen und zur starken, leistungsfähigen Führungskraft mit festen Grundsätzen zusammen.

Wie unsere Studie nachgewiesen hat, nehmen sich virtuose CEOs die Zeit, ihre Lebensgeschichte im vollen Umfang zu betrachten. Sie können klare Verbindungslinien von den prägenden Menschen und Erfahrungen ihres Lebens zu ihren fortlaufenden Einstellungen, Verhaltensweisen und Reaktionen auf neue Chancen und sich abzeichnende Probleme ziehen. Solche hocheffizienten CEOs wissen genau, wer sie sind und warum sie etwas denken oder tun. Sie sind auch in der Lage, ihre Vorstellungen und Überzeugungen immer wieder zu überprüfen und zu justieren. Die geistige Komplexität der meisten erfolgreichen Führungskräfte aus unserer Studie, gemessen an dem von ihnen geschaffenen Arbeitsumfeld und am Erfolg ihres Unternehmens, befähigt sie, auch auf sich extrem schnell verändernden globalen Märkten Herausragendes zu leisten.

Anders formuliert: Die Lebenswege der virtuosen CEOs aus unserer Studie liefern allen, die ihren Führungsansatz und ihren Erfolg in jedem Aspekt des Lebens verbessern möchten, einen großartigen Fahrplan. Das Ziel unserer Reise ist die Selbstintegration. Indem wir die Lücke zwischen unseren charakterlichen Gewohnheiten und Glaubenssätze und unserem fortlaufenden Verhalten gegenüber anderen und unseren Interaktionen schließen, erreichen wir die Geschlossenheit, die für einen starken Charakter und virtuose Führungskompetenz steht. Abbildung 3-4 vermittelt ein Konzept vom integrierten Ich: Im Kern befinden sich die Selbstwahrnehmung sowie die Vorstellungen und Glaubenssätze, die unsere Weltanschauung prägen und sich auf unsere Beziehungen auswirken, umgeben von einem geistigen Komplexitätsniveau, das sich auf unserem Weg durchs Leben entwickelt und sich in unserer Lebensgeschichte niederschlägt.

ABBILDUNG 3-4:

Das integrierte Selbst

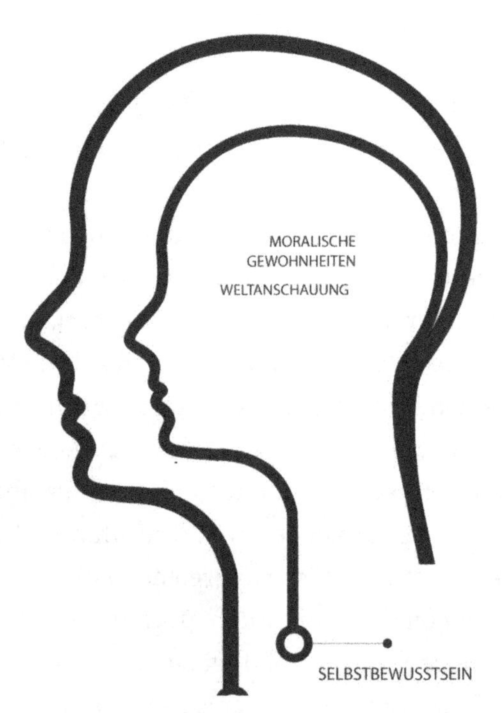

Sie sind dann in der Lage, nicht nur die Vorstellungen anderer infrage zu stellen, sondern auch Ihre eigenen, liebgewonnenen Überzeugungen. Im Ergebnis wird Ihre Auffassung von Ihrem Leben, Ihrem Geschäft, dem Markt, der Weltwirtschaft und der Kräfte, die all das prägen, zu einem Prozess ständigen Wachsens und fortwährender Entwicklung. An diesem Punkt haben Sie nicht nur die Selbstintegration erreicht, sondern sind auf dem von virtuosen Führungskräften schon beschrittenen Weg deutlich vorangekommen. Stehen Sie noch am Anfang dieses Wegs, so verfügen Sie jetzt über die Fertigkeiten und Werkzeuge, ihn erfolgreich zu bewältigen. Arbeiten Sie bereits in einer Führungsposition, haben Sie damit alle Voraussetzungen für kontinuierliches Wachstum und fortgesetzten Erfolg für Ihren weiteren Werdegang.

Schafft ein integrierter Mensch den Sprung in die Führungsetage, bringt er charakterlich alles Nötige mit, um Großes zu erreichen. Doch ein starker Charakter allein sorgt noch nicht für die herausragenden Ergebnisse virtuoser Führungskräfte. Es sind auch noch die übrigen Teile der *ROC*-Wertschöpfungskette zu berücksichtigen. Feste Grundsätze sind das eine, doch darüber hinaus muss ein Manager auch Führungskompetenz beweisen: Er muss fundierte Entscheidungen treffen, tragfähige Beziehungen aufbauen und pflegen, ein starkes Führungsteam zusammenstellen und es zur Umsetzung eines durchdachten Geschäftsplans anleiten. An dieser Stelle ist der Übergang zum zweiten Element der Gleichung angezeigt, um festzustellen, wie die Führungskräfte aus der *ROC*-Studie Führungskompetenz entwickeln und nutzen und was wir aus ihren Erfolgen und Fehlschlägen lernen können. Im zweiten Teil dieses Buches untersuchen wir, was Führungskräfte *tun*.

ZUSAMMENFASSUNG:

Der Weg von der Kindheit bis in die Führungsetage

1. **Virtuose Führungskräfte kennen ihre eigene Lebensgeschichte.** Sie begreifen und gestalten sie als eine zusammenhängende Erzählung, erkennen die wichtigen Ereignisse und Einflüsse, die ihre persönliche Entwicklung geprägt haben, und sind besser in der Lage, diese Einsichten zu nutzen, um ihre Antwort auf neue Situationen einzuschätzen und anzupassen.

2. **Als Kinder suchten virtuose Führungskräfte aktiv die Unterstützung erwachsener Förderer und nahmen sie an.** Ichbezogene CEOs erfuhren weniger Unterstützung und Fürsorge durch ihre Familien und andere prägende Erwachsene.

3. **Im Berufsleben suchen sich virtuose Führungskräfte einen oder mehrere Mentoren, die sie kontinuierlich begleiten.** Die positiven Effekte von Mentor-Mentee-Beziehungen auf die Führungsqualitäten gehen weit über die Kindheit hinaus.

4. **Virtuose CEOs entwickeln die charakterlichen Schlüsselgewohnheiten auf Grundlage der ethischen Grundsätze von Integrität, Verantwortungsbewusstsein, Versöhnlichkeit und Empathie.** Wie alle Gewohnheiten entwickeln sie diese durch eigenes Training und praktische Umsetzung.

5. **Selbstwahrnehmung ist entscheidend für virtuose Führungsqualitäten und setzt das Feedback anderer voraus.** Ichbezogene Führungskräfte neigen eher dazu, sich unangenehmem Feedback zu verweigern.

6. **Virtuose CEOs haben eine Weltanschauung, die von einem positiven Bild von Menschen, Arbeitsleben und persönlichem Lebenssinn geprägt ist.** Ichbezogene Führungskräfte haben in der Regel eine eher negative, pessimistische Weltsicht.

7. **Virtuose CEOs entwickeln tendenziell die höchste geistige Komplexitätsstufe, auf der sie eigene Vorstellungen infrage stellen und laufend anpassen, um neue Informationen, Erfahrungen und Erkenntnisse einfließen zu lassen.**

8. **Virtuose CEOs orientieren sich ausnahmslos am Konzept der Selbstintegration und zeigen entsprechende Verhaltensweisen.** Dadurch erreichen sie den starken Charakter, der im Zusammenspiel mit ihrer ausgeprägten unternehmerischen Kompetenz die *ROC*-Wertschöpfungskette vervollständigt.

Teil II

Das *ROC*-basierte Führungskonzept

4

Das *ROC*-Führungskonzept in der Anwendung – die Grundlagen

Im vorangegangenen Kapitel haben wir gezeigt, wie die Lebenserfahrungen der Führungskräfte, die an der *ROC*-Studie teilgenommen haben, sie auf ihrem Weg in die Erwachsenenwelt und in wichtige Führungspositionen entweder vorangebracht oder aber behindert haben. Den virtuosen CEOs, die Führung mit ihrem starken Charakter praktizieren und für ihre Unternehmen den meisten Wert generieren, ist es gelungen, positiven wie negativen Erfahrungen einen Sinn zu geben und sie zu einer kohärenten Lebenserzählung zu verbinden. Gleichzeitig haben sie starke Charaktergewohnheiten entwickelt und gegenüber der menschlichen Natur, dem Arbeitsleben und dem Zweck ihres Tuns eine positive Haltung eingenommen. Kurz, sie sind alle integrierte Menschen, die gelernt haben, eine Verbindung zwischen Kopf und Herz herzustellen. Die Führungskräfte haben eine geistige Komplexitätsstufe erreicht, die sie befähigt, kontinuierlich zu lernen und ihre Fähigkeiten, ihr Denken sowie die Art, die Welt und ihre Rolle darin zu sehen, weiterzuentwickeln.

Zusammengenommen bilden diese Entwicklungen das wichtige erste Element der *ROC*-Wertschöpfungskette aus Abbildung 4-1, die veranschaulicht, wer der Betreffende als Mensch, aber auch als Führungsperson ist. Wenden wir uns nun der zweiten Hälfte der *ROC*-Gleichung zu: was die virtuose Führungsperson macht.

Jeder, der schon einmal in einem Unternehmen oder einer Organisation tätig war, ganz gleich welcher Größe, hat eine Vorstellung davon, was eine starke Führungsperson ausmacht und welche Verhaltensweisen und Ergebnisse auf unzulängliche Führungsqualität hinweisen. Diese Vorstellungen können sich erheblich voneinander unterscheiden. Doch die *ROC*-Studie zeigt, dass es Kompetenzen gibt, die jede erfolgreiche Führungskraft an den Tag legt, um nachhaltig positive Geschäftsergebnisse zu erzielen.

ABBILDUNG 4-1:

Die *ROC*-Wertschöpfungskette

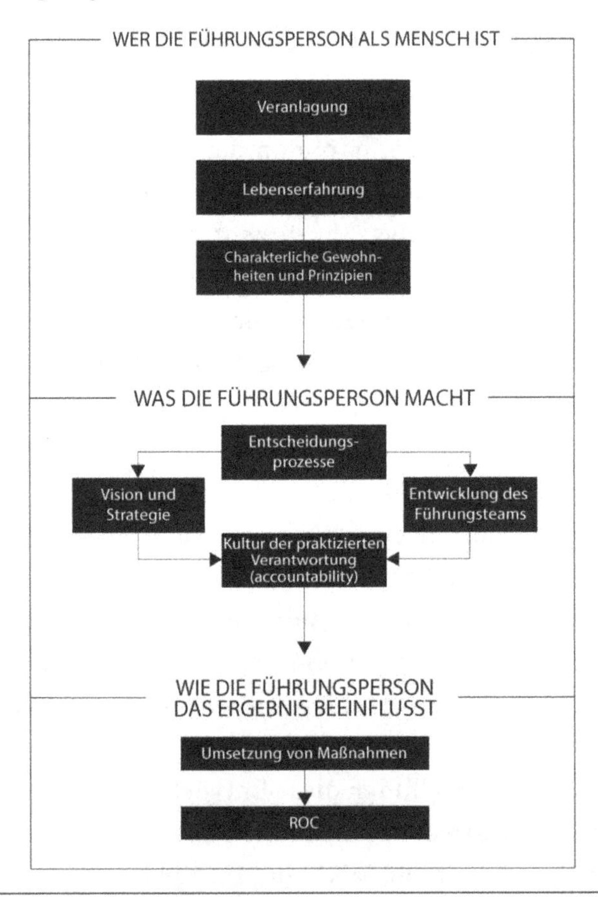

Führungskräfte erfüllen in Unternehmen viele kritische Funktionen, von denen die wichtigste ihre Verantwortung ist, Entscheidungen zu treffen.[38] Ihre Kompetenz als Entscheider bestimmt das Schicksal des Unternehmens und aller Beschäftigten oder anderweitig an seinem Erfolg beteiligten Personen. Jeder CEO muss Entscheidungen über die grundlegenden Herausforderungen der Unternehmensleitung treffen:

- eine Unternehmensvision entwickeln,
- die strategische Ausrichtung und die zentralen Initiativen des Unternehmens festlegen,
- ein fähiges Führungsteam auswählen, als Team aufbauen und leiten,
- eine Kultur der Verantwortlichkeit festlegen und durchsetzen.

Diese Herausforderungen stellen die wesentlichen Kompetenzen dar, die eine Führungskraft beherrschen muss, um für ihr Unternehmen nachhaltigen Wert zu erwirtschaften. Analog zu den charakterlichen Schlüsselgewohnheiten für Führungspersonen nennen wir diese vier grundlegenden Kompetenzen (Vision & Strategie, Entscheidungsfindung, Teamentwicklung, Verantwortlichkeit) die *Schlüsselkompetenzen der Führung*. Ein virtuoser CEO zu sein bedeutet, diese Führungskompetenzen so einzusetzen, dass sie bei der Bewältigung der Herausforderungen eines Unternehmens Wert schaffen und dass sie zugleich mit den Prinzipien charaktergeprägter Führung übereinstimmen.

Wie wir in diesem Kapitel erfahren, erhielten die aus der *ROC*-Studie als virtuose Führungskräfte hervorgegangenen CEOs durchweg bessere Noten für die Beherrschung dieser Schlüsselkompetenzen der Führung als die ichbezogenen CEOs. Gleichzeitig erzielten sie auch bessere Ergebnisse für ihre Unternehmen. So sieht praktizierte *ROC*-Führungskompetenz aus.

Wir haben gesehen, dass die Bedeutung des Charakters sowohl darin liegt, wer der CEO als Mensch ist, als auch darin, wie deutlich der Charakter die Leistungsfähigkeit seiner Organisation beeinflusst. Wie zeigt sich Charakter, wenn der CEO seine Schlüsselkompetenzen der Führung einsetzt? Spielt Charakter bei der Anwendung dieser Führungskompetenzen eine Rolle oder sind sie ganz unbeeinflusst davon? Indem wir auswerten, welche Schlüsse wir aus unserer Forschung ziehen können, verstehen wir auch mehr über den *ROC*, den virtuose oder ichbezogene CEOs für ihre jeweiligen Organisationen erzielen. Die ausführlichen Informationen der Studie über die Kompetenzen einer begrenzten Zahl von CEOs und ihrer Führungsteams können wir dabei um eine Fülle von Erkenntnissen anderer Forscher, Berater und Autoren ergänzen.[39]

Im vorliegenden Kapitel untersuchen wir die Ergebnisse unserer *ROC*-Studie und anderer Studien im Hinblick auf die Schlüsselkompetenzen der Führung und mit Fokus darauf, wie CEOs, unabhängig von ihrem Platz auf der Charakterkurve, diese Fähigkeiten erwerben und anwenden. Wir beginnen mit einer Führungskompetenz, die der Hebel für alle anderen ist: die Entscheidungsfähigkeit.

Entscheidungsprozesse und charaktergesteuerte Führung

Führungskräfte müssen ständig Entscheidungen treffen. Natürlich haben sie auch noch viele andere Aufgaben: Sie müssen sich um Stakeholder kümmern, auf Anfragen von Investoren und Medien reagieren, an Sitzungen teilnehmen, Vorträge halten, nachdenken, lesen und vieles mehr. Doch der wertvollste Führungsakt besteht darin, disziplinierte Entscheidungen über das Unternehmen und die Menschen, die es leiten, zu treffen. Ein disziplinierter Entscheidungsprozess ist der Hebel, der die Kraft charaktergesteuerter Führung mit den operativen Prozessen der Organisation und ihren Ergebnissen verbindet.

Mit einem unserer Studie zufolge virtuosen CEO, nennen wir ihn Paul, unterhielt ich mich über seine Entwicklung als Entscheider. Paul war erst Ende 30, als er zum CEO eines mittelgroßen börsennotierten Finanzdienstleisters avancierte, dem er Jahr für Jahr bei anhaltender Rentabilität 15 bis 20 Prozent Wachstum brachte. Paul berichtete mir, er habe den Posten mit großer Begeisterung angetreten, aber dann nicht genau gewusst, wie er seine Aufgaben eigentlich angehen solle. *»Ich hatte es geschafft!«*, erklärte er mir. *»Doch an meinem ersten Tag als CEO drängte sich mir plötzlich die Frage auf: Und nun?«* Anschließend beschrieb er mir seine ersten Erfahrungen als oberster Entscheidungsträger im Unternehmen:

»Vor allem gibt es dafür kein Handbuch. Ich war, ehrlich gesagt, überrascht, wie sehr ich unter Beobachtung stand – bei jedem Schritt, jedem Wort und allem, was ich tat. Wer für mich war, nutzte das zu seinem Vorteil, wer gegen mich war, versuchte, meine Pläne zu torpedieren. Ich fand, damit ließ sich am besten umgehen, indem ich allen kommunizierte, was wir taten, und warum. Ich lernte schnell: In einer neuen Funktion konnte man gar nicht ausführlich und oft genug über die eigenen Pläne und Gedanken informieren. Ich schaltete bei der Kommunikation in den Hypermodus und versuchte nach Kräften, meinen Botschaften entsprechende Taten folgen zu lassen.«

Paul erzählte, bereits bei diesen ersten wichtigen Entscheidungen über die Kommunikation von Vision und Strategie an die gesamte Organisation habe sich ihm eine weitere Erkenntnis eröffnet: Entscheidungen zu treffen war ab jetzt seine wichtigste Aufgabe. Er konnte heikle Entscheidungen nicht mehr seinem CEO überlassen, er war jetzt selbst der CEO.

In der CEO-Funktion dreht sich fast alles um Entscheidungen. Wenige Unternehmen stellen einen CEO ein, damit er das operative Geschäft übernimmt. Erfolgreiche Führungspersonen, auch alle virtuosen CEOs aus unserer Studie, entscheiden, was das Unternehmen tut, und verlassen sich auf andere, die diese Entscheidungen dann ausführen.

Disziplin im Entscheidungsprozess

Wir Menschen sind in aller Regel keine guten Entscheider. Es gibt sehr viele Möglichkeiten, schlechte Entscheidungen zu treffen, und ebenso viele Gründe, es auch zu tun:

- Das unterbewusste, schnelle Denken zieht oft voreilige Schlüsse ganz gleich, ob sie richtig sind oder falsch.
- Das rationale, langsame Denken ist träge und ermöglicht es unserem Unterbewusstsein dadurch, unsere Entscheidungen über Gebühr zu beeinflussen.
- Wir lassen zu, dass unsere jüngsten Erfahrungen und emotionalen Reaktionen unverhältnismäßigen Einfluss auf unsere Entscheidungen ausüben.

- Wir suchen unbewusst nach Daten, die unsere vorgefassten Meinungen bestätigen.
- Wir täuschen uns, was die Wahrscheinlichkeit von Ereignissen in der Zukunft angeht. Vermutungen über Wahrscheinlichkeiten in der Zukunft sind sogar generell falsch.

Doch trotz all dieser potenziellen Fallstricke im Entscheidungsprozess kann jeder halbwegs intelligente Mensch lernen, diszipliniert Entscheidungen zu treffen. Disziplin können wir in diesen Prozess hineinbringen, indem wir unsere Entscheidungen außer auf kompetente Intuitionen auch auf sorgfältige Analyse stützen. Die besten Entscheidungen sind die, an denen sowohl langsames als auch schnelles Denken beteiligt sind, so dass die rasanten, intuitiven Sprünge unseres schnellen Denkens genutzt und zugleich mittels der reflektierten Analyse und des Abwägens unseres langsamen Denkens gemäßigt werden. Solche Entscheidungen bestehen die sorgfältige Prüfung durch unser langsames Denken und sie fühlen sich auch dann noch »richtig« an, wenn unser schnelles Denken zum Tragen kommt. Wie funktioniert nun der disziplinierte Entscheidungsprozess? In seiner einfachsten Form folgendermaßen:

1. Bei jeder Entscheidung liefern vom schnellen Denken erzeugte emotionale Marker dem langsamen Denken Ahnungen (Intuitionen) und Hinweise.
2. Das langsame Denken beginnt eine breite Spanne von Fakten abzuwägen, die mit der Entscheidung in Zusammenhang stehen.[40]
3. Im Anschluss beleuchtet das langsame Denken die Sachlage dann aus verschiedenen Perspektiven und in unterschiedlichen Zusammenhängen, um weitere Optionen und potenzielle Resultate herauszuarbeiten, als zunächst offensichtlich sind.
4. Dann wägt das langsame Denken diese Optionen gegen die vier Triebkräfte ab, die allen menschlichen Interaktionen zugrunde liegen (Erwerbstrieb, Bindungstrieb, Lerntrieb, Verteidigungstrieb), um zu einer Entscheidung zu gelangen.

Wie können wir dieser groben Skizze des Entscheidungsprozesses mehr Substanz verleihen? Die Daten der *ROC*-Studie vermittelten zwar kein klares Bild von den spezifischen Entscheidungsprozessen der Studienteilnehmer, doch zahlreiche andere Studien und Forschungsprojekte waren auf das Verständnis und die Beschreibung solcher Prozesse ausgerichtet. Wir können die besten Quellen darunter nutzen, um ein vollständigeres Bild disziplinierter Entscheidungen in der Praxis zu entwerfen.[41] Diesen Quellen ist zu entnehmen, dass erfolgreiche Führungskräfte wie die virtuosen CEOs aus unserer Studie im Kopf eine Checkliste abhaken, um sicherzugehen, dass sie und andere Manager in ihrem Unternehmen wichtige Entscheidungen überlegt und einheitlich fällen. Auf diesen Checklisten stehen Fragen wie die folgenden:

- Haben wir uns an den Entscheidungsprozess gehalten, auf den sich unser Führungsteam geeinigt hat?
- Haben wir sorgfältig berücksichtigt, inwiefern diese Entscheidung unsere Strategie stützt?
- Haben wir uns an unserem stärksten Wettbewerber gemessen?
- Haben wir unsere Geschäftspraktiken an den höchsten Branchenstandards gemessen?
- Haben wir alle Optionen berücksichtigt?
- Haben wir diese Idee belastbar ausgetestet?
- Taugt diese Entscheidung auch in einem Monat noch? Und in einem Jahr?
- Haben wir die Tragweite dieser Entscheidung für alle Stakeholder berücksichtigt?
- Haben wir uns gefragt: »Welche Variablen müssen vorliegen, damit dies wirklich die beste Option darstellt?«
- Haben wir die Entscheidung mit vertrauenswürdigen Beratern diskutiert?
- Wird diese Entscheidung sowohl von unserer reflektierten Analyse als auch von unserer Intuition mitgetragen?

Natürlich sind Erfolge und Fehlschläge leicht auf die in der Führungsetage getroffenen Entscheidungen zurückzuführen. Dieselben Quellen, aus denen wir unser Bild eines erfolgreichen Entscheidungsprozesses beziehen, weisen darauf hin, dass unzulängliche Entscheider, wenn sie vor kritischen Entscheidungen stehen, womöglich:

- eine Entscheidung fällen und dann erst prüfen, ob bestätigende Daten vorliegen;
- zulassen, dass der kurzfristige finanzielle Erfolg vor das langfristige Wohl des Unternehmens gestellt wird;
- impulsive Entscheidungen ohne Rücksicht auf die Folgen treffen;
- den Auswirkungen einer Entscheidung auf die eigene Karriere oder Vergütung ungerechtfertigte Bedeutung beimessen;
- sich über Gebühr von der Person beeinflussen lassen, mit der sie zuletzt gesprochen haben;
- dazu neigen, Entweder-oder-Entscheidungen zu treffen und abgestufte Wahlmöglichkeiten zu ignorieren;
- sich auf ihr Bauchgefühl verlassen statt auf gründliche Analyse und eingehende Betrachtung in Kombination mit ihrer instinktiven Reaktion.

Führungskräfte, die in ihren Entscheidungsprozessen immer wieder eines dieser Reaktionsmuster aufweisen, können ihren Führungscharakter und den Erfolg ihres Unternehmens verbessern, indem sie sich einen durchdachteren, disziplinierteren Ansatz zu eigen machen.

Die Vorteile des ROC-gestützten Entscheidungsprozesses

Nach welchem Verfahren Sie auch vorgehen, allein schon die Tatsache, dass Sie sich in disziplinierter Entscheidungsfindung üben, verbindet Sie mit Ihren grundlegenden Zielen, Werten und Überzeugungen. Sie treffen keine voreiligen Entscheidungen mehr und urteilen nicht mehr vorschnell. Sie filtern Ihre Entscheidungen gründlich anhand der Erkenntnisse, die Sie aus Ihrer Lebenserfahrung gewonnenen haben, anhand der im Lauf der Jahre entstandenen Prinzipien, denen Sie folgen, und anhand des langfristigen strategischen Plans, den Sie für Ihr Unternehmen entworfen haben. Das soll nicht heißen, dass jede Ihrer Entscheidungen automatisch richtig ist, aber sowohl Ihr Kopf als auch Ihr Herz finden sich in ihr wieder. Daher dürfte eine solche Entscheidung mit früheren Entschlüssen, Charaktergewohnheiten und den Prinzipien, die Sie für sich und für die Führung Ihres Unternehmens angenommen haben, ebenso in Einklang stehen wie mit den Zielen, die Sie sich für die Zukunft des Unternehmens gesetzt haben. Der *ROC*-Entscheidungsprozess ist so wertvoll, da er sowohl zur Selbstintegration des Entscheiders als auch zu den ureigenen Interessen des von ihm angeführten Unternehmens beiträgt.

All diese Feststellungen zur Entscheidungsfindung decken sich mit einer globalen Befragung, die *McKinsey Quarterly* zu strategischen Entscheidungen durchführte. Im Bericht zu dieser Studie gaben die Autoren an:

> Führungskräfte in wirtschaftlich stabilen Unternehmen bewerten ihre internen Prozesse positiv hinsichtlich der Einbeziehung konträrer Argumente. Sie stellen sicher, dass alle Entscheider über sämtliche wichtigen Informationen verfügen, kritischen Stimmen Raum gegeben wird, der Geschäftsvorgang gründlich überprüft wird, selbst wenn das Topmanagement eine positive Entscheidung favorisiert, und wirklich innovative Ideen bis in die Führungsetage vordringen.[42]

In der *ROC*-Studie lag ein solcher disziplinierter Entscheidungsprozess den wichtigen Entscheidungen aller virtuosen CEOs zugrunde: der Auswahl eines Führungsteams, der Entwicklung einer Vision, der strategischen Ausrichtung und so weiter. Ihre Mitarbeiter berichteten, dass diese CEOs nicht nur aufgeschlossen für kritische Ansichten seien, sondern diese sogar aktiv nachfragten, und dass aus allen ihren Entscheidungen wie auch denen ihres Führungsteams ähnliche Grundsätze und Werte hervorgingen. Hier ein paar Kommentare von Mitarbeitern:

> *»Ich arbeite jetzt seit 2 Jahren für [diese Firma]. Schon bald stellte ich fest, dass von oben nach unten hohe Standards, Integrität und Werte verinnerlicht und gelebt werden. Die Unternehmensleitung handelt nach ihren Worten und schönt nicht die Ergebnisse. Besonders deutlich wurde das in der Zeit der Fiaskos um Enron und Global Crossing. Dass wir einen unabhängigen Aufsichtsrat und ein internes Prüfprogramm hatten, bewies vorausschauendes Denken unseres Managementteams – lange vor Sarbanes-Oxley.«*[43]

> *»[Unser CEO] unterstützt Mitarbeiter auch, wenn sie nicht seiner Meinung sind. Ich äußerte einmal einen abweichenden Standpunkt, doch [unser CEO] sagte sofort, er könne meine Sichtweise nachvollziehen. Im Umgang mit mir war er stets aufgeschlossen und ein guter Zuhörer. Das vermittelt mir das Gefühl, dass meine Meinung ernst genommen wird und dass ich als Mitarbeiter geschätzt werde.«*

In unserem Gespräch stellte der virtuose CEO, den wir Paul genannt haben, fest, dass er heute viel bessere und diszipliniertere Entscheidungen trifft als vor 15 Jahren. Das ist keine Überraschung. Disziplinierte Entscheidungsfindung ist eine Kompetenz, die perfektioniert werden muss. In *Überflieger* behauptet der Autor Malcolm Gladwell, dass die meisten Kompetenzen erst nach rund 10 000 Stunden Praxis voll entwickelt sind.[44] Der Erwerb von Entscheidungsfähigkeit stellt Sie jedoch vor Herausforderungen, mit denen Sie nicht konfrontiert sind, wenn Sie beispielsweise ein virtuoser Geiger werden möchten.

Entscheider praktizieren ihre Kunst unter sich permanent verändernden Bedingungen, die von unvorhersehbaren Ereignissen und ihren Folgen geprägt sind. Für den Entscheidungsträger findet jede Übungsstunde auf der Bühne statt vor einem Publikum, für das oft viel vom Endergebnis abhängt. Zu viele unerfahrene Entscheider versuchen, alles allein zu machen. Anders als der Geigenschüler haben sie keinen Lehrer an der Seite, der ihnen hilft, Fehler zu vermeiden und ihre Leistung zu verbessern. Ohne diese Anleitung können die »10 000 Übungsstunden« in disziplinierter Entscheidungsfindung schmerzhaft und kostspielig werden, sowohl für den Entscheidungsträger selbst, als auch für alle, auf die sich seine Entscheidungen auswirken.

Es ist in keiner Disziplin leicht, ein Virtuose zu werden, doch wer ein exzellenter CEO werden möchte, der muss sich in erster Linie auf die Entwicklung seiner Kompetenz in disziplinierter Entscheidungsfindung konzentrieren. Eine Ihrer ersten wichtigen Entscheidungen betrifft die Suche und Verpflichtung eines kompetenten Mentors (oder gleich mehrerer Mentoren), als Unterstützung bei der Entwicklung aller maßgeblichen Führungsinstrumente. Jeder, der eine virtuose Führungskraft werden möchte, sollte sich umgehend einen Mentor suchen, wenn er noch keinen hat.

Paul fand so einen Mentor. Er wandte sich an einen Freund, den CEO eines großen Unternehmens aus seinem Sektor, das aber kein Wettbewerber war. Dieser Freund hatte viel Führungserfahrung und war schon seit über 10 Jahren CEO. Sie spielten beide gern Golf und stellten fest, dass sich die gemeinsame Zeit auf dem Golfplatz ideal dafür eignete, um über Pauls Herausforderungen als frischgebackener CEO zu sprechen. An die Golfrunde schlossen sich häufig lange Gespräche bei einem guten Essen an. Paul erzählte mir: *»Hätte mir Jim nicht so großzügig seine Zeit geschenkt, mir zugehört und meine Ansichten hinterfragt – ich hätte sicher viel mehr Fehler gemacht.«* Paul lernte von seinem Mentor einige Grundlagen für einen disziplinierten Entscheidungsprozess.

Mangelt es einem CEO mit starkem Charakter und festen Grundsätzen an Entscheidungsfähigkeit, kann sich das verheerend auf sein Wertschöpfungspotenzial auswirken. Umgekehrt wird auch eine Führungskraft mit hoher Entscheidungsfähigkeit, aber schwachem Charakter schon deshalb kaum Wert generieren, weil die Mitarbeiter nicht voll hinter ihren Entscheidungen, ihrer Vision oder ihrer Strategie stehen wird. Die ichbezogenen CEOs aus unserer Studie hatten ausnahmslos Probleme, ihre Mitarbeiter zu motivieren und zu mobilisieren. Der typische Mitarbeiter denkt allem Anschein nach: »Wenn ich nur die Hälfte von dem glauben kann, was er mir erzählt, wieso sollte ich mich dann von seiner Vision mitreißen lassen? Vielleicht meint er es ja gar nicht ernst oder hält sich nicht an die Entscheidungen, die er zur Umsetzung angekündigt hat.«

Der Entscheidungsprozess ist der Hebel der Führungskompetenz: die Fähigkeit, die als Schnittstelle für die Entwicklung des Führungscharakters in allen übrigen Fertigkeiten und Tätigkeiten in dieser Position dient. Doch um herausragenden Wert für ein Unternehmen zu generieren, ist mehr erforderlich als hohe Kompetenz in Entscheidungsprozessen. Wie unsere Studie ergab, hatten die CEOs, die am meisten erwirtschafteten (den größten *ROC* erzielten), auch einen Charakter, der an festen Grundsätzen orientiert war. Mangelhafte Entscheidungsprozesse trüben dagegen die Bilanz egal wie stark ein CEO nach klaren Grundsätzen handelt.

Charakter und die Schlüsselkompetenzen der Führung

Die wesentlichste Führungsaufgabe besteht darin, fundierte Entscheidungen zu treffen. Die wichtigsten Entscheidungen fallen in eine der zwei Kategorien: Geschäftsentwicklung und Personal. Inwieweit eine Führungsperson in der Lage ist, Entscheidungen in diesen beiden Feldern zu treffen und auszuführen, bestimmt über ihren Erfolg als CEO und damit auch über den Erfolg, den ihr Führungsteam und das Unternehmen erzielen kann.

Die schwerwiegendsten Entscheidungen eines CEOs im Bereich Geschäftsentwicklung drehen sich um Vision und Strategie, zwei Faktoren, von denen die Effektivität eines Unternehmens abhängt. Um in diesen Bereichen seiner Verantwortung gerecht zu werden, muss der CEO

- die Erfolgsvision des Unternehmens festlegen und klar und nachvollziehbar beschreiben, wie der Erfolg aussehen soll, sowie
- einen strategischen Fokus wählen und ihn der ganzen Organisation und allen Partnern kommunizieren.

Wie wir in diesem Kapitel noch sehen werden, haben alle virtuosen CEOs aus unserer Studie hohe Bewertungen für ihre Fähigkeit erzielt, eine Vision sowie eine Strategie zu entwickeln und zu kommunizieren.

Doch so wesentlich diese Aspekte für die Effektivität des Unternehmens sind, an sich sind Vision und Strategie nur abstrakte Konzepte. Ihnen Leben einzuhauchen, erfordert das Engagement und den koordinierten Einsatz von Menschen auf allen Organisationsebenen. Es setzt ferner voraus, dass jeder das Drehbuch kennt: Wohin die Reise geht, wie man ans Ziel gelangt und welche Richtlinien und Grenzen auf dem Weg dorthin gelten. Um dieses Drehbuch umzusetzen, brauchen Sie ein starkes Führungsteam. Zu den einschneidendsten Personalentscheidungen des CEOs, die die beiden verbleibenden Schlüsselkompetenzen der Führung ansprechen, zählen:

- das Führungsteam zusammenzustellen und die Aufgaben der einzelnen Teammitglieder zu vereinbaren und
- eine Kultur der Verantwortlichkeit einzuführen und zu pflegen sowie die Grenzen für akzeptables Verhalten zu definieren.

Diese beiden vorrangingen Kategorien von CEO-Entscheidungen stützen sich auf die vier Schlüsselkompetenzen der Führung: Vision, Strategie, Entwicklung des Führungsteams und praktizierte Verantwortung. Während die Entscheidungsfindung das Fundament für alle Führungskompetenzen und -aktivitäten bildet, bezeichne ich diese vier Bereiche als die Schlüsselkompetenzen der Führung, weil sie im Grunde alle anderen Fähigkeiten oder Tätigkeiten einer Führungskraft stärken und aufrechterhalten. Gute Leistungen als CEO setzen eine starke Ausprägung dieser vier Kompetenzen voraus. Von diesen Kompetenzen und von disziplinierten Entscheidungen hängt der Erfolg als CEO ab. Haben Führungspersonen mit starkem Charakter diese Schlüsselkompetenzen, haben sie ihre Organisation richtig aufgestellt, um nicht nur bezüglich des Arbeitsumfelds, sondern auch beim Geschäftsergebnis Erfolge zu erzielen.

Die *ROC*-Studie offenbarte deutliche Unterschiede zwischen den Bewertungen virtuoser CEOs und ichbezogener CEOs bezüglich dieser Schlüsselkompetenzen der Führung. Bevor wir jedoch die statistischen Daten auf diesen Aspekt der Studie hin untersuchen, wollen wir kurz ansprechen, auf welche Aktivitäten diese entscheidenden Kompetenzen abheben, um die Grundlage für die Leistungsbewertungen besser zu verstehen.

Eine klare Vision entwickeln

Einen Führungswechsel initiieren Unternehmen in aller Regel, wenn tiefgreifende Veränderungen notwendig sind und um für Energie und neue Wertschöpfungsperspektiven zu sorgen. Die klare Vision eines CEOs ist ein effektives Werkzeug für die Organisation und den Einzelnen, um spürbar Wert zu schaffen.

Als Paul CEO seines Unternehmens wurde, übernahm er eine traditionelle Organisation, die sich jahrelang gut entwickelt hatte, doch jetzt an einem Wendepunkt stand. Die Konkurrenz holte auf, und die Organisation geriet offenbar ins Trudeln. Die Unternehmensführung musste die Grundlage ihres Geschäftsmodells auf den Prüfstand stellen. Für den neuen CEO Paul bestand die erste geschäftliche Herausforderung darin, eine neue Vision für die nächsten 3 bis 5 Jahre zu entwickeln und sie in ein neues Geschäftsmodell zu übersetzen.

Er brachte mehrere Wochen damit zu, Fragen zu stellen, Daten zu sammeln und sich über die Zukunftstrends der Branche zu informieren. Gleichzeitig versuchte Paul, den Wissensschatz seiner Mitarbeiter anzuzapfen. Er ging davon aus, dass die Mitarbeiter mit der größten Nähe zum Kunden besonders wertvolle Einschätzungen liefern könnten, die ihm und seinem Team verschlossen waren. Daher bildete Paul in seinem Führungsstab mehrere kleine Task-Force-Einheiten und bat um freiwillige Beiträge zur Erarbeitung der neuen Vision für das Unternehmen. Er stellte klar, dass letztlich der Vorstand über die Vision für das Unternehmen entscheiden werde, er jedoch Beiträge aller Beteiligten zu dieser wichtigen Aufgabe einbeziehen wollte.

Im Zuge dieser disziplinierten Analyse erkannte Paul außerordentliche neue Chancen für sein Unternehmen. Es gelang ihm, daraus eine Zukunftsvision zu formulieren, die in ihm starke positive Gefühle und Leidenschaft auslöste, wann immer er davon sprach. In enger Zusammenarbeit mit seinem Führungsteam stellte er konkrete Ideen auf die Probe, und nach vielen Gesprächen war der Aufsichtsrat einverstanden, die Vision und die Kernelemente eines neuen Geschäftsmodells mitzutragen.

Vermutlich war Paul intuitiv klar, dass dieser Ablauf den zusätzlichen Vorteil bringen würde, auch Manager auf untergeordneten Ebenen mit ins Boot zu holen, doch es überraschte ihn dennoch, wieviel positive Energie der Prozess im Unternehmen erzeugte. Auf allen Ebenen sprachen plötzlich Mitarbeiter begeistert und leidenschaftlich von der neuen Vision.

Meiner Erfahrung nach hat Pauls Entscheidung, die Entwicklung einer neuen Vision zu nutzen, um im Unternehmen Leidenschaft und Energie zu entfachen, Seltenheitswert. In den vielen Jahren, die wir bei KRW als Berater und Vertraute von Führungskräften tätig sind, haben wir festgestellt, dass diese so entscheidende Führungskompetenz von vielen CEOs weder entwickelt noch ausgeübt wird. Ihnen ist offensichtlich nicht bewusst, was für eine umwälzende Kraft solch eine Zukunftsvision in ihrem Unternehmen freisetzen kann.

Fragen wir einzelne Mitglieder von Führungsteams nach ihrer Unternehmensvision, speisen uns die meisten mit ein paar klischeehaften

Allgemeinplätzen über »mehr Wachstum« ab. Was diese Teams zum Thema Vision zu sagen haben, ist eher langweilig und bedeutungslos. In *The Heart of Change* konstatierten John Kotter und Dan Cohen:

> Viel zu oft geben Führungsteams entweder kleine klare Richtung vor oder eignen sich Visionen an, die keinen Sinn ergeben. Die Folgen können für die Organisation katastrophal und für die Mitarbeiter unangenehm sein – da können Sie jeden fragen, der schon einmal erlebt hat, wie ihm von oben eine sinnlose Maßnahme aufoktroyiert wurde, die lediglich einer aktuellen Mode folgte.[45]

Der Autor Bill Hybels spricht in *Mutig führen* konkret die Inspirationskraft der Vision an als »ein Bild von der Zukunft, das Begeisterung auslöst« und beschreibt die Macht dieses Bildes als »die Energie und die Leidenschaft, die es tief in unserem Herzen hervorruft«. Weiter schreibt Hybels, »Vision steht im absoluten Zentrum allen Leitens. [...] Die Vision treibt eine Führungskraft an. Sie ist die Energie, die sie zum Handeln bringt. Sie entflammt die Begeisterung derer, die ihr folgen.«[46]

Wie andere virtuose Führungspersonen wusste auch Paul, wie viel eine Vision bewirken und wie stark sie inspirieren kann. Ein Jahr nach Pauls Ernennung zum CEO stellte sein Unternehmen seinen neuen Namen und sein neues Logo vor, um die neue Vision besser zu transportieren. Außerdem sprach Paul bald bei jeder Gelegenheit über die neue Wachstums- und Expansionsvision des Unternehmens im Dienste seiner Kunden. Indem er eine inspirierende neue Leitvision für das gesamte Unternehmen kreierte und diese deutlich und häufig in der gesamten Belegschaft und nach außen hin kommunizierte, konnte Paul Leidenschaft entfachen und die Energie seiner Mitarbeiter fokussieren, um das Unternehmen auf dem Weg zu den langfristigen Zielen voranzubringen.

Wie Pauls Erfahrung zeigt, hat eine Vision für jede Gruppe oder jedes Unternehmen eine transformative Kraft. Doch um diese Kraft gezielt einzusetzen und den größten *ROC* zu erzielen, muss die Vision klar und überzeugend und von allen, die an ihrer Verwirklichung mitwirken, verstanden werden.

Strategische Ausrichtung

Geborene Visionäre, die starke Organisationsenergie entwickeln und freisetzen, schaffen es nicht immer, diese Energie auch in die richtigen Bahnen zu lenken.[47] Statt Wert für das Unternehmen zu generieren, verschwenden sie Energie. Viele energische, leistungsorientierte Führungskräfte verstehen nicht, dass Energie, die nicht klar fokussiert ist, im Grunde nur ins Chaos führt. Sie gehen irrtümlich davon aus, dass sich ihre Organisation auf Dutzende von Prioritäten gleichzeitig konzentrieren kann. Das ist aber nicht der Fall. Solche Manager betätigen sich in Wirklichkeit nur als Feuerwehr. Mit der Umsetzung einer Strategie hat das nichts zu tun. Ich habe mit leitenden Mitarbeitern gesprochen, die von ihrem Führungsteam berichteten, es »liefen alle herum, als ob die Hütte brannte«. Das Bedrückende daran war: Sie sagten das, als sei es eine besondere Auszeichnung, und nicht ein Indiz für schwerwiegende Fehler in der Umsetzung des Geschäftsplans.

Eine Vision für ein Unternehmen ist zwar ein großartiges Mittel, um Energie zu erzeugen, doch eine exzellente Führungskraft muss diese Energie auch fokussieren können, damit die strategische Planung mit Leben erfüllt wird. Hier kommt die zweite Schlüsselkompetenz der Führung ins Spiel: die strategische Ausrichtung festzulegen und dafür zu sorgen, dass diese stets im Auge behalten wird. Diese Aufgabe umfasst die Erstellung eines fokussierten Geschäftsplans mit einer Liste vordringlicher Initiativen und Kennzahlen, an denen sich ablesen lässt, ob der Plan auch erfolgreich umgesetzt wird. Dabei ist es wichtig, die Strategie auf ein paar wenige Initiativen oder Ziele zu beschränken, die sich jeder gut merken kann und die leicht zu kommunizieren sind. Das ist für kompetente Führung genauso wichtig wie das Erarbeiten des Strategieplans selbst. Mit *Playing to Win: How Strategy Really Works* liefern Roger Martin und A. G. Lafley eine praktische Anleitung zur Entwicklung einer Vision und eines strategischen Plans für ein ganzes Unternehmen, eine Abteilung oder eines Bereichs innerhalb eines größeren Unternehmens.[48]

Wie viele andere der bei der *ROC*-Studie ermittelten virtuosen Führungskräfte reduzierte auch Paul seinen strategischen Geschäftsplan auf drei markante Aussagen, die er bei jeder Gelegenheit wiederholte. Er hatte verstanden, dass es für ihn als CEO absolute Priorität hatte, die Vision und die Strategie lebendig zu halten und allen immer wieder ins Gedächtnis zu rufen.

»Ich sprach über die Vision und die strategischen Initiativen, bis sie allen in Fleisch und Blut übergegangen waren. Wenn ich es müde wurde, immer wieder dasselbe zu erzählen, machte ich mir bewusst, wie wichtig es war, dass die Leute das aus meinem Mund hörten. Es half mir auch, mich daran zu erinnern, wie aufmerksam und interessiert mir mein Publikum stets zuhörte.«

Auch in diesem Fall ergab unsere Forschungsarbeit, dass ein Zusammenhang besteht zwischen der Glaubwürdigkeit und dem Charakter eines CEOs und seiner Fähigkeit, einerseits die strategische Ausrichtung der Organisation zu kommunizieren und andererseits die Mitarbeiter an ihrer Umsetzung zu beteiligen. Mitarbeiter machen sich fast immer ein Bild von der Aufrichtigkeit und Motivation ihres Führungsteams und davon, inwieweit es sich an die erklärten Grundsätze und Ziele hält. CEOs und Führungsteams, die sich – durch Taten und Worte – den Ruf aufgebaut haben, charaktergeprägt und prinzipienfest zu sein, können ihre Mitarbeiter viel eher dazu bewegen, die strategischen Initiativen und langfristigen Ziele auch unter schwierigen Bedingungen zu verfolgen. Haben die Beschäftigten Vertrauen in den Charakter ihrer Führungsmannschaft, sind sie eher bereit, mit ins Boot zu steigen und auf eine gemeinsame Vision hinzuarbeiten.

Ein kompetentes Führungsteam zusammenstellen und leiten

Ein geniales Geschäftsmodell und ein strategischer Plan sind wertlos, wenn sie nicht richtig umgesetzt werden. Jeder virtuose CEO weiß, dass er selbst mit der eigentlichen Umsetzung nur wenig zu tun hat. Seine Aufgaben sind zu überlegen und Entscheidungen zu treffen. Ausgeführt wird der Geschäftsplan dann vom Führungsteam. Daher gehören Entscheidungen darüber, wer diesem Team angehören sollte und welche Rolle diese Personen übernehmen, zu den wichtigsten Entscheidungen der

Führungsperson an der Spitze. Diese Entscheidungen stellen die dritte Schlüsselkompetenz der Führung dar und spielen eine entscheidende Rolle für den *ROC* des Unternehmens.

Das alte Sprichwort von dem faulen Apfel, der den ganzen Korb verdirbt, gilt für ein Führungsteam ganz besonders. Ich erlebe allzu oft, dass neu ernannte CEOs den Anfängerfehler begehen, nicht entschlossen zu entscheiden, wer im Führungsteam bleibt und wer ersetzt werden soll.

Um virtuose Ergebnisse zu erzielen, brauchen Geschäftsführer von Anfang an erstklassige Führungskräfte in ihrem Team. Lassen Sie einen Posten lieber vorübergehend unbesetzt, als zu tolerieren, dass er von einem nur bedingt fähigen, Manager ohne starken Charakter übernommen wird. Ein mittelmäßiges Führungsteam wird letztlich scheitern oder bestenfalls mäßige Ergebnisse erzielen.

Mehr als ein neu eingeführter CEO ist schon gescheitert, weil er sich nicht dazu durchringen konnte, ein Mitglied seines Teams auszutauschen, das den neuen Führungsstandards nicht gewachsen war. Ebenso unklug und sogar unfair ist es, jemanden zu früh auf einen Posten zu befördern, für den der Betreffende schlicht noch nicht reif ist. Ein solcher Fehler kann eine ganze Karriere ruinieren und das Unternehmen und ihren Geschäftsführer zum Scheitern bringen. Die wenigsten erstklassigen Führungskräfte wollen sich mit einem mittelmäßigen Team abmühen. Das frustriert sie, und sie suchen sich andere Chancen.

Die Auswahl der Mitglieder für das Topteam ist nur die erste Aufgabe bei der Entwicklung des Führungsteams. Der CEO muss aus dieser Gruppe noch ein Hochleistungsteam machen. Virtuose Führungskräfte widmen sich unverzüglich dieser Herausforderung und schaffen es, ein Team zu bilden, das gleichermaßen kompetent ist und einen ausgeprägten Charakter hat. Um die Leistung von Führungsteams von Beratungskunden zu bewerten, stellt KRW unter anderem folgende Fragen:

1. Ist jedem Teammitglied die Vision des Unternehmens klar?
2. Verfolgen alle ein gemeinsames Ziel, das jeder artikulieren kann?
3. Versteht jeder seine Rolle richtig, sodass es keine Überschneidungen oder Missverständnisse darüber gibt, wer was zu tun hat?
4. Hat der CEO dargelegt, welche Entscheidungen er gemeinsam mit dem Team treffen möchte und für welche er lediglich Input wünscht?

5. Hat der CEO klare Erwartungen zu Kommunikation, Vertraulichkeit und Konfliktlösung geäußert?
6. Ist jedem bewusst, wie das Team zusammenarbeitet: wann und wie oft es sich trifft, welche Sitzungen optional sind, wer die Tagesordnung festlegt und dergleichen?

Im fünften Kapitel werfen wir einen genaueren Blick auf die Funktionsweise von Führungsteams und darauf, welchen Einfluss die Leistung virtuoser Führungsteams auf den Unternehmenserfolg hat. Kann ein Team alle aufgeführten Fragen bejahen, ist es bereit, die Umsetzung des Geschäftsplans zu übernehmen. CEOs, die solche Teams aufbauen, haben bewiesen, dass sie diese Schlüsselkompetenzen der Führung besitzen, und sie nutzen diese Fähigkeit, um ihr Unternehmen so aufzustellen, dass jedes Mitglied der Führungsriege einen maximalen *ROC*-Beitrag leistet.

Eine Kultur der Verantwortlichkeit durchsetzen

Jedes Unternehmen muss die Risiken, mit denen es konfrontiert ist, beobachten und steuern. Eine Kultur der Verantwortlichkeit ist das wirkungsvollste Risikomanagementwerkzeug eines Unternehmens. Die meisten Menschen haben zwar die besten Absichten, brauchen jedoch auch Klarheit über Erwartungen und Grenzen. Behauptet ein Geschäftsführer, »Integrität ist der Eckpfeiler unserer Kultur«, versäumt es aber, präzise zu formulieren, was das in der Praxis bedeutet, so hat dieser Anspruch wenig Gewicht und Aussagekraft.

Wenn Führungskräfte an Führungskompetenz und Erfahrung gewinnen, erkennen sie diese Feinheiten besser. Das sind die Grauzonen von Situationen, die ihnen zuvor schwarz-weiß erschienen. Regeln bilden da keine Ausnahme. Weil die Regeln der Verantwortlichkeit des Einzelnen nicht jedes Detail enthalten können, ergeben sich Grauzonen, und das birgt große Risiken. Das bedeutet, CEOs müssen sich bis zu einem gewissen Grad darauf verlassen, dass die charakterlichen Gewohnheiten der Mitarbeiter ihr Verhalten leiten.

Einmal mehr gilt: Führungskräfte setzen nicht nur Maßstäbe für ihren eigenen Charakter und ihr eigenes Verhalten, sondern auch für ihre Mitarbeiter und deren Charakter und Verhalten. Indem sich das Führungsteam nach einem strengen, an klaren Grundsätzen orientierten Verhaltenskodex richtet, kann der CEO eine Kultur fördern, die Führungskräfte auf allen Organisationsebenen dazu anhält, ihre Personalentscheidungen und Managementprozesse an Charakterstandards zu orientieren.

Trotz der unvermeidlichen Nuancen des Organisationslebens müssen Führungskräfte, wo immer möglich, ihre Erwartungen und Grenzen in schwarz-weißer Eindeutigkeit vermitteln. Die *ROC*-Studie bestätigt beispielsweise die zunehmend anerkannte Auffassung, dass erfolgreiche Führungspersonen Verhaltensweisen, bei denen es keine Toleranz gibt, klar definieren müssen. CEO Jim Sinegal von Costco Wholesale erklärte mir: *»Unehrlichkeit gegenüber Kollegen, Zulieferern oder Gesellschaftern tolerieren wir nicht. Unehrlichkeit ist bei uns der schnellste Weg, seinen Job zu verlieren.«*

Warren Buffett schrieb 2010 in seinem Memo an die Managementteams seiner Portfoliounternehmen, wie wichtig es sei, den Ruf ihrer Unternehmen zu schützen, und legte in diesem Zusammenhang seine eigenen Grenzen für verantwortungsbewusstes Verhalten dar.

> Wie ich schon seit über 25 Jahren in diesen Memos schreibe, können wir es uns leisten, Geld zu verlieren – auch hohe Summen. Aber wir können es uns nicht leisten, unseren Ruf zu verlieren – kein bisschen davon. Wir müssen unsere Handlungen im Einzelfall nicht nur daran messen, was legal ist, sondern auch daran, was wir gerne auf der Titelseite einer nationalen Zeitung im Artikel eines nicht unbedingt wohlgesonnenen, aber intelligenten Journalisten lesen würden.
>
> Manchmal erklären uns unsere Partner: »Aber alle anderen machen das auch so.« Dieses Argument taugt fast nie als Hauptrechtfertigung für eine geschäftliche Maßnahme. Für die Bewertung einer ethischen Entscheidung ist es vollkommen inakzeptabel. Wenn jemand etwas mit diesem Satz begründet, sagt er damit in Wirklichkeit aus, dass ihm kein triftiger Grund dafür einfällt. Will Sie jemand mit diesem Argument abspeisen, sagen Sie ihm, er soll das

> doch mal mit einem Reporter oder einem Richter versuchen und sehen, wie weit er damit kommt. … Löst ein bestimmter Spielzug ein solches Zögern aus, dann bewegen Sie sich zu nah an der Grenze und sollten davon Abstand nehmen. Die Spielfläche bietet genügend Möglichkeiten, Geld zu verdienen. Stellt sich die Frage, ob ein Manöver zu nah an der Grenze ist, gehen Sie davon aus, dass es ins Aus führt, und vergessen Sie es.[49]

Wie Sinegal und Buffett richten sich auch die virtuosen CEOs aus unserer Studie nach einem kompromisslosen Ansatz zur Durchsetzung einer Kultur der Verantwortlichkeit im gesamten Unternehmen. Wir baten Paul um eine kurze Auflistung der Punkte, die für sein Managementteam und seine Mitarbeiter nicht verhandelbar sind:

> *»Wir haben null Toleranz für jedes ungesetzliche oder unethische Verhalten. Lügt jemand oder verdreht er die Tatsachen, spreche ich ihn sofort darauf an. Und dasselbe erwarte ich auch von meinem Team. Je nach Schwere des Verstoßes bekommt der Betreffende vielleicht eine zweite Chance und wird nicht entlassen. Meine Faustregel für die Entscheidung, ob jemand eine solche zweite Chance verdient, ist, wie gleichrangige Mitarbeiter und Arbeitskollegen sein Verhalten bewerten würden. Würde es so aufgefasst, dass ich die Werte der [Organisation] nicht hochhalte oder jemanden bevorzugt behandle, entlasse ich den Betreffenden. Absolut entscheidend ist, dass alle die Durchsetzung unserer Maßstäbe als fair und frei von Vetternwirtschaft erachten.«*

Leider ist die Wahrscheinlichkeit, dass Grenzen überschritten werden umso größer, je größer das Unternehmen ist. Kommt es dazu, muss eine Führungskraft schnell handeln, ob durch eine Abmahnung oder eine Entlassung, denn die Integrität des sozialen Gefüges der Organisation steht auf dem Spiel. Mangelnde Durchsetzung der Regeln zur Verantwortlichkeit und der Grenzen vermittelt den Mitarbeitern, dass diese Regeln lediglich Empfehlungen sind und nicht ernst genommen werden müssen.

Den *ROC* maximieren

Als wir das *ROC*-Forschungsprojekt starteten, fragten wir uns, ob die Ausprägung des Charakters einer Führungsperson mit ihrer unternehmerischen Kompetenz in Zusammenhang steht, also mit den vier Schlüsselkompetenzen der Führung, die wir vorstehend beschrieben haben. Uns erschien das wenig wahrscheinlich.

ABBILDUNG 4-2:

Die Bewertung der CEOs in den Schlüsselkompetenzen der Führung

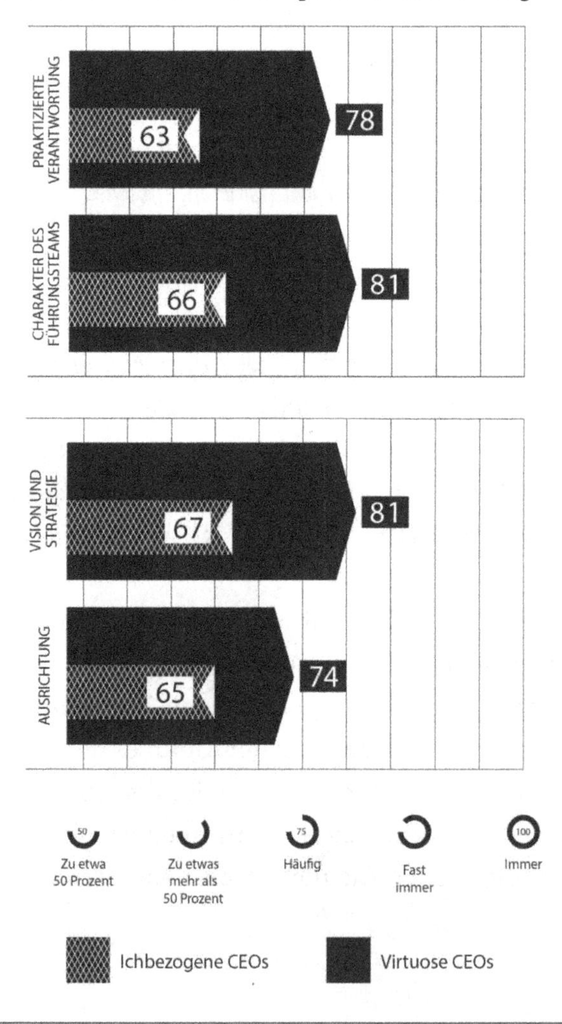

Würde unsere Studie belastbare Daten liefern, die belegten, dass CEOs mit stärkerem Charakter effektiver als ichbezogene CEOs ohne starken Charakter darin wären, attraktive Visionen für das Unternehmen zu entwickeln? Ebenso unwahrscheinlich erschien, dass ein starker Charakter eines CEOs eng mit seiner Kompetenz verknüpft sein würde, die strategische Ausrichtung der Organisation aufrechtzuerhalten. Doch in diesem Fall war unsere Intuition falsch. Wie die Balkendiagramme aus Abbildung 4-2 zeigen, stellten wir erhebliche Unterschiede fest: Die virtuosen CEOs schnitten bei allen vier Schlüsselkompetenzen der Führung besser ab als die ichbezogenen CEOs.

Diese Unterschiede waren durchaus signifikant. Den Mitarbeiterbewertungen zufolge erzeugten die geschäftlichen Entscheidungen der virtuosen CEOs mehr Klarheit über die Vision und Strategie als die der ichbezogenen CEOs, und zwar um ganze 14 Punkte bei der Vision und um 9 Punkte bei der Ausrichtung.[50] Die Bewertungen der Mitarbeiter offenbarten ähnliche Diskrepanzen zwischen den beiden CEO-Gruppen bei der Entwicklung und Aufrechterhaltung einer Kultur der Verantwortlichkeit und der Auswahl eines kompetenten, Führungsteams mit ausgeprägtem Charakter.

Diese Bewertungsdiskrepanzen geben einen aufschlussreichen Einblick in mehrere grundlegende Wahrheiten über die Unterschiede zwischen virtuosen und ichbezogenen CEOs, sowohl in ihrem Führungsansatz als auch in ihrem *ROC* oder ihrem Unternehmenserfolg. Wir können uns Führungskompetenz wie jede andere erworbene Fähigkeit vorstellen: Wer die Grundlagen am besten beherrscht, wird auch die damit verwandten Aufgaben hervorragend bewältigen, die zu einem herausragenden Gesamtergebnis beitragen.

In diesem Kapitel haben wir die Schlüsselkompetenzen der Führung und ihren Einfluss darauf beleuchtet, was eine Führungskraft – ob virtuos oder ichbezogen – zum Unternehmen beiträgt. Wir haben den Zusatz »Schlüssel« verwendet, um diese grundlegenden Fähigkeiten (eine klare Vision entwickeln, die strategische Ausrichtung sicherzustellen, das Führungsteam aufzubauen und anzuleiten und eine Kultur der Verantwortlichkeit sowie Grenzen und Verhaltensregeln einzuführen) näher zu beschreiben, denn ohne sie gibt es keine Führung. Disziplinierte

Entscheidungsfindung ist als Verbindung zwischen dem Charakter einer Führungsperson und ihren Maßnahmen und Ergebnissen im Unternehmen der zentrale Hebel charaktergesteuerter Führungskompetenz.

Alle Führungskräfte müssen die genannten Führungsaufgaben wahrnehmen, aber es gelingt nicht allen gleichermaßen gut. Die in der *ROC*-Studie als Virtuose identifizierten Führungskräfte erreichen beständig höhere Bewertungen in diesen Fähigkeiten als ihre ichbezogenen Kollegen.

Führungskräfte mit ausgeprägtem Charakter werden mit höherer Wahrscheinlichkeit die Art von diszipliniertem Entscheidungsprozess praktizieren, der zu einer klareren Vision für das Unternehmen, stärkerer strategischer Ausrichtung, einem leistungsfähigeren Führungsteam und einer besser ausgeprägten Kultur der Verantwortlichkeit führt. Herausragende Leistung in diesen Schlüsselkompetenzen der Führung ist die Basis für insgesamt wirksamere Führung sowie größeren und nachhaltigeren Unternehmenserfolg.

In diesem Kontext verweist der Begriff der »Schlüsselkompetenzen« darauf, dass der CEO zwar die entscheidende Funktion hat, also den Schlüssel der Organisationsführung in der Hand hält, doch ein Einzelner nie die gesamte Struktur tragen kann. Der CEO ist darauf angewiesen, dass er von anderen zentralen Positionen unterstützt wird. Im fünften Kapitel widmen wir uns daher der Rolle des Führungsteams, der Frage, wie der Charakter des CEOs, an den es berichtet, die charakterlichen Verhaltensweisen seiner Mitglieder prägt, und sich auf das Engagement der aller Mitarbeiter auswirkt.

Wenn Mitarbeiter nicht ganz und gar sicher sind, ob sie auf das vertrauen können, was der CEO sagt, wie erfolgreich kann dann das Führungsteam sie anleiten, sich engagiert für die Vision des Unternehmens einzusetzen? Wie groß kann dann das Interesse der Mitarbeiter an der Umsetzung des Geschäftsplans und der Strategien sein? Im folgenden Kapitel finden Sie die Antworten auf diese und viele weitere Fragen, die den Zusammenhang mit dem Charakter des CEOs, der Leistung des Führungsteams und dem *ROC* verdeutlichen.

ZUSAMMENFASSUNG:

Das *ROC*-Führungskonzept in der Anwendung – die Grundlagen

1. **Die Aufgabe eines CEOs ist es, nachzudenken und Entscheidungen zu treffen.** Ausgeführt werden diese Entscheidungen von anderen in der Organisation.

2. **Disziplinierte Entscheidungsfindung ist der Hebel für alle übrigen Führungskompetenzen und -maßnahmen.** Schlechte Entscheidungsfindung kann verhindern, dass ein CEO Wert generiert, ganz gleich wie stark seine festen Grundsätze sind.

3. **Die wichtigsten Entscheidungen, die ein CEO trifft, fokussieren sich auf die vier Schlüsselkompetenzen der Führung:**
   - eine klare Vision entwickeln,
   - die strategische Ausrichtung des Unternehmens sicherstellen,
   - ein kompetentes und starkes Führungsteam aufbauen und anleiten,
   - eine Kultur der Verantwortlichkeit durchsetzen.

4. **Führungskräfte, die sich als virtuose CEOs erwiesen, erzielen in diesen Schlüsselkompetenzen höhere Leistungsbewertungen als ihre ichbezogenen Kollegen.** Führungspersonen mit starkem Charakter treffen ihre Entscheidungen mit höherer Wahrscheinlichkeit auf eine disziplinierte Weise, die zu einer klareren Vision für das Unternehmen, besser fokussierten Strategien, einem leistungsfähigeren Führungsteam und einer stärker ausgeprägten Kultur der Verantwortlichkeit führt.

5

Das Führungsteam und der *ROC*

Wie man eine Organisation zum Erfolg führt

Einer der großen Vorzüge, und zugleich einer der erfreulichen Aspekte, einer langfristig angelegten Studie sind die unerwarteten Erkenntnisse, die sich im Verlauf ergeben und die neue Wege zur Ausweitung und Bereicherung der Forschungsarbeit eröffnen. Eine solche Erkenntnis gewann auch das KRW-Team in der Studie über den *ROC* bei der Analyse der Charakterbewertungen der ersten teilnehmenden CEOs. Bei der Auswertung der Mitarbeiterkommentare wurde uns klar, dass wir weitere Daten über Führungsteams benötigten. Insbesondere wollten wir wissen, wie gut die Führungsteams der teilnehmenden Unternehmen ihre Geschäftspläne umsetzten. Diese Informationen würden nicht nur genaueren Einblick in die Führungskompetenz der an der Studie teilnehmenden CEOs geben, sondern auch den Blick auf die von ihren Unternehmen erzielte Charakterrendite eröffnen.

Als entscheidendes Kriterium für eine Einordung als virtuose Führungskraft legten wir daher fest, dass ein CEO auch über ein virtuoses Führungsteam verfügen musste. Dieses Team musste in allen vier charakterlichen Schlüsselgewohnheiten (Integrität, Verantwortungsbewusstsein, Versöhnlichkeit und Empathie) ebenso hoch bewertet werden wie der CEO.

Rückblickend sind die Gründe für die Aufnahme dieser Daten in die Studie ganz offensichtlich. Erstens war zu erwarten, dass ein Führungsteam die Leitprinzipien und charakterlichen Gewohnheiten des CEOs widerspiegelt. Diese Erwartung ist durchaus folgerichtig, da wir in aller Regel solche Menschen einstellen, die zu unserem eigenen Geschäfts- und Führungsverständnis und unserer ethischen Einstellung passen, und mit ihnen auch am besten arbeiten. Das Charakterprofil und das Verhalten des Führungsteams würden daher relativ exakt dem Charakter und den Prinzipien des CEOs entsprechen. Zweitens ist es logisch, dass sich die Charaktergewohnheiten der Führungsmannschaft auf die Dynamik in der Organisation und auf das Engagement der Mitarbeiter auswirken. Dies sind alles Faktoren der Unternehmenskultur, die eine entscheidende Rolle für das Unternehmensergebnis spielen. Da das operative Modell vieler Unternehmen mittlerweile einen Schwerpunkt auf Führung im Team legt, wird letztendlich der alleinige Fokus auf den Charakter des CEOs der Komplexität von Führung, Kultur und Charakter eines Unternehmens nicht gerecht.

Geschichten wie die folgende, die ein von uns befragter CEO erzählte, zeigen, wie sehr das Führungsteam zur Aufrechterhaltung einer starken Unternehmenskultur und der Prinzipien, die sie geprägt haben, beitragen kann:

> *»Wir beriefen ein neues Mitglied ins Team, das uns letztlich wieder verließ, weil die anderen Teammitglieder angeblich ›Spaßbremsen‹ waren. Der Manager war hoch kompetent und eigentlich genau der Richtige, um unser Team abzurunden, doch er kam aus einem Unternehmensumfeld, in dem man mit Intrigen und politischen Manövern vorankam. Wir waren ein starkes Team mit gutem Zusammenhalt, Transparenz und gegenseitiger Unterstützung. Er fand uns zunächst rätselhaft und schließlich langweilig. Zunächst stiftete er Unfrieden, indem er mit einer Kollegin zum Essen ging und sie über andere aushorchte. Dann traf er sich mit anderen, gab seine Version von dem weiter, was sie ihm erzählt hatte, und behauptete, sie habe das so gesagt. Eine Zeitlang gab es Spannungen und verletzte Gefühle unter den Teammitgliedern, bis sie offen miteinander sprachen und merkten, was da vor sich ging. Daraufhin setzten sich zwei Teammitglieder mit dem Neuen zusammen und forderten ihn auf, das zu unterlassen. Dann erklärten sie ihm, wie man bei uns miteinander*

umging, und machten ihn mit den ungeschriebenen Erwartungen unserer Kultur vertraut. Sie teilten ihm mit, wenn er so weitermache, werde sich das negativ auf seine Erfolgsaussichten in der Firma auswirken. Er war sprachlos. Zuerst machte er sich über sie lustig, doch sie ließen sich nicht beirren. Ein paar Wochen später kam er zu mir und reichte seine Kündigung ein.

Das Interessanteste an dieser Geschichte ist, dass ich als CEO von dem Problem gar nichts mitbekam, da sich nichts davon in meiner Anwesenheit abgespielt hatte und mich meine langjährigen Mitarbeiter ungern mit politischem Geplänkel behelligten. Ich erfuhr das alles erst, als ich den Betreffenden fragte, weshalb er ausscheiden wolle, und er mir erklärte, er habe den Eindruck, nicht zu uns zu passen. Ich musste ihn regelrecht bedrängen, um mehr aus ihm herauszuholen, doch die ganze Geschichte offenbarte sich mir erst auf einer Teamsitzung nach seinem Ausscheiden, als alle frei reden konnten. Ich war absolut perplex und ungeheuer stolz auf mein Team, und das sagte ich ihnen auch. Sie waren ebenfalls recht zufrieden mit sich, und wir unterhielten uns angeregt über die wahren Werte des Teams und unseres Unternehmens und wie sie sich bewährt hatten.«

Machen Führungsteams unmissverständlich klar, dass sie starke Charaktergewohnheiten erwarten, und zeigen sie diese auch in ihrem eigenen Verhalten, kann sich eine Kultur von starkem Charakter und Verantwortlichkeit in der gesamten Organisation durchsetzen. In diesem Beispiel war die Kultur so stark, dass ihr Immunsystem reagierte und einen Einzelnen (bildlich gesprochen das Virus, das das System infizierte) unschädlich machte. Indem dieses Team gemäß seinen hohen charakterlichen Standards handelte, stärkte es die eigene Fähigkeit, seiner Verantwortung nachzukommen und die ganze Organisation mit diesen kulturellen Attributen zu durchsetzen.

Dieses Verhalten kennzeichnet einen wesentlichen Schritt hin zur Erfüllung der wichtigsten Aufgabe eines Führungsteams: eine Organisation zu schaffen, die so aufgestellt ist, dass sie die vom CEO und der Unternehmensführung artikulierte Vision anstrebt und realisiert. Dem Führungsteam obliegt es also, die Umsetzung zu leiten.

Diese Aufgabe erfüllt das Team, indem es die Mitarbeiter bei der eigentlichen Arbeit des Unternehmens koordiniert und anleitet: die Produkte herzustellen, die Dienstleistungen zu erbringen und damit die anvisierten Renditeziele des Unternehmens zu erreichen. Das Team stellt sicher, dass die operativen Abläufe funktionieren, die Kunden zufrieden sind und der Kostenrahmen eingehalten wird. Um diese übergeordnete Aufgabe zu erfüllen, muss das Führungsteam eine Reihe zentraler Tätigkeiten bewältigen, die sich drei Verantwortungsbereichen zuordnen lassen:

- **Struktur**: Das Führungsteam ist dafür zuständig, die Organisationsstruktur festzulegen und diese Struktur durch angemessene Entscheidungen und Maßnahmen zu stabilisieren. Diese vergleichsweise klare Verantwortung beinhaltet Entscheidungen darüber, wer an wen berichtet, und stellt sicher, dass dadurch die effektivsten Abläufe gefördert werden.

- **Organisationsdynamik**: Das Führungsteam muss ferner eine starke Organisationsdynamik entwickeln und umsetzen, indem es gewährleistet, dass Menschen im Unternehmen produktiv zusammenwirken, effektiv über Abteilungsgrenzen hinweg kooperieren und zu einem dynamischen Umfeld beitragen, das von Innovation und Leistung geprägt ist. Zu diesem Verantwortungsbereich gehört es, die Unternehmensvision zum Bezugspunkt aller Aktivitäten zu machen, ihre Energie zu kanalisieren und das Unternehmen nachhaltig auf die strategischen Schlüsselinitiativen auszurichten.

- **Mitarbeiterengagement:** Das Führungsteam ist auch dafür verantwortlich sicherzustellen, dass die Mitarbeiter entschlossen die Ziele des Unternehmens verfolgt und dessen ethische Standards anwendet, die wiederum den Charakter und die Prinzipien des CEOs widerspiegeln. Den unmittelbarsten Einfluss auf das Mitarbeiterengagement üben Führungsteams durch die Art ihrer Interaktion mit den Mitarbeitern aus, durch ihre Bereitschaft, sie bei der Weiterentwicklung ihrer Kompetenzen und in ihren persönlichen Zielen zu unterstützen, und dadurch, wie sie Leistungs- und Verhaltensstandards durchsetzen.[51]

Zusammengenommen heben diese Faktoren die wichtige Rolle des Führungsteams hervor, was ein stichhaltiges Argument dafür war, auch Daten über die Führungsteams in die Studie mit aufzunehmen. Daraus ergab sich die Aufgabe, unser ursprüngliches Projekt auszuweiten und den Charakter des Führungsteams und seine Wirkung auf den Gesamt-*ROC* des jeweiligen Unternehmens zu analysieren.

Um diese Faktoren zu analysieren, benötigten wir ein Modell guter organisationaler Umsetzung. Zu diesem Zweck haben wir zahlreiche Forschungsarbeiten aus unterschiedlichen Disziplinen herangezogen und auf dieser Basis das *Execution-Readiness*-Modell entwickelt, das später in diesem Kapitel beschrieben wird. Etwa ab der Halbzeit unserer Studie haben wir den erweiterten Datensatz bei allen dann folgenden Befragungen erhoben. Da die Anzahl der teilnehmenden CEOs weiter anwuchs, liegt von einer insgesamt mehr als ausreichenden Teilnehmerzahl ein vollständiger erweiterter Datensatz vor. Was sich aus unseren Erkenntnissen zu Charakter, Verhaltensweisen und dem Unternehmensergebnis der CEOs und Führungsteams aus unserer Studie ergibt, analysieren wir eingehend im nächsten Kapitel.

Hier konzentrieren wir uns auf die Daten zu Verantwortlichkeiten und Funktionen des Führungsteams und seiner Rolle bei der Realisierung des *ROC* des Unternehmens. Nach einem kurzen Überblick der Merkmale und Kernfunktionen eines Führungsteams zeigt das Kapitel detailliert, wie ein Führungsteam das Verständnis eines Unternehmens von Umsetzung und Führungspraxis beeinflusst. Im Anschluss beleuchten wir, wie die Mitarbeiter die Leistung ihrer Führungsteams bewerteten und inwieweit aus diesen Bewertungen der Erfolg der Teams bei der Erfüllung ihrer wichtigsten Rolle in der Organisation und bei den erzielten Geschäftsergebnissen hervorgeht. Abschließend folgt eine Übersicht über die vorläufigen Erkenntnisse, die CEOs und ihre Führungsteams vor Augen haben sollten, wenn sie den Prozess einleiten möchten, die Charaktergewohnheiten im Führungsteam zu verbessern. Dieser Prozess wird im dritten Teil dieses Buchs ausführlich beschrieben.

Der kollektive Charakter des Führungsteams

Wie wir wissen, ist das Führungsteam verantwortlich für die Umsetzung des Geschäftsplans des Unternehmens, für die Organisationsstruktur und die Führung der Mitarbeiterschaft und für die Umsetzung der aktuellen Richtlinien des CEOs. Dies muss in einer Art und Weise geschehen, dass das Mitarbeiterengagement ebenso wie eine vitale Organisationsdynamik weiterentwickelt und unterstützt werden. Das Führungsteam ist somit die einflussreichste Personengruppe in jedem Unternehmen.

Damit das Führungsteam seine Funktion erfolgreich erfüllen kann, muss es vor allem auch als Team funktionieren. Die Mitglieder müssen als Einheit mit gemeinsamen Anliegen und Zielen gut zusammenarbeiten. Es gibt viele renommierter Studien dazu, was ein hoch effektives Führungsteam ausmacht.[52] Wenn wir die bekannten Ergebnisse dieser Studien heranziehen, kommen wir zu dem Schluss, dass die effektivsten Führungsmannschaften die folgenden Parameter teilen:

1. **Ziele**: Das Team steht geschlossen hinter dem gemeinsamen Anliegen, der Mission und den Zielen.
2. **Funktionen**: Die Teammitglieder haben klar definierte Funktionen und Zuständigkeiten.
3. **Prozesse**: Führungsteams richten sich nach einem disziplinierten Entscheidungsprozess. Entscheidungen werden nicht nachträglich in Frage gestellt, sondern umgesetzt.
4. **Interaktionen:** Teammitglieder äußern untereinander Kritik und hinterfragen sich, ohne sich gegenseitig anzugreifen. Sie hören einander aktiv zu und lassen die Meinungen, Gefühle und Anschauungen anderer gelten. Sie bemühen sich besonders, einander zu unterstützen. Sie fördern und ermöglichen funktionsübergreifende Vernetzungen und Arbeitsbeziehungen.

Neben der Beschreibung der Bedingungen, denen ein Team genügen muss, um seine Rolle und seine Aufgaben am effektivsten erfüllen zu können, liefert die Auflistung auch ein klares Profil der Charaktergewohnheiten und Grundsätze, die die Unternehmenskultur prägen. Teammitglieder, die dem Bild vom virtuosen CEO entsprechen möchten, müssen in ihrem

Umgang mit der gesamten Belegschaft die vier charakterlichen Schlüsselgewohnheiten aufweisen. Sie müssen verantwortungsbewusst sein (ihre Aufgaben erfüllen und auf ein gemeinsames Ziel hinarbeiten), integer sein (Entscheidungen durchführen und nicht nachträglich anzweifeln, sich an Prozesse halten), empathisch sein (zuhören, andere unterstützen und ihre Ansichten respektieren) und sich versöhnlich zeigen (aus Fehlschlägen lernen und daran wachsen; Kritik üben, ohne zu grollen oder beleidigend zu werden). Je effektiver ein Team diese Schlüsselgewohnheiten verinnerlicht und an den Tag legt, desto wahrscheinlicher ist es, dass es das gesamte Unternehmen mit einer Kultur erfüllen kann, die sich auf einen virtuosen Charakter gründet. Während der CEO die wichtige Funktion hat, ein Führungsteam aufzubauen, das seinen Charakterstandards entspricht, ist das Führungsteam dafür verantwortlich, diese Standards im Unternehmen und in der Unternehmenskultur durchzusetzen. Das Team lenkt die Umsetzung des Geschäftsmodells des Unternehmens und die kulturellen Standards durchdringen dabei jeden Aspekt der operativen Tätigkeit.

Wie effektiv das Führungsteam ist, hängt von den Charaktergewohnheiten jedes einzelnen seiner Mitglieder ab. Wie wir im vierten Kapitel dargelegt haben, gilt: Selbst wenn nur ein Mitglied unzuverlässig, unehrlich, defensiv oder übermäßig ichbezogen ist, kann das Team kaum als hochleistungsfähige Einheit funktionieren. Denn eines ist sicher: Die Beschäftigten bewerten Führungsteams als Einheit. In unserer Studie legten die Mitarbeiter an die Leistung des Führungsteams einen viel höheren Standard an als an die einzelnen Teammitglieder. Der Gesamt-Punktwert für das Team fiel in aller Regel niedriger aus als die durchschnittlichen Wertungen der einzelnen Mitglieder. Aus den im Verlauf der KRW-Studie gesammelten Kommentaren ging häufig hervor, dass Mitarbeiter einen positiven Eindruck von dem Charakter einzelner Teammitglieder hatten, doch die Charaktergewohnheiten, die das Team bei seinen Interaktionen, Entscheidungen und seiner Führungsleistung insgesamt an den Tag legte, deutlich kritischer bewerteten.

Ferner erhielten Teams, deren Mitglieder hohe Einzel-Punktwerte verzeichneten, oft niedrige Gesamtwertungen für das ganze Team, wenn die Mitarbeiter ein bestimmtes anhaltendes Charakterproblem wahrnahmen, dem das Team nicht effektiv entgegenwirkte. Ein einziges schwaches Glied im kollektiven Charakter des Führungsteams oder eine ausbleibende Reaktion auf ein anhaltendes Charakterproblem kann bereits die Stärke der gesamten *ROC*-Wertschöpfungskette gefährden.

Viele Führungskräfte glauben, dass sich die Schwächen von einem oder zwei Mitgliedern des Führungsteams ausgleichen lassen oder dass die Defizite eines einzelnen Teammitglieds der breiteren Mitarbeiterschaft nicht unbedingt auffallen. Die *ROC*-Studie hat gezeigt, dass es den Mitarbeitern an der Basis nur selten entgeht, wenn zwischen einem virtuosen CEO und einem charakterlich schwachen Mitglied seines Führungsteams ein Gefälle besteht. CEOs, die zulassen, dass ein schwaches Mitglied im Führungsteam bleibt, werden für die Probleme verantwortlich gemacht, die dieses Teammitglied verursacht, und unter diesen Problemen leidet dann die gesamte Organisation.

Einer der an der Studie teilnehmenden CEOs hatte selbst einen ausgesprochen hohen Charakter-Punktwert, doch sein Führungsteam schnitt so schlecht ab, dass er aus der virtuosen Kategorie herausfiel. Im Gespräch gestand mir dieser CEO: *»Mein größtes Problem ist immer noch, dass ich es schwierig finde, jemandem mitzuteilen, wenn er für eine bestimmte Aufgabe nicht geeignet ist. Vermutlich drücke ich mich manchmal zu sehr davor.«*

Dem CEO war durchaus klar, warum sein Team bei der Charakterbewertung insgesamt so schlecht abgeschnitten hatte. Er wusste sehr genau, bei welchem Teammitglied das Problem lag, war aber nicht in der Lage, diese Person darauf anzusprechen. Wenn der CEO die Ursache der Probleme in seinem Führungsteam kannte, dann können wir mit einiger Sicherheit davon ausgehen, dass auch dem übrigen Team klar war, wo das Problem lag. Die Befragungsergebnisse unter den Mitarbeitern des Unternehmens machten jedoch deutlich, dass sie zwar dieselben Probleme im Führungsteam sahen, die der CEO bei diesem Manager wahrgenommen hatte, aber nicht verstanden, dass sie sich alle auf eine bestimmte Person zurückführen ließen. Hier Beispiele ihrer Kommentare:

> *»Meiner Ansicht nach ist [der CEO] absolut integer, sein Führungsteam jedoch nicht im selben Maße. Seine Leute wissen offenbar nicht immer, was im Tagesgeschäft gebraucht wird.«*

»Meine größte Sorge ist, dass er seine Führungsmannschaft nicht richtig im Griff hat. Er verlässt sich darauf, dass sein Team schon die richtigen Personalentscheidungen trifft.«

Wie diese Äußerungen zeigen, erkennen die Mitarbeiter an der Basis mitunter sehr genau die Probleme, die vom Charakter eines einzelnen Mitglieds des Führungsteams ausgehen, schreiben diese aber eher nicht einer einzelnen Person zu, sondern werten die kollektive Charakterwahrnehmung des gesamten Teams ab. Diese Gesamtwahrnehmung des Teams hat eine direktere Wirkung auf das gesamte Unternehmen als die charakterliche Wahrnehmung seiner einzelnen Mitglieder.

Wer die Probleme einer kollektiven Charakterwahrnehmung ignoriert oder hofft, dass sie sich von selbst lösen, begeht einen kostspieligen Fehler. Vertrauen wiederaufzubauen, nimmt viel Zeit in Anspruch und die Behebung von Charakterschwächen und die Wiederherstellung des Rufes eines Führungsteams ebenfalls. Da Charaktergewohnheiten des Führungsteams durch mehrere Führungs- und Managementebenen hindurch gefiltert werden, können sie auf jeder Hierarchiestufe anders wirken und ausgelegt werden. Infolgedessen kann eine enorme Lücke entstehen zwischen der Absicht eines Führungsteams, seine Aufgabe mit virtuosem Charakter zu erfüllen, und der externen Wahrnehmung, die sich dieses Team durch seine charakterlichen Gewohnheiten und seine Führungsleistung erworben hat.

Ein mangelhafter Führungscharakter setzt sich rasch durch und schadet der externen Wahrnehmung nachhaltig. Das ist der Grund, weshalb ich im vierten Kapitel betont habe, dass neu ernannte CEOs rasch reagieren müssen, um ihr Führungsteam in Ordnung zu bringen. Als Berater war ich einmal für einen CEO tätig, der sich schon seit Monaten um die Leistung des von ihm übernommenen Teams Gedanken machte. Offenbar wurde nie etwas fristgerecht erledigt. Nach einer gründlichen Begutachtung der Teammitglieder war ich sicher, dass ein Mitglied der Führungsriege das Vertrauen der anderen verloren hatte. Mehrere der Manager erzählten mir von Vorfällen, bei denen diese Person das eine gesagt und das andere getan oder aber gezielt versucht hatte, im Team Fraktionen zu bilden.

Es stand fest, dass dieses Führungsteam nie effektiv zusammenarbeiten würde, solange diese unzuverlässige Person Teil der Gruppe blieb. Ich empfahl dem CEO daher, das betreffende Mitglied auszutauschen. Das tat er, und innerhalb kürzester Zeit fand das Team zusammen und arbeitete als hoch effiziente Einheit. Das Unternehmen hatte aber schon zu viel Zeit verschwendet. Der CEO und sein Führungsteam hatten die Geduld des Aufsichtsrats überstrapaziert: 8 Monate später war kaum noch jemand aus dem alten Team im Unternehmen.

Der Führungscharakter zeigt zwar rasch Wirkung im gesamten Unternehmen, aber die erzeugten Eindrücke können unter Umständen sehr lange fortbestehen. In unserer Studie sahen wir, dass selbst nach einer umfassenden Umbildung des Führungsteams die Mitarbeiter den Mitgliedern des neuen Managements mitunter dieselben niedrigen Charakterbewertungen erteilen wie ihren Vorgängern. Aus diesem Grund müssen der CEO und das ganze Führungsteam unverzüglich und effektiv gegen Probleme vorgehen, die mit ihrer kollektiven Charakterwahrnehmung in Zusammenhang stehen, und ebenso gegen hartnäckige Charakterproblemen begegnen, die im Unternehmen Barrieren entstehen lassen. Gute Absichten reichen nicht.

Vertrauen ist offensichtlich eine zentrale Voraussetzung für die Leistung eines Teams, und Vertrauen gründet sich auf ausgeprägten Charaktergewohnheiten. Zeigt ein Mitglied des Führungsteams deutliche Schwächen bezüglich einer der vier charakterlichen Schlüsselgewohnheiten, ist das eine schwere Belastung für das wechselseitige Vertrauen im Team. Natürlich können Missverständnisse über die Ziele, Rollenkonflikte und Meinungsverschiedenheiten über Entscheidungen Vertrauen unterhöhlen, auch wenn die Teammitglieder durchaus starke Charaktergewohnheiten haben.

Aus diesem Grund müssen Führungsteams eine gemeinsame Auffassung ihrer Ziele, Funktionen, Prozesse und Interaktionen haben. Ebenso müssen Führungsteams die Fähigkeiten aufweisen, die notwendig sind, um das Unternehmen bei der Umsetzung seines Geschäftsplans zu leiten. Wir haben gesehen, dass das Führungsteam in dieser Funktion drei Hauptaufgabenbereiche hat: die Strukturierung der Organisation, die Entwicklung einer starken Organisationsdynamik und das

Mitarbeiterengagement zur Realisierung von Vision und Zielen des Unternehmens. Befassen wir uns nun etwas näher damit, was diese Aufgaben mit sich bringen, und wie sie von den Führungsteams aus unserem Forschungsprojekt angegangen wurden.

Das Unternehmen für den Teamerfolg strukturieren

Wie ein rostiger Brückenpfeiler oder ein marodes Hochhausfundament kann eine schwache Organisationsstruktur das ganze Unternehmen zum Einsturz bringen. Auf der Agenda eines neuen Führungsteams sollte daher die Analyse der Organisationsstruktur ganz oben stehen, um die Effektivität des Unternehmens bei der Umsetzung zu steigern.[53]

Natürlich können andere Probleme innerhalb des Unternehmens strukturelle Defizite überdecken. Solche Defizite ausfindig zu machen, erfordert mitunter gründliche Sondierung und schmerzhaft ehrliche Einschätzungen. Überschneiden sich die von verschiedenen Abteilungen oder Bereichen ausgeführten Tätigkeiten erheblich oder funktionieren Abteilungen als abgetrennte »Silos«, die in ihrer eigenen Welt existieren, oder hindern Regeln, Richtlinien und Verfahren Mitarbeiter an der termingerechten Erledigung von Aufgaben, dann fehlt vermutlich eine klare Organisationsstruktur. Damit ein Unternehmen seine Aufgaben effektiv ausführen kann, müssen alle Symptome von Strukturschwäche bis zu ihrem Ursprung zurückverfolgt und beseitigt werden.

Das Kennzeichen einer guten Organisationsstruktur ist ihr Zusammenhalt als einheitliches System, in dem jeder Teilbereich eine wichtige Rolle im vernetzten Ganzen spielt. Um in unserer Studie die strukturelle Stärke der Unternehmen zu bewerten, deren CEOs und Führungsteams wir untersuchten, gingen wir beispielsweise diesen Kriterien nach:

- wie viel Gestaltungsfreiheit die Mitarbeiter haben bei Entscheidungen, mit denen das Unternehmen auf veränderte Bedingungen reagiert;
- ob getrennte Silos vorhanden sind;
- inwieweit Informationsaustausch zwischen einzelnen Abteilungen stattfindet.

Und was entdeckten wir dabei? Unsere Studie belegte, dass virtuose CEOs viel seltener mit Problemen kämpften, die sich aus einer nicht funktionierenden Struktur ergaben, als ichbezogene CEOs.[54] Insbesondere zeigten die Daten folgendes:

- Virtuose CEOs und Führungsteams schaffen Organisationsstrukturen mit weniger Silos, und zwischen den Abteilungen werden mehr Informationen ausgetauscht. Wie uns ein CEO aus dieser Gruppe verriet: »Silos wurden hauptsächlich dadurch eliminiert, dass wir eine gemeinsame Vision und Mission hatten, die das Unternehmen antrieb [...] Es war der Erfolg des Kunden, der den Erfolg des Unternehmens und des Einzelnen bestimmte. Diese Botschaft war der Haupttreiber, der zum Abbau von Silos führte und Mitarbeiter motivierte, zusammenzuarbeiten.«
- In von virtuosen CEOs geführten Unternehmen haben die Mitarbeiter mehr Entscheidungsfreiheit und -befugnis und ganz allgemein mehr Handlungsspielraum. Wie ein virtuoser CEO erklärte: »Wenn die eigenen Mitarbeiter von Ihrer Vision und Ihrer Mission inspiriert sind und man ihnen vertraut, dass sie ihren Job gut machen, dann werden sie auch Entscheidungen treffen, die auf die Vision und Mission [des Unternehmens] abgestimmt sind.«
- Ihre Unternehmen sind flexibler und reagieren schneller auf veränderte Anforderungen. Dazu ein virtuoser CEO: »Die Struktur und das Verständnis der Beschäftigten von Vision, Mission und Strategie ermöglichten es unserem Unternehmen, sehr rasch zu handeln [...]. Wird das ›Wozu‹ [die Mission des Unternehmens] klar kommuniziert und von den Mitarbeitern verstanden, wird das ›Wie‹ [also die Umsetzung] viel einfacher.«

Was haben wir, abgesehen von ihrem schlechteren Abschneiden bei der Bewertung der Organisationsstruktur, über strukturbedingte Probleme im Zusammenhang mit ichbezogenen CEOs und ihren Führungsteams erfahren?

Hier ein paar Kommentare ihrer Mitarbeiter zu diesem Thema:

- *»Manager und Führungskräfte sind von der Basis abgekoppelt.«*
- *»Es heißt, wir wollen uns ändern und die Besten sein, doch in den Managementstandards findet sich das nicht wieder.«*
- *»Offensichtlich gibt es in der Führungsetage keine Übereinkünfte oder keine gemeinsame Ausrichtung, und das wird auf dem Rücken der Mitarbeiter auf niedrigeren Ebenen ausgetragen. Dass funktionsübergreifende Teams erfolgreich zusammenarbeiten können, kommt daher nicht richtig an.«*

Der *ROC*-Studie zufolge dürfen wir davon ausgehen, dass Führungsteams, aus denen die starken Charaktergewohnheiten und die klaren Grundsätze und Praktiken virtuoser Führung sprechen, ihre Organisationen so strukturieren, dass sie besser funktionieren und belastbarer und anpassungsfähiger sind als Organisationen, deren Führung nicht so hohe Punktwerte für Charakter aufweisen kann.

Eine produktive Organisationsdynamik schaffen

Mit dem Begriff »Organisationsdynamik« beziehe ich mich auf die unzähligen Möglichkeiten für zwischenmenschliche Interaktionen bei der Zusammenarbeit. Im Idealfall sind diese Interaktionen positiv, harmonisch und motivierend. Andernfalls können Interaktionen innerhalb des Unternehmens und das dadurch geschaffene Arbeitsklima feindselig, von Konkurrenzdenken geprägt und destruktiv sein.

Eine mangelhafte Organisationsstruktur kann der systemische Faktor sein, der zu einer funktionsgestörten Organisationsdynamik führt. Doch selbst unter idealen Bedingungen bietet die Struktur keine Garantie für eine starke, produktive Organisationsdynamik. Wie die *ROC*-Daten offenbarten, kommen hier die charakterlichen Gewohnheiten des Führungsteams zum Tragen.

Beim Design dieser Studienkomponente entschieden wir uns zur Untersuchung von fünf Dimensionen der Organisationsdynamik. Wir baten Mitarbeiter der virtuosen und der ichbezogenen CEOs und ihrer Führungsteams, anzugeben, wie oft diese

1. im Team arbeiten,
2. über Abteilungen und Funktionen hinweg zusammenarbeiten,
3. an Innovationen beteiligt sind,
4. starke positive organisationale Energie erleben,
5. effektiv kommunizieren.

Abbildung 5-1 zeigt die Unterschiede in den Antworten, die wir auf diese Frage von den Mitarbeitern virtuoser CEOs beziehungsweise ichbezogener CEOs erhielten.

Wie die Abbildung deutlich macht, stuften die Mitarbeiter virtuoser CEOs und ihrer Führungsteams die Häufigkeit von Aktivitäten, die die Organisationsdynamik steigern, viel höher ein als die Mitarbeiter ichbezogener Führungskräfte, und zwar zwischen 10 Punkten für Innovation und 13 Punkten für Zusammenarbeit. Diese signifikanten Unterschiede können nicht zufällig entstehen.

Wie diese Ergebnisse andeuten, stufen die Mitarbeiter virtuoser CEOs ihre Unternehmen bei allen grundlegenden Faktoren, die wir als entscheidend für den geschäftlichen Erfolg im Hinblick auf die Herausforderungen der globalen Märkte von heute erachten, als stärker ein, auch bei Innovation, Teamwork und Zusammenarbeit. Schon allein diese Erkenntnisse heben deutlich hervor, wie wichtig die Organisationsdynamik ist, und zeigen den erheblichen *ROC*-Vorsprung, den virtuose Führung in diesem Bereich bringen kann.

ABBILDUNG 5-1:

Häufigkeit der Beteiligung von Mitarbeitern an Aktivitäten oder Initiativen mit Wirkung auf die Organisationsdynamik

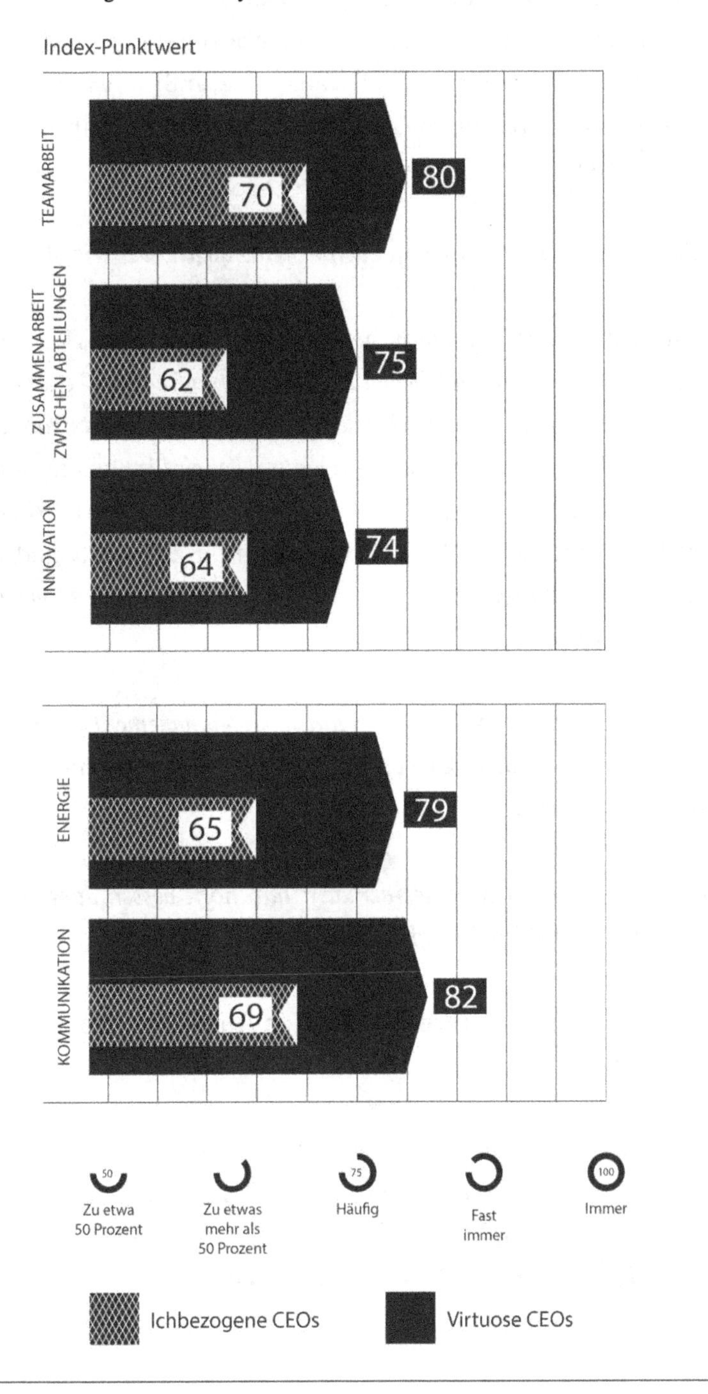

Aus den von uns in diesem Teil der Studie gesammelten Äußerungen der Mitarbeiter gewannen wir noch aufschlussreichere Erkenntnisse über die qualitative Arbeitserfahrung in einer Organisation mit positiver Dynamik im Gegensatz zu einer Organisation mit ichbezogener Geschäftsführung. Mitarbeiter der ichbezogenen CEOs aus unserer Studie antworteten uns auf die Frage: »Beschreiben Sie, wie es sich anfühlt, in Ihrem Unternehmen zu arbeiten«:

> *»Es fühlt sich an, als sei nie etwas gut genug, ganz gleich, was wir tun.«*

> *»Wir werden ständig klein gemacht, für die Fehler anderer zur Rechenschaft gezogen und es finden keine jährlichen Personalgespräche statt. Feedback gibt es nur für Fehler, nie für erfolgreich erledigte Aufgaben. Gehaltserhöhungen gleichen nur höhere Lebenshaltungskosten aus. Nie wird jemand für Kompetenzentwicklung oder Leistungen für das Unternehmen honoriert. Geht etwas schief, verbringt das mittlere Management viel mehr Zeit mit Schuldzuweisungen als damit, das Problem zu lösen. Mitarbeiter werden immer wieder vor Kollegen scharf kritisiert.«*

> *»Die Belegschaft meidet Kontakte zum mittleren Management nach Kräften und holt sich Informationen lieber im Kollegenkreis. [...] Die Moral ist schlecht und bröckelt immer weiter.«*

> *»Wer merkt, dass er einen Fehler gemacht hat, hofft besser, dass es keiner merkt, statt ihn zu melden. Mir graut vor jedem Arbeitstag.«*

Vergleichen Sie diese Kommentare nun mit den Antworten von Mitarbeitern virtuoser CEOs auf dieselbe Frage:

> *»Unser Unternehmen ist das Beste der Welt. Hier möchte ich bis zur Rente bleiben. Ich kann die Energie spüren, die von allen Managementebenen und von den Kollegen ausgeht. [...] Wir werden alle dazu angehalten, unser Bestes zu geben, und das merkt man. Ich liebe meinen Job.«*

»Die Arbeit in diesem Unternehmen ist sehr intensiv. Diese Intensität hat manchmal negative Effekte, ist aber insgesamt positiv. Dieser Arbeitsplatz ist ganz und gar ›lebendig‹.«

»Ich arbeite sehr gerne hier und freue mich jeden Tag darauf. Unsere Arbeit ist sinnvoll, und ich schätze mich glücklich, weil ich hier mit Menschen zusammenarbeiten kann, die eine Veränderung in der Welt bewirken möchten!«

Aus den Daten geht ganz klar hervor, dass die CEOs und ihre Führungsteams einen starken Einfluss auf die Qualität des Organisationslebens haben und infolgedessen auch auf die Produktivität der Mitarbeiter sowie dass Energie und Produktivität eine direkte Folge der Organisationsdynamik sind, die von der Arbeitsatmosphäre und vom Verhalten des CEOs und seines Führungsteams ausgelöst wird. Wie unsere Studie offenbarte, führt ein stärkerer, besserer Charakter zu einer stärkeren, produktiveren Organisationsdynamik. Das ist ein typisches Beispiel für die Wirkung des *ROC*.

Mitarbeiterengagement aufbauen

Ein Unternehmen mit klarer Vision, strategischer Ausrichtung und einer Kultur der Verantwortlichkeit läuft ins Leere, wenn die Belegschaft nicht so organisiert wird, dass sie gut zusammenarbeitet und leistungsbereit ist. Jeder Einzelne verfügt über nach eigenem Ermessen einsetzbare persönliche Energie, die er auf sein Arbeitsleben oder auf andere Dinge verwenden kann. Mitarbeiter, die sich den Zielen und der Mission des Unternehmens nicht verbunden fühlen und wenig Zusammenhang zwischen ihrer Leistung und ihrer Vergütung erkennen, oder die sich dem Unternehmen aufgrund falscher Versprechungen, Fehlinformationen oder klarer Vernachlässigung entfremdet haben, bringen sich aller Wahrscheinlichkeit nach nicht richtig ein. Solche Mitarbeiter verwenden ihre frei verfügbare Zeit vermutlich eher zur Urlaubsplanung, zum Surfen im Internet, zum SMS-Schreiben oder einfach zum Tagträumen, anstatt sich auf die Arbeit zu konzentrieren, für die sie eingestellt wurden. Wissen Beschäftigte dagegen, dass ihr persönlicher Erfolg direkt vom Erfolg ihres Unternehmens oder Abteilung abhängt, und verinnerlichen sie die Vision ihrer Unternehmensführung, besteht für sie ein natürlicher Anreiz, gewissenhaft darauf hinzuarbeiten, dass die Unternehmensziele erreicht werden.

Was wissen wir also über die Voraussetzungen für Mitarbeiterengagement? Unternehmen mit einer engagierten Mitarbeiterschaft haben folgende vier Merkmale:

1. Sie gehen respektvoll mit ihren Beschäftigten um.
2. Die Beschäftigten erleben ihre Kultur als fürsorglich. Sie fühlen sich nicht als Produktionsfaktor.
3. Die Beschäftigten finden die Richtlinien und Praktiken zur Einstellung, Vergütung, Beförderung und Anerkennung fair und objektiv.
4. Die Beschäftigten haben hohes Vertrauen in das Führungsteam.

Nun könnte man meinen, dass die Bedingungen völlig offensichtlich sind, die dem Engagement der Mitarbeiter zu- oder abträglich sind. Unsere Studie und unzählige einfache Beobachtungen weisen aber auf echte Diskrepanzen hin zwischen der Art und Weise, wie manche Unternehmen ihre Mitarbeiter behandeln, und dem Engagement, das sie von diesen Mitarbeitern bei der Arbeit erwarten.

Um sich voll und ganz zu engagieren, brauchen die Beschäftigten beispielsweise das Gefühl, dass sie von der Unternehmensleitung respektiert werden. Und die meisten Menschen fühlen sich nicht mehr respektiert, wenn ihnen ihre Vorgesetzten wochen- oder monatelang ein Arbeitspensum übertragen, das nicht zu bewältigen ist. Wer in ein hochdynamisches Start-up eingestiegen ist, der hat sich vielleicht auf einen solchen Marathon eingestellt, doch die meisten Mitarbeiter brauchen das Gefühl, dass die Geschäftsführung weiß, dass das Arbeitspensum verkraftbar bleiben muss, und Sorge dafür trägt. Ein weiterer Faktor, der das Engagement der Mitarbeiter erstickt, sind unfaire Praktiken bei der Einstellung, Beförderung und Entlohnung von Mitarbeitern. Herrscht der Eindruck, dass man am besten vorankommt, wenn man sich bei einem oder mehreren Mitgliedern des Managementteams einschmeichelt, besteht kein Anreiz, sich voll und ganz hinter die Vision und die strategischen Ziele des Unternehmens zu stellen.

Leider sind uns diese und viele weitere Beispiele für fehlendes Mitarbeiterengagement in verschiedenen Unternehmen nur allzu vertraut. Infolgedessen sollten uns die Unterschiede zwischen virtuosen und ichbezogenen CEOs und Führungsteams in diesem entscheidenden Bereich für den Unternehmenserfolg nicht überraschen (siehe Abbildung 5-2).

ABBILDNG 5-2:

Häufigkeit der unterstützenden Bedingungen für Mitarbeiterengagement

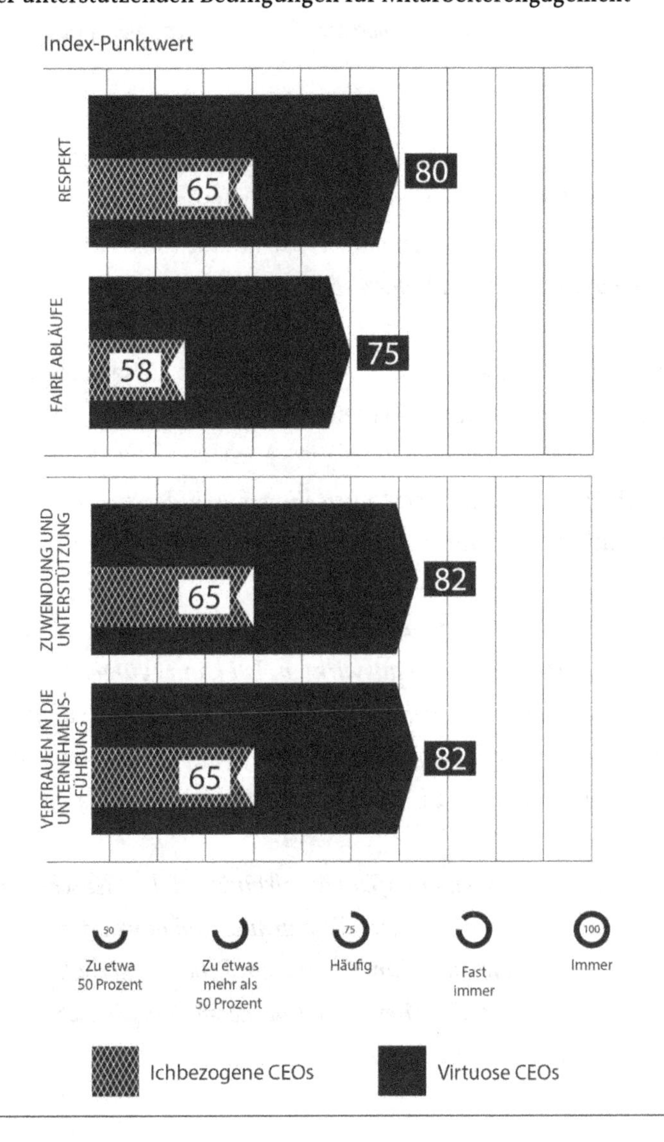

Hier sind einige Kommentare, die wir im Zuge der Datenerhebung erhielten. Die Mitarbeiter ichbezogener CEOs beschrieben das in ihren Organisationen vorherrschende Mitarbeiterengagement unter anderem mit folgenden ernüchternden Äußerungen:

»Das Unternehmen bleibt seinen erklärten Zielen und ethischen Grundsätzen nicht immer treu. Manche Leute werden bevorzugt, und wer mal ein schlechtes Jahr hatte, der kann sich nur schwer rehabilitieren.«

»Es ist schwer, mit seiner Arbeit zufrieden zu sein, wenn man nur eine Nummer ist.«

»Die jüngsten Änderungen in der Unternehmenspolitik zeigen klar, dass das persönliche Leben der Beschäftigten nicht von Belang ist. In der Führungsetage sollte man allmählich erkennen, warum die Fluktuation so hoch ist, und sich den unangenehmen Fragen stellen.«

Die Mitarbeiter virtuoser CEOs und ihrer Teams äußern sich dagegen wesentlich dynamischer und positiver:

»Das Arbeitsklima motiviert mich immer. Mit den meisten Kollegen arbeite ich gut zusammen, und sie sind ausgesprochen werteorientiert.«

»In letzter Zeit mussten harte Entscheidungen getroffen werden, die sich auf das Leben vieler Menschen auswirkten. Ich kann spüren, dass der Unternehmensleitung diese Entscheidungen nicht leichtgefallen sind, und dass sie sich ihrer gravierenden Folgen bewusst war. Dessen ungeachtet waren der finanzielle Ausgleich und die Übergangshilfen durchdacht und fair.«

»Es geht dem Management offenbar wirklich um die Menschen, nicht nur um eine Nummer auf der Lohnliste. Es gab gute und ganz offene Gespräche, über mich als Person, die auch Familie und ein Leben außerhalb der Firma hat – nicht nur über berufliche Themen. Ich zähle hier als Mensch, mit meinen persönlichen Interessen und Anliegen.«

Unsere Studie belegte vielfach den Zusammenhang zwischen dem Engagement der Mitarbeiter eines Unternehmens und dem starken Charakter des Führungsteams. Beweist ein Führungsteam ausgeprägte Charaktergewohnheiten, so sorgt es automatisch für ein positives, fürsorgliches, förderliches, faires und respektvolles Arbeitsklima, wie es die meisten Menschen anspricht. Wie Abbildung 5-3 zeigt, belegen unsere Forschungsdaten folgendes: Je stärker der Charakter des Führungsteams, desto höher das Engagement der Mitarbeiter für die Mission, Ziele und angestrebten Ergebnisse des Unternehmens.

ABBILDUNG 5-3:

Charakter des Führungsteams und Engagement der Mitarbeiter in der Gegenüberstellung

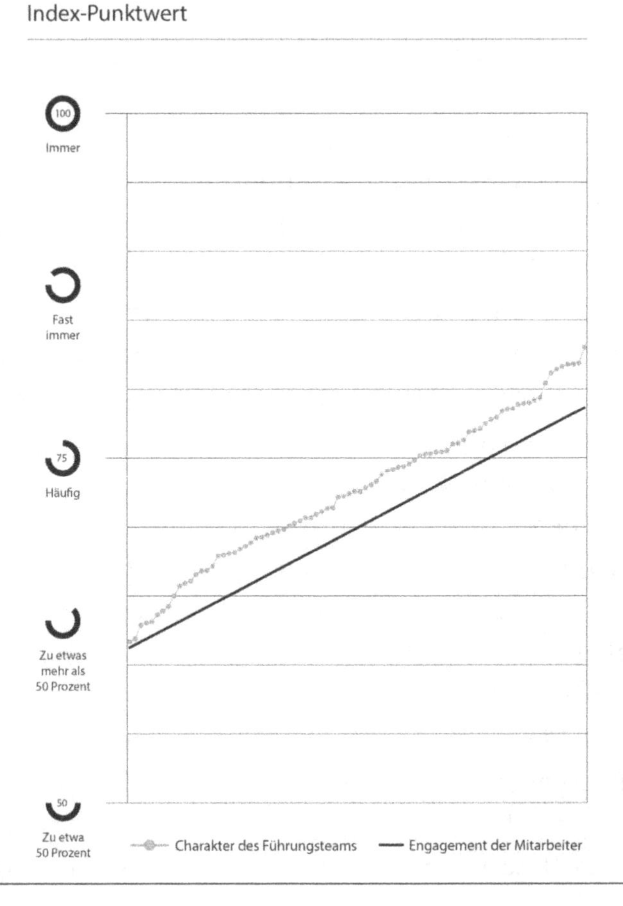

Wie jedes Führungsteam seinen *ROC* verbessern kann

Wie wir festgestellt haben, müssen der CEO und andere Führungskräfte wachsam und unparteiisch sein und schnell auf charakterbedingte Probleme im Führungsteam reagieren, um bei der Führung Charakterstandards aufrechtzuerhalten, die das Unternehmen zum Erfolg führen. Mitunter erfordert diese Reaktion auch den Austausch schwacher Teammitglieder. Manchmal kann der CEO das Team aber auch dazu anleiten, Schwachstellen ins Visier zu nehmen und konsequent darauf hinzuarbeiten, seine Kompetenzen in diesen Bereichen zu verbessern. In jedem Fall muss das Team zunächst genau wissen, welche Charakterprobleme zu bewältigen sind, woher sie kommen und welche Kräfte in einer Organisation Standards, Richtlinien und Verfahren so beeinflussen, dass die Charakterkultur zerbricht.

Sich darauf zu fokussieren, ist grundsätzlich ein schwieriges Unterfangen. Eine klare, realistische Einschätzung des kollektiven Charakters, den ein Team an den Tag legt, ist ein wesentlicher erster Schritt, der jedoch häufig in die falsche Richtung geht. Wie die in diesem Buch präsentierten Feststellungen zeigen, beurteilen wir uns selbst oft ganz anders als es die Menschen in unserem Umfeld tun. So neigten beispielsweise unsere virtuosen CEOs dazu, ihre charakterlichen Gewohnheiten zu niedrig zu bewerten, während die ichbezogenen CEOs aus unserer Studie sich selbst charakterlich eher höher einstuften, als es ihre Mitarbeiter taten. Beschäftigte zögern mitunter, ehrliche Einschätzungen abzugeben, wenn sie befürchten, dass ihre Antworten nicht vertraulich behandelt werden.

Die Unzulänglichkeiten eines einzelnen Mitglieds können zwar die Charakterwahrnehmung des gesamten Führungsteams beschädigen, doch die Behebung solcher Charakterfehler ist keinesfalls ein Freibrief, ihn zum Sündenbock zu machen. Wie schon gesagt, kommt es selten vor, dass Charakterfehler eines Managers den übrigen Teammitgliedern vollständig verborgen bleiben. Als Berater setzen wir bei KRW nie ein einzelnes Mitglied des Führungsteams auf den »heißen Stuhl«, wenn die Leistung eines Unternehmens unter mangelndem Führungscharakter gelitten hat. Stattdessen leiten wir unsere Klienten dazu an, solche Probleme als Teamprobleme zu betrachten. Wir coachen die Teams, sodass sie ihre kollektiven charakterlichen Gewohnheiten möglichst effektiv überwachen und steuern können. Am wirkungsvollsten ist der Prozess, den Teamcharakter anzuheben, wenn alle Teammitglieder die anstehenden Probleme anerkennen und sich verpflichten, gemeinsam an ihrer Lösung zu arbeiten.

Der dritte Teil dieses Buches gibt Anregungen und Methoden zur Stärkung des Führungscharakters: der charakterlichen Gewohnheiten, die Führungskräfte durch ihr Verhalten zeigen, und des *ROC*, den diese Führungskräfte für ihr Unternehmen erwirtschaften. Lassen Sie mich an dieser Stelle erneut auf eine Grundtatsache zu charakterlichen Gewohnheiten hinweisen, die im dritten Kapitel erstmals angesprochen wurde: Selbst die charakterlichen Schlüsselgewohnheiten wie Integrität, Empathie, Verantwortungsbewusstsein und Versöhnlichkeit sind nur Angewohnheiten. Wie jede Angewohnheit können solche charakterlichen Schlüsselgewohnheiten und ein virtuoser Führungsstil erlernt, eingeübt und mit der Zeit verstärkt werden.

Das bedeutet, dass Unternehmen einer ungünstigen Organisationsdynamik aktiv entgegenwirken und den Abwärtstrend des Mitarbeiterengagements, und damit auch des Geschäftsergebnisses, umkehren können, der aus charakterlich schwacher Führung und unzulänglicher Organisationsstruktur entsteht.

Ein Team mit einer schwachen Bewertung kann auf der Charakterkurve aufsteigen, indem es sich Verhaltensweisen aneignet, die den vier charakterlichen Schlüsselgewohnheiten entsprechen, die unsere Studie als Herzstück einer virtuosen Führung mit klaren Grundsätzen herausarbeitete. Zu diesen Schlüsselkompetenzen der Führung zählen:

1. akzeptieren, dass andere Fehler machen – eine Verhaltensweise, die sich aus der Charaktergewohnheit der Versöhnlichkeit ergibt;
2. Versprechen halten und Zusagen erfüllen – was mit der Charaktergewohnheit Integrität in Verbindung steht;

3. Menschen wie Menschen behandeln, nicht wie Zahlen oder Waren, indem man ihnen hilft, ihre Kompetenzen zu entwickeln und ihre persönlichen Ziele zu erreichen – was die Charaktergewohnheit der Empathie zeigt; und
4. eigene Fehler zugeben und nach Möglichkeit korrigieren – was Verhaltensweisen sind, die sich aus der Charaktergewohnheit des Verantwortungsbewusstseins ableiten.

Von allen Verhaltensmöglichkeiten, wie das Führungsteam mit den Mitarbeitern in Beziehung treten kann, werden unserer Studie zufolge die auf diesen vier charakterlichen Schlüsselgewohnheiten basierenden Verhaltensweisen bei Mitarbeitern am deutlichsten geschätzt und haben den größten Einfluss auf die Bewertung von Organisationsdynamik, Struktur und Mitarbeiterengagement. Von den 21 untersuchten Verhaltensweisen von Führungsteams sind es diese vier, die das intensivste Engagement der Mitarbeiter und die größte Effektivität der Organisation versprechen.[55]

Diese Verhaltensweisen sind leicht nachvollziehbar, aber seit langem eingefahrene Gewohnheiten durch neue zu ersetzen, ist eine große Herausforderung. Aus diesem Grund müssen der CEO und sein gesamtes Führungsteam an einem Strang ziehen und verstärkt an dem Charakter arbeiten, den sie durch ihr Verhalten am Arbeitsplatz an den Tag legen. Wie wir im siebten Kapitel erfahren, wirken im Verborgenen mitunter hartnäckige Kräfte, die bestimmte Verhaltensweisen bewahren. Deshalb müssen wir die Kraft eines starken Charakters und gut begründeter ethischer Prinzipien einsetzen, um diejenigen Gewohnheiten zu fördern, die den organisationalen Erfolg vorantreiben, den wir nun als *ROC* kennengelernt haben.

Das Fundament für Charakter legen

In den ersten beiden Kapiteln des zweiten Teils haben wir die Arbeit des CEOs und des Führungsteams genauer unter die Lupe genommen. Wir haben nicht nur untersucht, welche Verhaltensweisen virtuose beziehungsweise ichbezogene CEOs und die von ihnen angeführten Teams auszeichnen, sondern auch wie die Mitarbeiter das mit diesen beiden Führungsvarianten verbundene Verhalten bewerten und darauf reagieren. Außerdem haben wir die konkreten Zuständigkeiten und die wichtigsten Führungsaufgaben näher betrachtet und analysiert, wie sich der Charakter darauf auswirkt, wie CEOs und die Mitglieder ihrer Führungsteams ans Werk gehen.

Vor allem aber haben wir erfahren, dass jedes Element einer hochleistungsfähigen Organisation auf dem Fundament des Charakters beruht. Damit meine ich folgendes:

- Es ist der Charakter des CEOs und des Führungsteams, der Maßstäbe für die Charaktergewohnheiten, Prinzipien, Erwartungen und Verhaltensweisen setzt, aus denen die Unternehmenskultur hervorgeht.
- Diese Unternehmenskultur, die durch das Führungsteam gefördert und gelenkt wird, treibt das Mitarbeiterengagement an, was wiederum Organisationsdynamik auslöst und speist, da jeder einzelne Mitarbeiter das Seine tut, um zum Erfolg des Unternehmens beizutragen.
- Diese Organisationsdynamik bestimmt das Niveau bei Innovation, Teamwork, Zusammenarbeit, Anpassungsfähigkeit und anderen entscheidenden Fähigkeiten, die das Unternehmen bei der Verfolgung seiner Mission und seiner Ziele an den Tag legt.
- Das Geschäftsmodell definiert die Vision, die strategische Ausrichtung und die Verantwortungsstandards, die wiederum die Mission und die Ziele des Unternehmens festlegen.

Sind all diese Elemente vorhanden, ist die Organisation in einer guten Ausgangsposition für die Umsetzung und bereit, ihre Mission schnell, flexibel und fokussiert zu erfüllen. Ich bezeichne dieses Konzept der hocheffektiven Umsetzung als Execution-Readiness-Modell, wie in Abbildung 5-4 grafisch dargestellt.

ABBILDUNG 5-4

Execution-Readiness-Modell

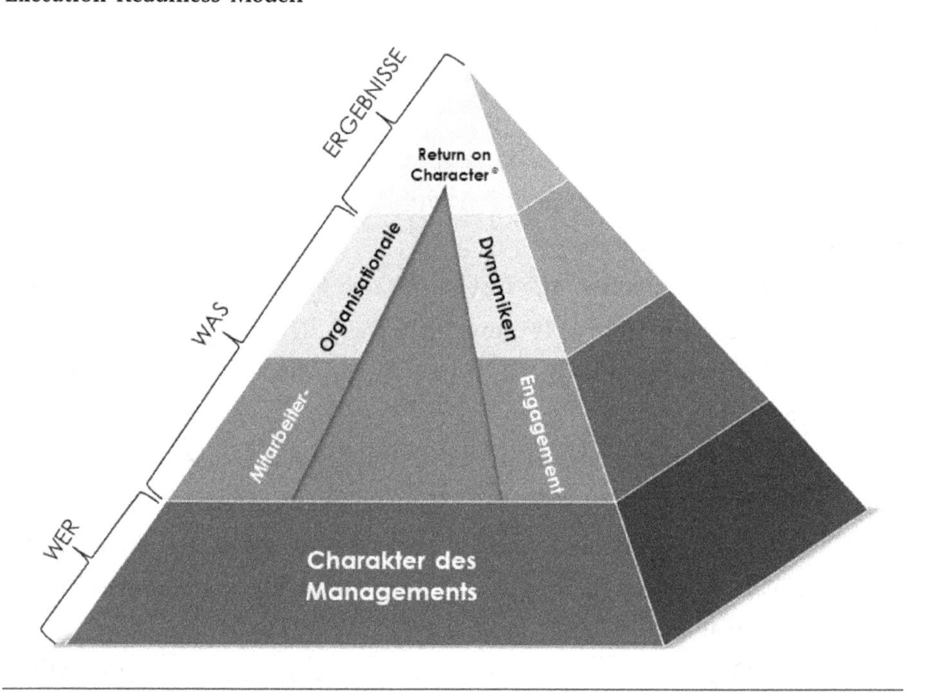

Es ist nicht ungewöhnlich, dass sich bei einem langfristigen Forschungsprojekt Definition und Umfang im Verlauf weiterentwickeln, wie wir schon zu Anfang dieses Kapitels angesprochen haben. Unsere ursprüngliche Analyse des Charakters eines CEOs und seines Einflusses auf das Unternehmen dehnte sich auf ein weit vielfältigeres und aufschlussreicheres Gebiet aus, als wir den Einfluss des Charakters des Führungsteams in unsere Arbeit aufnahmen. Durch diese neue Forschungsebene konnten wir einen tieferen und breiteren Einblick bezüglich des tatsächlichen

Einflusses des Charakters auf Führungsstärke und Führungsansätze und seine Auswirkungen auf die Mitarbeiter und letztlich auf den Unternehmenserfolg gewinnen.

Infolgedessen erweiterten wir die Studie um die Frage, inwieweit charakterbedingte Einflüsse des CEOs und seines Führungsteams messbar das Ergebnis des Unternehmens gestalten. Die Resultate führten zu dem Verständnis des *Return on Character*, das die zentrale Aussage dieses Buches ist. Im letzten Kapitel des zweiten Teils wollen wir als Nächstes das Gesamtergebnis der *ROC*-Studie in den Fokus stellen. Wir untersuchen die konkreten Zahlen, aus denen der Zusammenhang zwischen Führungscharakter und wirtschaftlichem Unternehmenserfolg hervorgeht, und insbesondere, was das Ergebnis für alle Beteiligten bedeutet: für Anleger, Mitarbeiter, Kunden, Volkswirtschaften und die Umwelt. Dieses Wissen vermittelt uns die besten Voraussetzungen, um in unserem eigenen Unternehmen und in unserem Leben umzusetzen, was wir über den *ROC* gelernt haben; um unseren persönlichen Führungsansatz zu optimieren; um stärkere Teams und agilere, effektivere Unternehmen aufzubauen; und um den einzigartigen, entscheidenden Vorsprung zu erzielen, der nur auf dem Fundament einer Unternehmensführung mit einem starken Charakter entstehen kann.

ZUSAMMENFASSUNG:

Das Führungsteam und der *ROC*

1. **Der CEO ist zuständig für den Aufbau eines starken Führungsteams, das seine charakterlichen Gewohnheiten und seine Prinzipien widerspiegelt und die davon geprägte Unternehmenskultur fördert.**

2. **Es ist die Aufgabe des Führungsteams, für die Organisationsdynamik, die Struktur und das Mitarbeiterengagement zu sorgen und damit die Voraussetzungen dafür zu schaffen, dass das Unternehmen seinen Geschäftsplan effektiv ausführen kann.**

3. **Virtuose Führungsteams befördern eine Unternehmenskultur und -struktur, die eine starke Organisationsdynamik begünstigen.** Elemente einer solchen Kultur und Struktur sind unter anderem ausgeprägte Teamarbeit, Zusammenarbeit über Abteilungsgrenzen hinweg, Innovation, organisationale Energie und Kommunikation.

4. **Die Mitarbeiter engagieren sich, wenn sie sich als festen Bestandteil des Unternehmens und seines Erfolgs empfinden.** Folglich führen virtuose Führungsteams hochengagierte Mitarbeiter.

5. **Wenn die Mitglieder des Führungsteams ihr Verhalten verbessern, das die vier charakterlichen Schlüsselgewohnheiten widerspiegelt, können sie ihren Charakter-Punktwerte erhöhen und mehr zum Unternehmensergebnis beitragen.** Die vier wesentlichen Verhaltensweisen, die sich ein Führungsteam aneignen kann, um solche Verbesserungen zu erzielen, sind:
   - Versprechen halten und Zusagen erfüllen (Schlüsselgewohnheit Integrität).
   - Zu seinen eigenen Fehlern stehen (Schlüsselgewohnheit Verantwortungsbewusstsein).

- Akzeptieren, dass andere Fehler machen (Schlüsselgewohnheit Versöhnlichkeit).
- Menschen wie Menschen behandeln, d. h. Interesse an ihnen zeigen und ihnen dabei helfen, ihre persönlichen Ziele zu erreichen und ihre Kompetenzen zu entwickeln (Schlüsselgewohnheit Empathie).

6. **Der Charakter des CEOs und seines Teams ist das Fundament für die Aktionsstärke der Organisation.** Virtuose Führungsteams verstehen es, sehr effektiv auf dem charakterlichen Fundament aufzubauen, indem sie eine Unternehmenskultur fördern, die eine positive, produktive Organisationsdynamik auslöst, welche wiederum ein hohes Engagement der Mitarbeiter hervorruft und so das Unternehmen dazu antreibt, seine Mission und seine Ziele zu erreichen. Das *Execution-Readiness*-Modell stellt jedes Unternehmen so auf, dass es maximale Renditen erwirtschaftet.

6

Return on Character

Ein Gewinn für alle

In diesem Buch lesen Sie immer wieder von charaktergesteuerten Führungskräften, die ihren Kopf mit ihrem Herzen verknüpft haben. Inzwischen ist sicher deutlich geworden, was das heißt: Wenn wir an die komplexe Aufgabe der Führung eines Unternehmens als von Prinzipien und starken Charaktergewohnheiten geleitete, ganze Menschen herangehen und nicht als kalte, rationale Maschinen, die ausschließlich im eigenen Interesse handeln, dann sind unsere Entscheidungen und Handlungen durch ein viel stärkeres Werteverständnis motiviert. Wenn uns die Mitarbeiter, die Kultur, die Partnerschaften, die Kunden und die Gemeinschaft unseres Unternehmens genauso viel bedeuten wie sein Marktanteil, dann verlieren wir das Gemeinwohl nicht so schnell aus den Augen und betrachten es nicht als bloße Geschäftskosten. Wie die *ROC*-Studie zeigte, sind sich die besten Führungspersonen der wahren Kosten derart rücksichtsloser Entscheidungen bewusst.

In den vergangenen 25 Jahren habe ich mich – mit meinen Kollegen bei KRW – von dem Ziel motivieren lassen, Führungskräften dabei zu helfen, diese Verknüpfung zwischen Kopf und Herz herzustellen. Von diesem Ziel geleitet, habe ich viele Jahre meines Lebens und privates Geld investiert, um belastbare Daten zu sammeln und zu analysieren, die

Aufschluss über die Validität der Beobachtung geben konnten, dass starke Führungspersonen von ihren charakterlichen Gewohnheiten geleitet werden. Die zentralen Fragen dieser Studie sind: Wirkt sich der Charakter einer Führungskraft tatsächlich auf den Unternehmenserfolg aus? Konkreter gefragt: Sorgen Führungskräfte, die sich zu integrierten, ganzheitlichen Menschen entwickelt haben, für bessere Geschäftsergebnisse als Führungskräfte, denen es nicht gelungen ist, die für charaktergestützte Entscheidungen nötige Logik, Intuition, Motivationen und Wesenszüge vollständig zu entwickeln?

Diese Fragen waren keinesfalls leicht zu beantworten. Die Analyse der vielen verschiedenen charakterlichen Aspekte und der facettenreichen Prozesse der Unternehmensführung war ein sehr ehrgeiziges Unterfangen. 120 CEOs erklärten sich bereit, an der KRW-Studie teilzunehmen. Zu 84 von ihnen konnten wir komplette Charakterdatensätze anlegen, einschließlich der Beobachtungen von über 8 400 nach dem Zufallsprinzip ausgewählten Beschäftigten. Im vorliegenden Kapitel fassen wir unsere Erkenntnisse zusammen. Außerdem lernen wir einige der Studienteilnehmer näher kennen und erfahren etwas über ihre Unternehmen.

Es gibt viele Untersuchungen zu unterschiedlichen Aspekte der Leistung von CEOs, doch die Bedeutung des Führungscharakters für das Unternehmensergebnis kam in jenen Untersuchungen in aller Regel zu kurz. Sie wurde übersehen, obwohl sie eigentlich auf der Hand liegt. Gute Ergebnisse lassen sich durch eine beliebige Zahl augenfälligerer Faktoren erklären: das Geschäftsmodell, Fehlschläge eines Konkurrenten oder gesamtwirtschaftliche Kräfte, die sich dem eigenen Einfluss entziehen. Vor unserer Studie und den Modellen, die sie geliefert hat, gab es keine Möglichkeit, den Charakter zu bewerten, klar zu benennen und ihn aus dem Schatten leichter zu definierender Wirtschaftsfaktoren herauszuholen.

Die meisten Analysten und Wissenschaftler erwähnen den Charakter als bestimmenden Faktor für den Unternehmenserfolg erst, wenn der Aufsichtsrat eines namhaften Unternehmens einen CEO bestellt hat, der dem Unternehmen mit seinem rücksichtslosen Verhalten verheerenden Schaden zufügt. Dann überschlagen sich die Medien und die Märkte mit Geschichten, wie eine einzelne Person aufgrund mangelnder Prinzipien und wenig ausgeprägtem Charakter den tragischen Niedergang eines vordem soliden Unternehmens herbeigeführt hat. Beispiele dafür gibt es genug. Denken Sie nur an WorldCom-CEO Bernard Ebbers, der ins Gefängnis kam, weil er die Unternehmensbücher gefälscht hatte, um die wahre Schuldenlast zu verschleiern. Oder an Jeffrey Skilling und Kenneth Lay, die durch Betrug und Misswirtschaft Enron, das damals siebtgrößte US-Unternehmen, in den Konkurs getrieben hatten. Oder an Robert Benmosche, der, nachdem der Staat sein Unternehmen mit 173 Milliarden US-Dollar in einer umstrittenen Aktion gerettet hatte, vollmundig Erfolgsprämien in Höhe von 450 Millionen US-Dollar durch AIG für eben jene Führungskräfte rechtfertigte, die das Unternehmen mit ihm zusammen an den Rand des Ruins manövriert hatten, mit katastrophalen globalen Auswirkungen. Benmosche legte noch nach, als er die Kritik an den Zahlungen der »Ignoranz [...] der breiten Öffentlichkeit, der Regierung und anderer Kreise« zuschrieb.[56]

Sobald die Skrupellosigkeit eines dieser leider nur allzu häufig anzutreffenden unehrlichen CEOs öffentliche Aufmerksamkeit erregt, wird sofort der »schlechte Charakter« als Grund für den Zusammenbruch eines Unternehmens angeführt. Kommen wir nun zur Beantwortung der Frage, die bereits in der Einleitung angesprochen wurde: »Warum hört man eigentlich nie etwas darüber, wie sich der gute Charakter eines CEOs auf den Erfolg eines Unternehmens auswirkt?« Unsere Forschungsergebnisse und die damit einhergehenden Fallbeispiele lenken den Fokus auf diese andere Seite des Charakters.

Hat der Charakter eines CEOs signifikanten Einfluss auf den Unternehmenserfolg? Die Antwort auf diese Frage ist ein eindeutiges Ja. Im Zuge der deskriptiv angelegten Studie von KRW haben wir eine belegbare stabile Beziehung zwischen dem Charakter eines CEOs und den betriebswirtschaftlichen Kennzahlen festgestellt, die die Gesamtkapitalrendite (Return on Assets, ROA) eines Unternehmens bestimmen.

In den Vorkapiteln haben wir die einzelnen Elemente der *ROC*-Studie und die miteinbezogenen Prozesse betrachtet. Es folgt ein Gesamtbild der Antworten, die unsere Studie auf eine ganze Reihe von zentralen Fragen gibt: Wie beeinflusst der Charakter das Geschäftsergebnis? Welche Ausstrahlung hat das auf den *ROC* eines Unternehmens? Geht der *ROC*-Effekt über bessere Unternehmensergebnisse hinaus und zeigt auch Wirkung auf Beschäftigte, Kunden des Unternehmens sowie auf die Städte und Gemeinden vor Ort oder sogar noch darüber hinaus? Um diese Fragen zu beantworten, schauen wir uns nicht nur die von der Studie gelieferten Zahlen an, sondern auch, was die Studienteilnehmer, vom CEO bis zum einfachen Mitarbeiter, dazu sagen. Wir wollen ihre persönlichen Geschichten zur Charakterrendite, die sie in ihren Unternehmen beobachtet und erlebt haben, erfahren. Darüber hinaus ziehen wir auch die Kommentare verschiedener Medien- und Wirtschaftsanalysten zu dem wohl bekanntesten Beispiel für ein charaktergesteuertes Unternehmen aus der *ROC*-Studie hinzu: Costco Wholesale.

Unsere Ergebnisse zeigen eindeutig, dass Führungskräfte mit starkem Charakter mehr Wert für ihr Unternehmen schaffen als Führungskräfte ohne starken Charakter. Sie leiten Führungsteams mit klaren Grundsätzen, die ihrerseits hochengagierte Mitarbeiter führen. Ihre Unternehmen zeichnen sich aus durch Innovation und vielfältige Zusammenarbeit. Und sie erzielen eine höhere Kapitalrendite für Anleger.

Die Ausstrahlung dieser Ergebnisse reicht weit über die Führungsetage und den Anlegerkreis hinaus und schafft Wert auch für Beschäftigte, Kunden und das lokale Umfeld, und sogar für die Umwelt. Das ist der *Return on Character* in der Praxis.

Return on Character als Renditefaktor für Anleger

Unsere erste Erkenntnis führt zum Kern der *ROC*-Studie, denn sie untersucht, ob von CEOs mit starkem Charakter geführte Unternehmen einen höheren ROA erzielen als Unternehmen unter charakterlich schwacher Führung. Um das herauszufinden, baten wir die CEOs aus unserer Studie um betriebswirtschaftliche Daten für die beiden Geschäftsjahre vor Beginn der Erhebung.

Von 26 der CEOs mussten wir diese Daten nicht eigens anfordern, da die Unternehmen börsennotiert waren und ihre Jahresabschlüsse veröffentlichten. Von den staatlichen Unternehmen stellten uns manche der Studienteilnehmer - aber nicht alle - die angefragten Finanzdaten zur Verfügung. Insgesamt konnten wir Daten zu 44 Unternehmen erhalten (also 52 Prozent aller teilnehmenden Organisationen). Eine Überprüfung der Profile dieser Organisationen und ihrer Geschäftsführer ergab, dass sie eine Stichprobe darstellten, die die gesamte Bandbreite der CEOs aus unserer Studie repräsentierte. Die einzelnen Probanden dieser Gruppe waren über die gesamte Charakterkurve verteilt und entsprachen in ihrer Zusammensetzung aus großen und kleinen Vereinen, NGOs, Einrichtungen sowie börsennotierten und staatlichen Unternehmen aus allen Branchen der Gesamtheit der Studie.

ABBILDUNG 6-1:

Kapitalrendite (*ROA*)

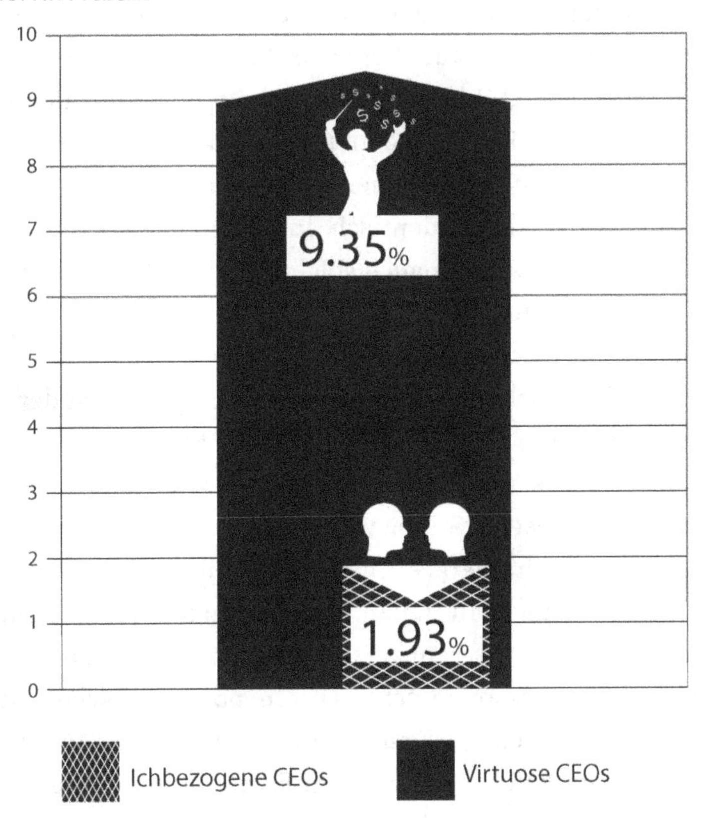

Als wir auf Grundlage dieser Daten die durchschnittliche Gesamtkapitalrentabilität (also den Reingewinn in Prozent des Gesamtkapitals) für den Zweijahreszeitraum berechneten, für den uns Finanzdaten vorlagen, gelangten wir zu einem erstaunlichen Ergebnis: Wie aus Abbildung 6-1 ersichtlich, war die von den virtuosen CEOs am oberen Ende der Kurve erzielte Gesamtkapitalrentabilität fast fünfmal so hoch wie die der ichbezogenen CEOs vom unteren Ende der Kurve.

Angesichts der massiven Differenz, die diese Daten deutlich machen, wollten wir feststellen, ob noch andere Variablen in dieser Gleichung eine Rolle spielen könnten. Also stellte das Forschungsteam den ROA-Wert nicht nur dem Charakter gegenüber, sondern auch den politischen Überzeugungen, der Größe und Art der Organisation, der Amtszeit und dem Alter des CEOs sowie dem Mitarbeiterengagement.

Wir entdeckten ziemlich bald, dass die politischen Überzeugungen offenbar keinen Einfluss auf den wirtschaftlichen Erfolg eines Unternehmens haben. Die Zahl der Konservativen und Liberalen war unter den CEOs mit hohem ROA und denen mit niedrigen Werten gleich hoch. Auch bei der Beschäftigungsdauer waren die Werte für virtuose und ichbezogene CEOs nahezu identisch. In beiden Gruppen befanden sich viele langjährige CEOs, aber auch solche, die ihre Position erst ein Jahr lang innehatten. Keiner dieser Faktoren zeigte einen statistischen Zusammenhang mit einem hohen oder niedrigen ROA-Wert.

Zwei Variablen stachen jedoch hervor: das Engagement der Mitarbeiter und die Größe der Organisation. Dass die Mitarbeiter in Unternehmen mit hoher Gesamtkapitalrentabilität engagierter sind, sollte zu erwarten sein. In unserer Studie waren dies jene Unternehmen, die von CEOs mit hohem Charakter-Punktwert geführt wurden. Wie wir im fünften Kapitel festgestellt haben, besteht ein starker Zusammenhang zwischen dem Mitarbeiterengagement und dem Charakter des CEOs. Virtuose Führungspersonen schaffen ein positives Arbeitsumfeld, in dem sich die Menschen stark engagieren. Solche Mitarbeiter verknüpfen ihren eigenen Erfolg eng mit dem Erfolg des Unternehmens. Deshalb setzen sie sich voll und ganz ein, um die Unternehmensziele zu erreichen. Ichbezogenen CEOs und ihren Teams gelingt es nicht so gut, eine Beziehung zur Belegschaft herzustellen, weshalb die Mitarbeiter am Unternehmensergebnis entsprechend weniger interessiert sein können.

Der Zusammenhang zwischen der Größe eines Unternehmens und seiner Gesamtkapitalrentabilität war ein kaum erwartetes Ergebnis der Studie. Die kleinen, nicht börsennotierten Unternehmen (mit weniger als 500 Mitarbeitern) aus der *ROC*-Studie entwickelten sich nicht so gut wie die mittleren und großen Unternehmen (mit über 2 000 Mitarbeitern). Natürlich können es sich kleine Unternehmen nicht immer leisten, die fähigsten Bewerber einzustellen, doch die in unserer Studie berücksichtigten Organisationen hatten CEOs angeworben, deren Charakter-Punktwert nur 4 Punkte unter denen großer Unternehmen lagen, was keinen signifikanten Unterschied darstellt. Der Charakter des CEOs ist hier offenbar nicht entscheidend. Wahrscheinlicher ist, dass die jüngeren CEOs der kleinen Unternehmen schlicht nicht so kompetent waren wie die CEOs, die die großen Unternehmen aus unserer Studie leiteten. Hinzu kommt, dass viele kleine Unternehmen von Unternehmensgründern geführt werden, die vermutlich unbedingt, und damit auch um jeden Preis, Erfolg haben wollen. Die wenigsten kleinen Unternehmen aus unserer Studie waren börsennotiert. Die meisten waren entweder Non-Profit-Organisationen oder wurden nicht öffentlich gehandelt. Außerdem haben sich die Geschäftsmodelle größerer Unternehmen häufig bereits über längere Zeit im Wettbewerb bewährt.

Aufschlussreicher ist daher, dass die virtuosen CEOs für Unternehmen jeder Größe eine höhere Gesamtkapitalrentabilität herbeiführten als die ichbezogenen Führungspersonen.

Nach Auswertung aller Daten lag das Ergebnis klar vor, dass die im Rahmen der Studie untersuchten Unternehmen mit CEOs, die den höchsten Charakter-Punktwert aufwiesen, unabhängig von ihrer Größe auch die höchsten ROA-Werte erzielten. Dieses Ergebnis besagt nicht, dass alle erfolgreichen Unternehmen von charakterstarken CEOs geführt werden. Es erlaubt jedoch den Rückschluss, dass ein von einem CEO mit starkem Charakter mit seinem Team geleitetes Unternehmen im Durchschnitt eine höhere Gesamtkapitalrentabilität aufweist als Unternehmen, an deren Spitze Führungskräfte ohne starken Charakter stehen.

Das bedeutet wohlgemerkt nicht, dass jeder besonders charakterstarke CEO einem sehr erfolgreichen Unternehmen vorsteht.

Gesamtwirtschaftliche Faktoren und ein mangelhaftes Geschäftsmodell können auch einen CEO mit starkem Charakter zum Scheitern bringen. Während ich diese Daten analysierte, fielen mir erstaunliche Parallelen zwischen der Geschäftswelt und dem amerikanischen Profi-Basketball auf. Mit wenigen Ausnahmen sind Basketball-Profis grundsätzlich sehr groß. Körpergröße ist offensichtlich eine entscheidende Qualität eines Basketballspielers, aber nicht die einzige. Auf der Welt gibt es sehr viele hochgewachsene Menschen, die gar nicht Basketball spielen können. Ähnliches gilt für erfolgreiche Führungskräfte, die alle einen starken Charakter haben. Sie müssen aber zusätzlich wissen, wie man ein Unternehmen führt. Stark ausgeprägte Charaktergewohnheiten und solide geschäftliche Kompetenzen ergänzen sich zum perfekten CEO: einem versierten, professionellen Manager mit ausgeprägten Charaktergewohnheiten. Anleger haben nach Datenlage also bessere Gewinnaussichten, wenn ein Unternehmen von einem virtuosen CEO geleitet wird. Angesichts der globalen Konkurrenz kann es sich kein Unternehmen leisten, mit einer nur mittelmäßigen Führungskraft anzutreten. Unternehmen, die unter der Führung eines fähigen, jedoch ichbezogenen CEOs in den Wettbewerb gehen, verurteilen sich selbst zum Scheitern.

Die Anlegerrendite ist der übliche Wertschöpfungsmaßstab in der Unternehmenswelt. Diese Rendite ist sicherlich eine wichtige Kennzahl, doch nicht die einzige. Ein Wirtschaftsunternehmen ist auch eine soziale Einheit, und als solche kann sie Wert für die Menschen in ihrer ganzen Ökosphäre schaffen oder aber vernichten. Der wirtschaftliche Erfolg eines Unternehmens rentiert sich nicht nur für die Anleger, sondern auch eine ganze Reihe von Menschen und Organisationen wie beispielsweise Kunden, Mitarbeiter, die Kommunen vor Ort und hat häufig Auswirkungen darüber hinaus.

Was der *ROC* für Mitarbeiter bedeutet

Was wollen Mitarbeiter? Das sollten Sie eigentlich wissen, denn aller Wahrscheinlichkeit nach sind Sie selbst einer. Auch als CEO eines milliardenschweren globalen Konzerns stehen Sie in einem

Beschäftigungsverhältnis. Fragen Sie sich also: »Gehe ich morgens gern zur Arbeit? Bin ich motiviert, meine Aufgaben so gut wie möglich zu erfüllen? Werde ich respektvoll behandelt – als Mensch, nicht als Objekt? Bin ich meinem Unternehmen wichtig?« Es würde mich sehr überraschen, wenn jemand, der diese vier Fragen liest, sie mit nein beantworten wollte, denn sie beziehen sich auf universelle menschliche Bedürfnisse wie Stolz und Zufriedenheit. Und die Antworten sind der Kern dessen, was Beschäftigte egal auf welcher Hierarchie-Ebene antreibt, sich für den Erfolg ihres Unternehmens einzusetzen.

Abbildung 6-2 veranschaulicht, wie die Mitarbeiter der virtuosen CEOs, also der mit starkem Charakter, und die Mitarbeiter ihrer ichbezogenen Kollegen ihr Gefühl des Stolzes und der Zufriedenheit bei ihrer Arbeit und in Bezug auf ihre Unternehmen, für die sie arbeiten, einstufen.

ABBILDUNG 6-2:

Stolz und Zufriedenheit der Mitarbeiter

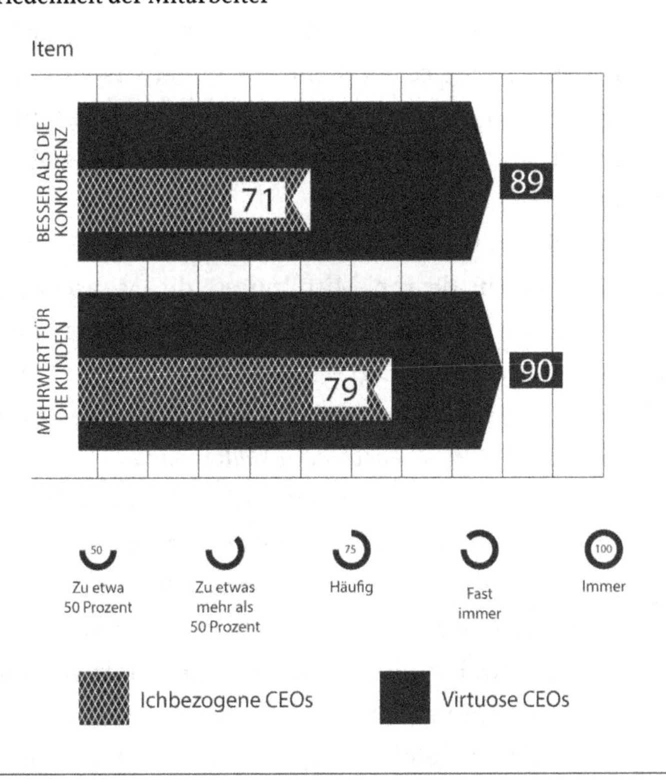

Ein Vergleich der Antworten dieser beiden Gruppen zeigt, dass die Mitarbeiter virtuoser CEOs nach eigenen Angaben mehr Stolz und Zufriedenheit bei der Arbeit empfinden als die Mitarbeiter ichbezogener CEOs. Wie wir bereits erfahren haben, beeinflussen diese beiden emotionalen Reaktionen am Arbeitsplatz das Engagement der Mitarbeiter deutlich und damit sind sie ein entscheidender Antriebsfaktor für den geschäftlichen Erfolg und die Geschäftsergebnisse. Untersuchen wir diese Feststellungen nun etwas genauer, um ein klareres Bild von den Menschen und Unternehmen zu gewinnen, deren Arbeitsleben sie repräsentieren.

Engagiertere Mitarbeiter, höherer ROC

Bob Chapman gehört zu den CEOs aus der *ROC*-Studie, die ganz vorne liegen, wenn es um den Zusammenhang zwischen einer engagierten, gut betreuten Belegschaft und dem Erfolg eines Unternehmens geht. Chapman ist CEO von Barry-Wehmiller, einem 1,5 Milliarden US-Dollar schweren, global tätigen Industrieausrüster aus St. Louis mit über 7 000 Mitarbeitern an 65 Standorten im In- und Ausland. Das nicht börsennotierte Unternehmen erklärt auf seiner Website: »Es ist unser Geschäft, großartige Menschen zu entwickeln.« Dieser Kerngedanke liegt dem Führungsmodell und der Führungskräfteentwicklung des Unternehmens zugrunde.[57]

Zwar lässt sich nicht mit hundertprozentiger Sicherheit behaupten, dass dieses Modell, in dessen Mittelpunkt die Menschen stehen, der Hauptgrund für den großen geschäftlichen Erfolg von Chapman darstellt, doch es ist ein sehr erfolgreiches Unternehmen. Wie Chapman in einem seiner Vorträge einer Gruppe von MBA-Studenten erklärte: *»Unsere von Jahr zu Jahr kumulierte Anlagerendite stellt sogar die Performance von Warren Buffetts Holdinggesellschaft Berkshire Hathaway in den Schatten.«* Und er fügte hinzu: *»Abgesehen davon, dass wir großartige Menschen heranbilden, haben wir nebenbei auch ein großartiges Unternehmen aufgebaut.«*

Ich traf Chapman erstmals bei einem Frühstück in einem Hotel in der Nähe seines Büros. Zwei Stunden lang erzählte er mir, wie ihm klar wurde, dass er ein Unternehmen aufbauen konnte und sollte, das den Menschen in den Mittelpunkt stellt. Chapman war als neuer Eigentümer des

Unternehmens, das sein Konzern gerade übernommen hatte, nach South Carolina geflogen. Er setzte sich eines Morgens zu den Mitarbeitern, die vor der Arbeit noch eine Tasse Kaffee tranken, und dabei fiel ihm gleich auf, wie viel Spaß sie hatten beim Gespräch über die anstehenden Basketballspiele des March-Madness-Turniers.

»Nach dem Kaffee«, so erzählte mir Chapman, *»erlebte ich dann, wie viel Spaß die Leute an einer Sitzung mit dem Kundenbetreuungsteam hatten – nämlich offensichtlich gar keinen.«* Da kam Chapman eine Idee: *»Ich sagte ganz spontan: ›Guten Morgen. Lassen Sie uns ein Spiel spielen. Sie gewinnen, wenn die Mannschaft gewinnt.‹«* Chapman umriss seine Arbeitsweise, die mit ihrer Struktur an einen teamorientierten, freundschaftlichen Wettbewerb erinnerte, was seine Mitarbeiter hoffentlich gleichermaßen anspruchsvoll und interessant finden würden. *»Sie brachten tausende Gründe dafür vor, warum das nicht funktionieren konnte«*, räumte er ein, *»doch ich konnte sie alle entkräften.«* Chapman hatte ja gesehen, wie lebhaft und engagiert diese Menschen sein konnten, und er war fest entschlossen, eine Kultur und ein Klima zu schaffen, die auch bei der Arbeit ein solches Engagement freisetzen würde.

»Das war der Wendepunkt«, berichtet er. *»Wir entdeckten für uns das Führungsmodell, das wir heute weitervermitteln. Bald darauf wurde mir bewusst, dass unsere eigentliche Aufgabe darin bestand, großartige Menschen heranzubilden.«*

Chapman erklärte mir, sein Vorgehen habe sich nicht nur richtig angefühlt, sondern er habe auch festgestellt, dass zufriedene und respektierte Mitarbeiter viel mehr leisten können. *»Ich glaube, die Menschen möchten etwas Sinnvolles tun – und zwar in Gesellschaft von Menschen, an denen ihnen etwas liegt«*, verriet er mir. *»Ich kam zu dem Schluss, dass es ein maßgeblicher Wettbewerbsvorteil sein könnte, sich um die eigenen Leute zu kümmern.«*

Sich um die Mitarbeiter zu kümmern und ein von Respekt und Engagement geprägtes Arbeitsklima zu schaffen, beinhaltet mehr, als nur eine angemessene Vergütung zu zahlen. Eine Führungskraft muss dabei manchmal unkonventionell denken. In der Finanzkrise von 2008 geriet Chapmans Unternehmen enorm unter Druck, da die Neuaufträge einbrachen. Nun hätte sein Unternehmen so reagieren können wie viele andere, denen die Krise zusetzte, und die Kosten durch Personalabbau radikal senken können. Stattdessen überlegten sich Chapman und sein Führungsteam eine innovative Lösung, um die Personalkosten von Barry-Wehmiller um 20 Millionen US-Dollar zu reduzieren. Sie baten ihre Mitarbeiter einfach, freiwillig unbezahlten Urlaub zu nehmen. Höherrangige Mitarbeiter freuten sich über die freie Zeit. Wer es sich nicht leisten konnte, ohne Bezahlung zu Hause zu bleiben, der musste das nicht tun. Und alle Mitarbeiter behielten ihren Job. Hier eine Reaktion aus der Belegschaft:

> *»Bob [Chapman] forderte die Unternehmensleitung auf, andere Wege zu finden, um die Finanzziele zu erreichen, als Mitarbeiter zu entlassen. Das war mutig und nach unserer Überzeugung, dass der Mensch im Mittelpunkt steht, absolut richtig. Bobs Führung war mehr als motivierend. Sie hinterließ einen bleibenden Eindruck bei künftigen Führungskräften und allen Mitarbeitern.«*

Nahezu alle Antworten der Mitarbeiter auf die offenen Fragen fielen überwältigend positiv aus. Der *ROC* für Mitarbeiter kommt vielleicht am besten in den folgenden Worten zum Ausdruck, die aus der Belegschaft von Barry-Wehmiller stammen:

> *»Bob [Chapman] spricht leidenschaftlich und authentisch. Er möchte, dass jeder sein volles Potenzial entfaltet. Er ist der ehrlichen Überzeugung, dass die Wirtschaft einen enormen Beitrag dazu leisten kann, die Welt zu verbessern. Bob hat mich dazu inspiriert, als Vater, Ehemann, Geschäftspartner und Mensch mein Bestes zu geben.«*

Äußerungen wie diese unterstreichen das Gesamtergebnis unserer Studie und zeigen, dass Mitarbeiter, die mit Respekt, Fairness und Empathie behandelt und unterstützt werden, ebenfalls von dem *ROC* profitieren, den ihre Führungskräfte für das Unternehmen erwirtschaften. Die Charaktergewohnheiten des Führungsteams spiegeln sich in ihrem positiven Arbeitsumfeld wider.

Chapman und sein Unternehmen liefern einen überzeugenden Beleg für den Nutzen, den Unternehmen daraus ziehen können, wenn sie ihr Geschäftsmodell auf die Betonung der Kopf-Herz-Verbindung virtuoser Führung gründen.

Am Ende unseres Frühstücksmeetings sagte Chapman: »*Mir hat mal jemand gesagt, dass wir unsere Mitarbeiter jahrelang für die Arbeit ihrer Hände bezahlen und dabei ihre Köpfe und Herzen gratis dazu haben könnten, wenn wir nur richtig darum bitten. Ich habe gelernt, darum zu bitten, und davon haben wir alle etwas.*«

Der Nutzen der Mitarbeiterwertschätzung

Im nächsten Abschnitt befassen wir uns näher mit der Großhandelskette Costco, die an unserer Studie teilnahm und vom Engagement ihrer Mitarbeiter profitiert. Dieses Unternehmen hat in besonderer Weise ihr Engagement entwickelt und verdient daher, hier erwähnt zu werden. Wir wissen zwar, dass Geld nicht der einzige Weg ist, Mitarbeitern ein Gefühl der Wertschätzung und der Teilhabe am Unternehmenserfolg zu vermitteln, doch Costco hat sich nicht nur durch die hohe Qualität seines Kundenservice einen Namen gemacht, sondern auch wegen der Gehälter und Zusatzleistungen für die Mitarbeiter. Costcos beträchtlicher Erfolg beruht auf einem Geschäftsmodell, das die Wertschätzung und Zuwendung für die Mitarbeiter in den Vordergrund stellt.

Diese Zuwendung schlägt sich in den Beschreibungen nieder, die Costco-Mitarbeiter uns zu den offenen Fragen der Erhebung zukommen ließen:

> *»Das hier ist mehr als nur ein Job oder eine Karriere. Es macht mich auch als Mensch ein Stück weit aus.«*

> *»Bei Costco zählt jeder Mitarbeiter. Das belegen unsere großzügigen Nebenleistungen, die auch Teilzeitmitarbeiter erhalten – was heutzutage nur wenige Unternehmen bieten. Dass in 80 Prozent aller Fälle eigene Mitarbeiter befördert werden, schafft Entwicklungschancen.«*

> *»Die meisten Leute glauben an das, was wir als Unternehmen anstreben. Es fühlt sich an, als würden wir alle auf ein gemeinsames Ziel hinarbeiten.«*

Die *ROC*-Studie belegte die positiven Effekte der virtuosen Führung bei Costco, doch der Wall Street ist das schon seit Längerem klar. Im Juni 2013 beschrieb Brad Stone in einem Artikel der *Bloomberg BusinessWeek* das Mitarbeitervergütungs- und Fürsorgeprinzip von Costco und würdigte seine Bedeutung für den Unternehmenserfolg.[58] Als Stone diesen Artikel verfasste, lag der Mindestlohn in den Vereinigten Staaten bei 7,25 US-Dollar pro Stunde. Bei Costco verdienten Arbeiter dagegen im Schnitt einen Stundenlohn von 20,89 US-Dollar (ohne Überstunden), und 88 Prozent der Mitarbeiter waren über das Unternehmen krankenversichert. Stone merkte an, dass Walmart seinen Vollzeitbeschäftigten damals im Schnitt 12,76 US-Dollar pro Stunde zahlte und lediglich »über die Hälfte« seiner Mitarbeiter Beiträge zur Krankenversicherung erhielten. Stone zufolge war die Unternehmensleitung von Costco der Überzeugung, dass »ein Arbeitsumfeld, das zufriedener macht, die Unternehmensrentabilität steigert«. Er zitierte den CEO des Unternehmens Craig Jelinek mit den Worten: »Ich bin schlicht der Ansicht, dass die Menschen Löhne brauchen, von denen sie auch leben können – und eine Krankenversicherung. Dadurch fließt mehr Geld in die Wirtschaft zurück, und das ganze Land profitiert davon.«[59]

Bei Costco werden offene Stellen nach Möglichkeit intern besetzt. In einem Gespräch mit *Motley-Fool*-Autor Austin Smith berichtete Jelinek, wie viele Vice Presidents von Costco schon viele Jahre im Unternehmen gearbeitet hatten: »Die meisten sind bereits 28 oder 29 Jahre in Schlüsselpositionen beim Unternehmen beschäftigt.«[60] Die Reaktionen der Mitarbeiter und Führungskräfte von Costco zeugen ebenso wie das Geschäftsergebnis von der Klugheit des aus diesen Äußerungen sprechenden, auf Charakter und Prinzipien beruhenden Führungsansatzes des Unternehmens.

Mitarbeiter, die sich fürsorglich behandelt fühlen, sind produktiver als Mitarbeiter, die sich vernachlässigt vorkommen, und das schlägt sich positiv im Finanzergebnis nieder. Wieso gelingt es dann aber so vielen CEOs und ihren Teams nicht, ein Arbeitsklima zu schaffen, das bei den Mitarbeitern ein solches Engagement hervorruft? Bei KRW haben wir leider oft erlebt, dass Führungskräfte nicht wissen, wo sie ansetzen sollen, und viele schrecken schon vor dem bloßen Versuch zurück. Dieser Mangel an Kompetenz und Bereitschaft ist besonders bei solchen Führungskräften ausgeprägt, die sich nicht entsprechend des Führungsmodells vom integrierten Menschen entwickelt haben. Infolgedessen fehlen ihnen die persönlichen Ressourcen und die geistige Komplexität, die für virtuose Führungsarbeit notwendig sind.

Doch so muss es nicht sein. Wir könnten Charakterbildung in die Lehrpläne der Business Schools aufnehmen (und, wie Sie aus dem dritten Teil dieses Buches erfahren, können wir an unserer eigenen Virtuosität ebenso arbeiten wie an der anderer, die bereits in Führungspositionen aufgestiegen sind). Wir alle können uns dafür einsetzen, dass die Charakterbildung für effektive Führung als unabdingbar erkannt und deshalb zum zentralen Lehrstoff betriebswirtschaftlicher Studiengänge wird und dass akademische Kurse über Selbstreflexion, geistige Komplexität und Mentalitätsänderung für die nächste Generation herausragender Führungspersonen zum Standard werden.

ROC und Kundenzufriedenheit

Auch die Kunden profitieren, wenn die Unternehmen, mit denen sie zu tun haben, von Personen geleitet werden, die mit Kopf und Herz agieren. Unsere *ROC*-Studie beschränkte sich zwar auf die Untersuchung von Unternehmen, ihren CEOs und ihren Beschäftigten, doch die uns vorliegenden Informationen lassen die Vermutung zu, dass Mitarbeiter, die direkt mit Kunden zu tun haben, auch deren Zufriedenheit ins Kalkül ziehen.

Die Mitarbeiter von virtuosen CEOs aus unserer Studie stuften ihre Unternehmen im Vergleich zur Konkurrenz als deutlich besser ein. Anders als die Beschäftigten der ichbezogenen CEOs und ihrer Teams waren sie auch der Ansicht, dass ihren Kunden mehr Wert geboten wurde. Auf der Grundlage ihrer Resonanz weist Abbildung 6-3 den *ROC* für die Kunden virtuos geführter Organisationen aus und stellt diesem den von ichbezogenen CEOs geleiteten gegenüber.

Wie genau profitieren Kunden im Geschäft mit virtuos geführten Unternehmen? Ein näherer Blick auf ein Unternehmen, das wir bereits für seine virtuose Führung gewürdigt haben, hilft weiter.

ABBILDUNG 6-3:

Wahrnehmung der Kundenzufriedenheit aus Sicht der Mitarbeiter

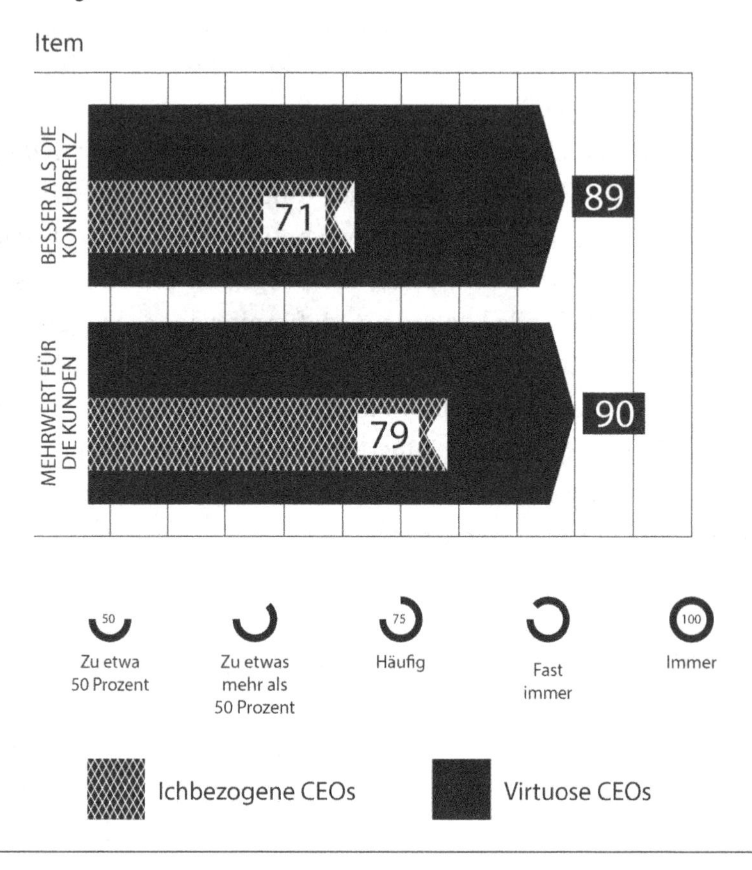

Die Erfolgsformel von Costcos Kundenservice

Der Mitgründer von Costco Wholesale Jim Sinegal, der 2012 aus dem Amt des CEOs ausschied, hatte das Mitgliedermodell aufgebaut, bei dem ihm die Bedeutung der Kundenbetreuung sehr bewusst war. Die Vorteile dieser Kundenorientierung zeigen sich darin, dass 90 Prozent aller Costco-Mitglieder ihre Verträge Jahr um Jahr verlängern.[61] Bei fast 50 Millionen Mitgliedern, die jeweils rund 55 Dollar zahlen, ist das eine beträchtliche Summe. Das Unternehmen richtet sich nach wie vor nach Sinegals zentralen Führungsprinzipien, die ebenso wichtig sind wie die hohe Mitarbeiter- und Kundenzufriedenheit sowie die Geschäftsergebnisse. Auch mehr als ein Jahr nach Sinegals Rücktritt wurde Costco in einem Artikel der *Bloomberg BusinessWeek* unter Leitung des neuen CEO Craig Jelinek als »kostengünstigstes, glücklichstes Unternehmen der Welt« bezeichnet.[62]

Der Ruf eines integren Unternehmens ist ein entscheidender Faktor für Costcos Erfolg. Costco ist bekannt für sein Versprechen an die Mitglieder, nicht mehr als 15 Prozent auf die Warenpreise aufzuschlagen.[63] Auf diesen Vertrag verlassen sich die Costco-Mitglieder. Dem US-amerikanischen Index für Kundenzufriedenheit von 2013 zufolge hatte diese bei Costco seit 1999, mit einer Ausnahme (2009), jedes Jahr zugenommen und höhere Werte erreicht als bei Sam's Club, Lowe's, Staples und anderen Unternehmen auf dem Markt.[64] Im ersten Quartal desselben Jahres belegte Walmart laut Bloomberg im sechsten Jahr in Folge den letzten Platz im Index.[65] Für Costco stellte sich die Lage immer besser dar. Im vierten Quartal 2013 verzeichnete das Unternehmen über 71 Millionen Mitglieder, mit einem Zuwachs an Neumitgliedern von über 4 Prozent gegenüber dem Vorjahr.[66]

In zahlreichen Wirtschaftsartikeln wird Costcos Erfolg bei der Gewinnung und Bindung neuer Mitglieder gewürdigt, doch die *ROC*-Studie und meine persönlichen Beobachtungen zeigten, dass Costcos Erfolgsformel noch andere Elemente enthält als nur den Mitgliedschaftsvertrag. Ein Costco-Mitarbeiter, der an unserer Studie teilnahm, stellte beispielsweise fest:

> *»Das Beste an meiner Arbeit hier ist für mich, dass ich einen Sinn darin erkenne – und der besteht nicht darin, möglichst hohe Umsätze oder Margen zu erzielen, um den Aktienkurs in die Höhe zu treiben, sondern darin, unseren Mitgliedern weiterzuhelfen. Die Mitglieder bezahlen für das Recht, hier einzukaufen, und wir haben die Pflicht, sie zufriedenzustellen, damit sie Mitglieder bleiben und neue Mitglieder werben. Ich bin stolz auf meine Arbeit bei Costco.«*

Eine andere Costco-Mitarbeiterin brachte den *ROC* für die Costco-Kunden folgendermaßen auf den Punkt:

> *»Als eines von wenigen Unternehmen ist Costco bestrebt, die Qualität seiner Waren zu verbessern und gleichzeitig den Preis zu senken. Wir wollen uns um unsere Mitglieder kümmern und ihnen einen guten Grund geben, wiederzukommen.«*

Ich habe es mir zum Anliegen gemacht, unabhängig von unserer Studie mit Costco-Beschäftigten und Mitgliedern an Standorten überall in den Vereinigten Staaten zu sprechen: Kein einziger berichtete mir von einer negativen Erfahrung in einer Costco-Niederlassung. Auf andere Unternehmen hat das Costco-Geschäftsmodell mit der im Vergleich zu den meisten Wettbewerbern deutlich höheren Vergütung einfacher Mitarbeiter eine abschreckende Wirkung, doch der Erfolg des Unternehmens ist nicht zu leugnen. Von 2004 bis 2013 brachten die Costco-Aktien viermal so hohe Rendite wie der Marktdurchschnitt, 2012 war der Umsatz um 50 Prozent auf knapp 100 Milliarden US-Dollar gestiegen.[67]

Der Vorteil des *ROC* wirkt sich bis in jeden Bereich des Betriebs von Costco aus: hohe Kundenloyalität, die sich in einer hohen Quote verlängerter Mitgliedschaftsverträge niederschlägt; eine zufriedene, engagierte Belegschaft; solide Geschäftsergebnisse auf einem hart umkämpften Markt. Costcos Modell und die dadurch erzielten Ergebnisse sind ein überzeugender Beleg dafür, dass zugleich charaktergesteuerte Unternehmen wie auch ihre Kunden profitieren können.

Handlungsspielraum für Mitarbeiter – bessere Kundenbeziehungen

Niedrige Preise sind aber nicht die einzige Voraussetzung für zufriedene Kunden. Jeder weiß, dass es leichter ist, einen guten Kunden zu halten, als einen neuen zu finden. Glücklicherweise erkennen inzwischen immer mehr Unternehmen, dass es beim Kundenservice um mehr geht, als Callcenter zu betreiben, in denen der Erfolg an der Anzahl der Anrufe gemessen wird, die die Mitarbeiter in einer Stunde erledigen.

Einer der virtuosen CEOs aus unserer Studie war ein ehemaliger CEO von Affinity Plus, einer großen Genossenschaftsbank aus dem Mittleren Westen, deren Mitglieder zugleich Kunden sind. Kyle Markland leistete Pionierarbeit, indem er auf geradezu kühne Weise die Befugnisse der Mitarbeiter erweiterte, um die Mitgliederzufriedenheit zu steigern. Zunächst entwickelte er in Zusammenarbeit mit seinem Aufsichtsrat und seinem Team eine neue Vision für das Unternehmen. Vorher hatte der Fokus des Unternehmens darauf gelegen, im eigenen Bundesstaat zur größten und erfolgreichsten Genossenschaftsbank zu werden. Marklands neue Vision für das Unternehmen zielte auf Wachstum indem »*Beziehungen auf der Basis von Vertrauen aufgebaut werden*«.

Als ersten Schritt, um diese Vision umzusetzen, veränderten Markland und sein Team die Umgangsweise der Mitarbeiter mit den Genossenschaftsmitgliedern. Eingeleitet wurde dieser Wandel durch einen neuen Titel für die Mitarbeiter am Schalter. Sie hießen jetzt *Member Advisers*, also Mitgliederberater. Nach wenigen Monaten wurde Markland klar, dass alle Mitarbeiter Mitgliederberater werden sollten. Letztlich erhielten daher alle Beschäftigten der Bank diesen Titel und diese Aufgabe. De facto teilte sich das ganze Unternehmen die Verantwortung für die Kundenbetreuung. Gingen im Callcenter mehr Anrufe ein, als entgegengenommen werden konnten, wurden sie einfach zu anderen Mitarbeitern durchgestellt.

Doch echte Veränderung greift tiefer als ein klangvoller neuer Titel. Ein ganz anderes Gesicht bekam der Umgang mit Kunden bei der Genossenschaftsbank erst, als das Führungsteam seine Mitglieder-, Organisations- und Mitarbeiter-Entscheidungsstrategie (MOE) bekanntgab. Die MOE besagte, dass alle Mitgliederberater die routinemäßigen Kontrollverfahren aufgeben und stattdessen bei allen strategischen und operativen Entscheidungen die Mitglieder in den Mittelpunkt stellen sollten. Die Mitarbeiter von Affinity Plus waren gehalten, sich auch dann nach dieser Vorgabe zu richten, wenn sie scheinbar im Widerspruch zu den Finanzzielen des Unternehmens stand. Traf ein Mitgliederberater eine fundierte Entscheidung, die einem Mitglied zugutekam, aber nicht unbedingt auch der Bank, dann stand das Unternehmen hinter ihm. Wie bei Costco zieht sich gleichsam ein roter Faden virtuoser Führung durch diese Strategie. Dazu Markland: »*Meine Theorie war: Wenn nur die Mitglieder profitierten, würden das Finanzielle schon nachziehen, und wir würden am Ende belohnt durch Beteiligung weiterer Mitglieder oder Empfehlungen an Angehörige und Freunde.*«

In einer E-Mail an die Belegschaft über die MOE-Strategie schrieb Markland:

> »*Kein Beschäftigter wird je Probleme bekommen, wenn er für das Mitglied das Richtige tut. Das mag banal klingen, ist aber kein leeres Versprechen. Alle Beschäftigten, Vorgesetzten und Führungskräfte müssen das ernstnehmen und*

> *vor allem jeden Tag beweisen, dass sie sich daran halten [...] Sie brauchen im Grunde nur eine Richt- oder Leitlinie für das operative Geschäft: Vertrauen Sie Ihrem Gefühl. Fühlt sich etwas richtig an, und ist es zielführend, dann sollten Sie es für das Mitglied tun. Denken Sie nicht über Systemkapazität, Richtlinien oder Verfahren nach – tun Sie lieber, was für das Mitglied nötig ist, und überlassen Sie Ihrem Vorgesetzten den Rest. Aber seien Sie vorbereitet, Ihre Entscheidung zu begründen! Handeln Sie in der Absicht, das Richtige für das Mitglied zu tun, dann ist Ihnen die Unterstützung des Managements und Ihrer Kollegen sicher.«*

Die MOE-Strategie veränderte nachhaltig die Art und Weise, wie bei Affinity Plus Entscheidungen getroffen wurden. Und vor allem, wer sie traf. Affinity Plus gab seinen Mitgliederberatern die Befugnis, mehr als nur die Standardleistungen des typischen Schaltermitarbeiters zu bieten. Die Mitgliederberater mussten sich die Einlösung eines Schecks über eine hohe Summe nicht von einem Vorgesetzten genehmigen lassen. Sie hatten die Befugnis, auf Servicegebühren zu verzichten oder Darlehen zu genehmigen, die nicht den üblichen Richtlinien entsprachen. *»Diese Veränderungen hatten einen enorm positiven Effekt auf das Engagement der Mitarbeiter«*, berichtete Markland. *»Aber auch auf Verantwortlichkeit und Ergebnisse.«*

Markland ging davon aus, dass im Zuge der Einführung der neuen Strategie Fehler passieren würden, und so kam es auch. Wie eine von Marklands Abteilungsleiterinnen berichtete, schossen die Beschäftigten am Anfang über das Ziel hinaus. So genehmigten sie Kredite über 18 Dollar oder fuhren quer durch den Bundesstaat, um ein Mitglied beim Gebrauchtwagenkauf zu unterstützen. *»Aber«*, so sagte sie, *»wir wussten, wir mussten den Geist, der hinter diesem Verhalten stand, fördern und durften ihn nicht dämpfen. Nach und nach beschränkte sich die Kundenbetreuung durch die Mitgliederberater auf das, was wir seit Jahren angestrebt hatten. Nur dass sie es jetzt aus eigenem Antrieb taten.«* Markland ergänzte: *»Sie waren stolz darauf, wie sie vertrauensvolle Beziehungen aufbauten, und auf den erheblichen Einfluss, den sie auf das Leben ihrer Mitglieder und auf die Kommunen nahmen, in denen wir tätig waren.«*

In unserer Studie erwähnten Marklands Mitarbeiter oft ihre Handlungsräume als wesentliches Element der Kundenzufriedenheit, das den Erfolg der Bank vorantrieb:

»Im Laufe der Jahre hat [Markland] uns konsequent vermittelt, dass wir unser Bestes tun sollten, um unsere Mitglieder kennenzulernen, sie als Individuen zu behandeln und kreativ zu denken. Er fordert uns zu Ehrlichkeit, Verantwortungsbewusstsein, Mitsprache und Einfühlungsvermögen für Kollegen und Mitglieder auf. Wir sind ganz normale Menschen, die aber außergewöhnliche Dinge tun.«

»Kyles [Marklands] Vision, seine Leitsätze und der Geschäftsplan belegen, dass er über Integrität, Verantwortungsbewusstsein und Empathie verfügt. Er weiß, dass seine Leute Fehler machen, doch solange dies im Interesse unserer Mitglieder geschieht, sind diese Fehler verzeihlich.«

»Ich werde nie vergessen, wie er uns in einem Seminar erklärte, er werde persönlich ›hinter uns stehen‹, wenn wir bei einem Kredit eine Fehlentscheidung träfen, solange diese im besten Interesse des Mitglieds erfolgte. Daran musste ich oft denken, und das ist ein enormer Vertrauensbeweis, der uns viel Handlungsspielraum gibt.«

»Kyle [Markland] ist ein großartiger Chef. Er übernimmt stets die Verantwortung für das Unternehmen und möchte sichergehen, dass wir für die Menschen das Beste tun. Er kann sich in alle Menschen hineinversetzen, auch in seine Mitarbeiter. Er möchte Einfluss nehmen auf das Leben der Menschen, und genau das tut Affinity Plus: Es verändert die Welt, Mensch für Mensch.«

Die Kunden oder Mitglieder von Affinity Plus waren eindeutig die Nutznießer dieser Strategie von Vertrauen und erweitertem Handlungsspielraum der Mitarbeiter. Nach Umsetzung dieser Strategie stieg die Mitgliederzufriedenheit sprunghaft an. Wie Markland vorhergesagt hatte, warben zufriedene Kunden bald Familienangehörige und Freunde an. Schnell waren 80 Prozent aller Neukunden auf persönliche Empfehlungen gekommen. Auch das Wachstum des Unternehmens steigerte sich. *»Wir wuchsen zwei- bis viermal so schnell wie der Branchendurchschnitt«*, berichtete Markland.

Das Finanzergebnis der Genossenschaftsbank fiel ähnlich gesund aus. Als 2007/2008 die Krise begann, stand Affinity Plus weiter auf festen Füßen. Die Kreditqualität, von Verbraucherkrediten bis zu

Hypothekendarlehen, war ausgesprochen hoch. Immerhin war jeder Kredit im Zusammenhang mit einer etablierten Beziehung zwischen einem Kunden und seinem Mitgliederberater gewährt worden. Eignete sich ein Kredit oder ein neues Produkt nicht für ein Mitglied, *»dann machten wir das Geschäft nicht, ganz gleich, wie sich das kurzfristig auf die Organisation auswirkte«*, erklärte Markland. *»War es das Richtige für das Mitglied, setzten wir alles daran, um es zuwege zu bringen.«*

Kein Unternehmen ist im Vakuum tätig. So sehr das Konzept des Dienstes für den Kunden in den letzten Jahrzehnten erodiert ist, haben selbst virtuelle Online-Unternehmen noch eine Verbindung zu konkreten Menschen. Affinity Plus bewies, dass es möglich war, auch zu Online-Kunden eine Vertrauensbeziehung aufzubauen. Wie Markland sagte: *»Die Hauptbestandteile einer Beziehung sind vorhanden: Vertrauen, Interesse, Einfühlungsvermögen, Empathie. Sie sehen nur anders aus.«*

Warum behandeln so viele Unternehmen ihre Kunden wie Objekte und speisen sie mit schlechtem Service oder minderwertigen Produkten ab? Entfremdete, unzufriedene oder gar verärgerte Kunden können für den Gewinn nicht gut sein. Dennoch verhalten sich viele Unternehmen nicht entsprechend. Die *ROC*-Forschung und meine persönlichen Beobachtungen haben mich zu der Überzeugung gebracht, dass das kurzsichtige Verhaltensmodell des *Homo oeconomicus* ganz oben im Organigramm beginnt, an der Führungsspitze. Ich habe bei großen Unternehmen allzu oft erlebt, wie der CEO und sein Führungsteam in ihrer eigenen Blase von »ergebnisorientierter Führung« leben, die auf Kostensenkung durch beständige Verringerung der Qualität ihrer Angebote und ihrer Kundenbetreuung basieren. Diese Führungskräfte und ihre Unternehmen versäumen es, die Menschen außerhalb ihrer Blase – einschließlich der Kunden und der Mehrheit der Mitarbeiter – wie Menschen zu behandeln.

Virtuose CEOs und ihre Führungsteams haben gewöhnlich eine engere Beziehung zu ihren Kunden und ihren Mitarbeitern. Wie ihre Ergebnisse (und unsere Studie) belegen, sind Unternehmen, die auf der Basis von Integrität, Verantwortungsbewusstsein, Versöhnlichkeit und Empathie funktionieren, in der idealen Ausgangsposition, um vertrauensgestützte Beziehungen aufzubauen und die Kundenzufriedenheit sowie die Unternehmensrendite erhöhen. Das sind die charakterlichen

Schlüsselgewohnheiten, die virtuose Führung ausmachen, und die universellen Prinzipien, die die Basis einer solchen Führung bilden.

Der *ROC* für Gesellschaft und Umwelt

Der Einfluss von Unternehmen kann weit über ihre physischen Mauern und ihren Markt hinausreichen. Walmart als eines von Tausenden von Großunternehmen mit globaler Reichweite nimmt in ganz verschiedener Hinsicht Einfluss auf immerhin 200 bis 300 Millionen Menschen. Hier ein paar Beispiele:

- Die Entscheidungen des CEOs von Walmart beeinflussen direkt das Leben der über 2 Millionen Mitarbeiter des Unternehmens in aller Welt.[68]
- Rechnet man die Familien der Mitarbeiter ein, so könnten sich Entscheidungen der Unternehmensspitze von Walmart auf 6 Millionen Menschen oder mehr auswirken.
- Erweitert man diese Zahl um die unzähligen Zulieferer und Akteure in der Logistikkette und ihre Mitarbeiter, dürfte sie um weitere 10 bis 15 Millionen anwachsen.
- Dann sind da noch Hunderte von Millionen Kunden, auf die die Führungsentscheidungen des Unternehmens ebenfalls Auswirkungen haben.
- Hat eine Organisation erst einmal eine solche Größe und Reichweite, so bekommen Entscheidungen, beispielsweise über Lagerung, Haltbarkeit, Recycling und Entsorgung von Produkten, Produktionsorte und -materialien, Verkaufsarten und -orte, eine Dimension, die so groß und diffus ist, dass niemand mehr errechnen kann, wie groß der betroffene Teil der Weltbevölkerung ist.

Diese Fakten sind Walmart ebenso wenig entgangen wie dem Markt. Walmart erkennt allmählich, welche Verantwortung und welche Kosten mit seiner Stellung als »größter Einzelhändler der Welt« einhergehen. So hat man bei Walmart beispielsweise entdeckt, dass ein Fokus auf Nachhaltigkeit, von weniger Verpackung bis zu sparsamer Nutzung von Elektrizität, für das Unternehmen das positive Ergebnis bringt, dass die Kosten sinken. Gleichzeitig erscheint sein Profil als »Weltbürger« dadurch in einem besseren Licht.

Andere Unternehmen dagegen stellen Nachhaltigkeit direkt in den Mittelpunkt ihrer Geschäftsstrategie. Ein solches Unternehmen ist Patagonia, dessen früherer CEO Casey Sheahan an der *ROC*-Studie teilgenommen hat.[69] In einem längeren Gespräch teilte mir Sheahan mit, was ihm als Leiter des Unternehmens besonders am Herzen lag:

> *»Ich glaube, dass unsere Kultur durch die andauernden Probleme des Klimawandels gestärkt und wieder neu auf die Mission ausgerichtet wurde. Unser Leitsatz lautet: ›Auf einem toten Planeten kann man keine Geschäfte machen.‹ Die Dringlichkeit der aktuellen Umweltkrise steht im Grunde im Mittelpunkt der Kultur. Wenn wir beweisen, dass ein umweltbewusstes Unternehmen Geld verdienen kann, und wenn wir einen Teil des Gewinns in diese Richtung investieren, dann ist das ein gutes Gefühl. Es ist jeden Tag aufs Neue spannend, zur Arbeit zu gehen.«*

Auch Sally Jewell, vormals CEO eines weiteren Giganten der Outdoor-Ausrüstung, Recreational Equipment Inc. (REI), war stolz auf die Zielgerichtetheit ihres Unternehmens und auf seinen wirtschaftlichen Erfolg. Als wir uns 2007 in ihrem Büro trafen, erzählte sie mir:

> *»Wie ich es sehe, sind wir stolz auf uns, weil wir uns für ein höheres Ziel einsetzen. Und wir haben unser Unternehmen vergrößert. Wir sind eine Genossenschaft. Es hält einem also niemand eine Pistole an den Kopf und fordert Wachstum. Dennoch haben wir sechs oder sieben neue Filialen pro Jahr eröffnet. Die Zahl der Niederlassungen ist um 15 Prozent gewachsen, die vergleichbaren flächenbereinigten Umsätze um 8 bis 10 Prozent. Das ist außergewöhnlich.«*

Unsere Studie lieferte zahlreiche Beispiele für CEOs, die sich für das Gemeinwohl verantwortlich fühlen. Um sie zu finden, mussten wir lediglich auf das obere Ende der Charakterkurve schauen zu den virtuosen CEOs. Die meisten Punkte brachte virtuosen CEOs die folgende Aussage über ihre Überzeugungen (bewertet von der Belegschaft): »Die Unternehmensleitung zeigt Interesse am Gemeinwohl der Standorte, an denen das Unternehmen tätig ist.«

Die Durchschnittsbewertung für diesen Punkt lag bei allen virtuosen CEOs bei 89 auf einer Skala von 0 bis 100, wobei 100 für »immer« steht. Die ichbezogenen CEOs kamen dagegen nur auf 66.

Wir baten die Mitarbeiter auch, zu bewerten, inwieweit ihr Unternehmen ihrer Ansicht nach »seiner sozialen Verantwortung gerecht wird« und »gut geführt wird und finanziell gesund ist«. Abbildung 6-4 zeigt, wie die beiden CEO-Gruppen in der Bewertung durch die Mitarbeiter abschnitten.

ABBILDUNG. 6-4:

Wie die Mitarbeiter ihr Unternehmen bewerten

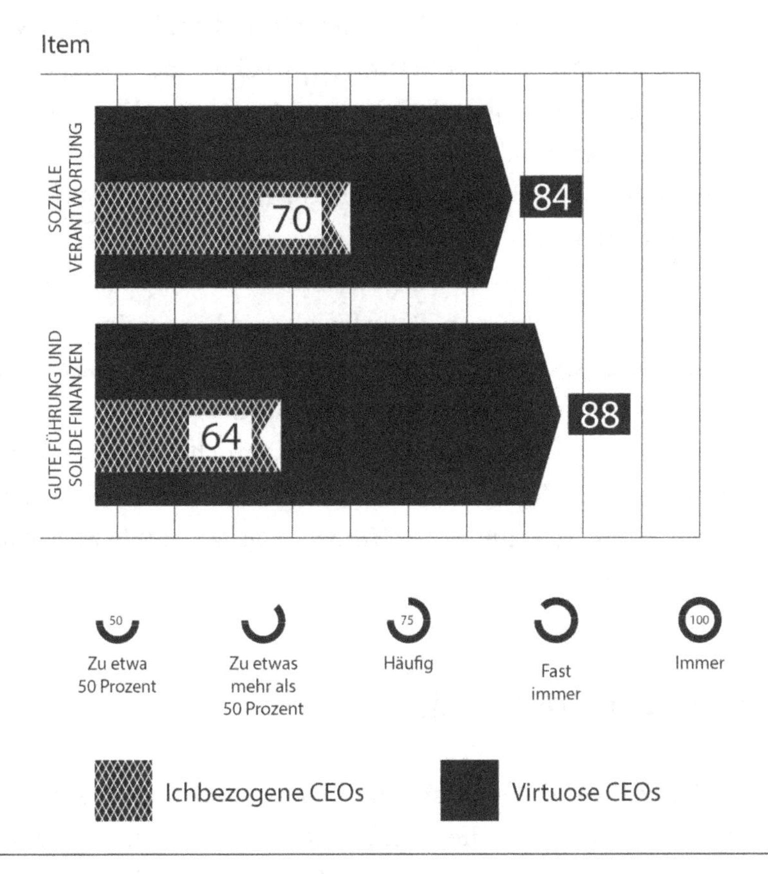

Wie wir im Zuge unserer Studie feststellten, bringen virtuose CEOs von sich aus ihr Interesse am Allgemeinwohl zum Ausdruck. Sie wissen, dass sich die meisten Menschen von einem hehren Ziel inspirieren lassen, und sie haben offensichtlich den Antrieb, jeden Tag aufs Neue zu beweisen, dass ihr Unternehmen zum Allgemeinwohl beiträgt. Bekommt das Allgemeinwohl einen festen Platz in den Strategien und Zielen von Unternehmen, kann der Nutzen für Kommunen und Umwelt konkret und ziemlich beeindruckend sein.

Bei REI steht beispielsweise verantwortungsvolles Verhalten im Zentrum seiner Unternehmensziele. Der Jahresbericht enthält eigens einen Bericht über die Bestrebungen des Unternehmens, eine umweltbewusste und nachhaltige Organisation zu schaffen, die sich durch Gemeinschaft, nachhaltige Arbeitsweise, Produktverantwortung und Arbeitsplatzgestaltung auszeichnet.[70] Patagonia gibt ebenfalls jährliche Berichte zu seinen Initiativen in den Bereichen Umwelt und soziale Verantwortung heraus, zu denen Zuschüsse für Umweltprojekte und Praktika, verantwortungsvolle Beschaffung und die Verwendung umweltfreundlicher Fasern und Materialien gehören.[71]

Diese Indizien stehen in klarem Widerspruch zu der so oft geäußerten Ansicht, dass »Gutes tun« und »Erfolg haben« als Unternehmensziele unvereinbar seien. Aus meinen Gesprächen mit Bob Chapman, Jim Sinegal, Kyle Markland, Casey Sheahan, Sally Jewell und Dutzenden weiterer hier nicht erwähnter CEOs und den Ergebnissen der *ROC*-Daten geht deutlich hervor, dass diese beiden Ziele alles andere als unvereinbar sind, sondern in Wirklichkeit zwei Seiten einer Medaille: nämlich der Wertschöpfung.

Das alles ist der reale, messbare *ROC*, der uns allen jeden Tag zugutekommt. Das ist die Rendite, deren Nutzen morgen möglicherweise noch wertvoller ist als heute.

Der *ROC* im Überblick

Die *ROC*-Matrix veranschaulicht die vier universellen Prinzipien, aus denen sich die charakterlichen Schlüsselgewohnheiten als Handlungsorientierung für virtuose Führung ableiten (siehe Abbildung 6-5). Zwei dieser Gewohnheiten, Integrität und Verantwortungsbewusstsein, hängen mit dem intellektuellen Aspekt von Führung zusammen, dem Kopf. Die beiden anderen, Empathie und Versöhnlichkeit, betreffen das Herz einer virtuosen Führungskraft. Als wir die Arbeit an dieser Studie aufnahmen, fragten wir uns, welche dieser beiden Seiten des Führungscharakters wohl die wichtigere ist, wenn es um das Engagement der Mitarbeiter und die Umsetzung des Geschäftsplans geht. Was wir herausgefunden haben, entsprach ganz und gar nicht unserer Intuition.

Zu Beginn waren wir davon ausgegangen, dass Integrität die wichtigste Charaktergewohnheit ist und für sich genommen ausreicht. Wir dachten beispielsweise, dass ein durch und durch integres Führungsteam auch mit nur mittelmäßigen Werten für Verantwortungsbewusstsein, Versöhnlichkeit und Empathie bestehen könnte. Und wir vermuteten, dass die Daten die gängige und akzeptierte Meinung stützen würden, dass Versöhnlichkeit und Empathie bei einer Führungskraft zwar wünschenswerte Verhaltensweisen seien, doch im bedingungslosen Streben nach Rentabilität sicherlich keine tragende Rolle spielen würden. Wie Sie gesehen haben, waren diese Annahmen falsch.

ABBILDUNG 6-5:

Die *ROC*-Matrix

KOPF	HERZ
INTEGRITÄT	VERSÖHNLICHKEIT
Die Wahrheit sagen	Sich eigene Fehler nachsehen
Stets im Einklang mit den eigenen Prinzipien, Werten und Überzeugungen handeln	Anderen ihre Fehler nachsehen
Für das Richtige eintreten	Das Richtige betonen, nicht das Fehlerhafte
Versprechen halten	
VERANTWORTUNGSBEWUSSTSEIN	EMPATHIE
Zu seinen Entscheidungen stehen	Einfühlungsvermögen beweisen
Fehler und Misserfolge eingestehen	Freiräume schaffen
Interesse am Gemeinwohl zeigen	Sich aktiv um andere kümmern
	Andere in ihrer Entwicklung unterstützen

Die Faktoren, auf denen die Organisationsdynamik beruht (Zusammenarbeit, Innovation, Anpassungsfähigkeit, Teamarbeit, Kommunikation), sind unauflöslich mit den Aspekten verflochten, die für

Mitarbeiterengagement sorgen (Respekt, Fairness, Zuwendung und Unterstützung, Vertrauen in das Management). Letztere sind mehrheitlich direkt mit den charakterlichen Gewohnheiten gekoppelt, die das Herz betreffen. Virtuose Führung und die damit erzielten Ergebnisse sind dann am stärksten, wenn das Führungsteam sich an allen vier Prinzipien der *ROC*-Matrix orientiert und seine Entscheidungen, Maßnahmen und charakterlichen Schlüsselgewohnheiten von Kopf und Herz gleichermaßen angeleitet werden.

In diesem Kapitel haben wir die Tragweite des *ROC*-Effekts ausgelotet und festgestellt, wie der *Return on Character* über einzelne CEOs, Mitarbeiter, Unternehmen und den Markt hinaus in die Gesellschaft hinein ausstrahlt und sogar eine globale Wirkung haben kann. Was aber können wir mit dieser Erkenntnis anfangen? Wir alle sind das Produkt unserer Gene und unserer Vergangenheit. Unsere Natur, Erziehung und Ausbildung, Mentoren, Karriereentwicklung und andere Lebenserfahrungen prägen unser Verständnis von Führung und ihrer Bedeutung. Doch wie alles Leben um uns herum tragen wir auch das Potenzial für kontinuierliches Wachstum und lebenslange Weiterentwicklung in uns. Unsere Vorstellungen von Führung müssen nicht erstarren wie eine Fliege im Bernstein, für die die Zeit stehengeblieben ist und die für immer in der Vergangenheit gefangen ist. Wir können die Ergebnisse der *ROC*-Studie nutzen, um neue Ideen, neue Prozesse und neue Charaktergewohnheiten zu entwickeln, die unsere Führungskompetenz auf der Charakterkurve weiter nach oben bringen können. Dadurch können wir mehr Zufriedenheit bei unserer eigenen Arbeit erreichen und ein stärker erfüllendes, motivierendes und produktiveres Arbeitsklima für alle schaffen, die für uns und mit uns zusammenarbeiten und obendrein schwarze Zahlen schreiben. Das alles ist der wahre Maßstab für *ROC*, von dem wir alle profitieren.

Im dritten Teil setzen wir die *ROC*-Ideen in die Praxis um, damit Sie für sich persönlich und im Berufsleben jene größeren Ergebnisse erzielen können, von denen Sie hier gelesen haben. Machen Sie nun den Schritt in den Kreis von Führungskräften, die ihren Erfolg auf die Prinzipien des *ROC* gründen und verabschieden Sie sich von althergebrachten Führungsstrategien. Entscheiden Sie zuerst, in welchem Bereich Sie an sich selbst arbeiten wollen. Suchen Sie sich die Ziele für Ihre zukünftigen

Charaktergewohnheiten aus, die Sie inspirierend finden, und eignen Sie sich die Praktiken an, mit denen Sie diese Ziele realisieren können. Präsentieren, lancieren und realisieren Sie den neuen Führungsansatz im gesamten Unternehmen und verändern Sie es damit von Grund auf.

ZUSAMMENFASSUNG:

Der *ROC* als Gewinn für alle

1. **Charakter ist wichtig.** Die Daten aus der *ROC*-Studie belegen, dass von virtuosen CEOs und Führungsteams geleitete Unternehmen einen einzigartigen Wettbewerbsvorteil genießen.
2. **Der *ROC*-Effekt auf das Ergebnis ist real und substantiell.** Die Daten machen zweifelsfrei deutlich, dass virtuose CEOs eine fast fünfmal so hohe Gesamtkapitalrentabilität erwirtschaften wie ichbezogene CEOs.
3. **Virtuose CEOs und ihre Teams schaffen eine hochengagierte Mitarbeiterschaft, die Kunden mehr Wert bieten.**
4. **Unternehmen unter virtuoser Führung haben solidere Kundenbeziehungen und zufriedenere Kunden.**
5. **Die charakterlichen Schlüsselgewohnheiten virtuoser Führungskräfte führen zu verantwortungsvolleren Entscheidungen in der Organisation und machen Unternehmen zu besseren Corporate Citizens.** Die *ROC*-Studie zeigt, dass Organisationsentscheidungen und Führungsverhalten wesentliche Auswirkungen auf die umgebenden Gemeinschaften und die Umwelten haben können.
6. **Im Zusammenspiel bewirken diese Einflüsse eine Ausstrahlung des *ROC-Effektes*, dessen Nutzen sich weit über die Grenzen des Unternehmens und seiner operativen Tätigkeit erstrecken kann.**

Teil III

Der *ROC*-Workshop – Gewohnheiten verändern

7

Der Weg zur virtuosen Führungskraft

Als spontane Reaktion auf die Forschungsergebnisse von KRW zum Führungscharakter höre ich oft: *»Das ist alles gut und schön, doch beim Erwachsenen ist die Charakterbildung abgeschlossen: Da ist nichts mehr zu machen.«* Meine Antwort ist dann stets ein ruhiges, aber verbindliches: *»Doch, das ist möglich!«* Davon bin ich überzeugt, weil ich schon so oft erlebt habe, wie sich Erwachsene erfolgreich der Herausforderung gestellt haben, ihren Charakter zu verbessern. Und nicht nur das: Ich habe auch gesehen, wie viel glücklicher, erfüllter und erfolgreicher ihr Leben dadurch wurde.

Im zweiten Kapitel haben wir darüber gesprochen, wie sich der Charakter eines Menschen entwickelt, und in allen folgenden Kapiteln ging es darum, wie der Charakter im Verhalten zum Ausdruck kommt. Am direktesten äußert sich der Charakter im Umgang mit anderen. Dieser Umgang basiert auf lange bestehenden Mustern charakterlicher Gewohnheiten. Wie schon gesagt, ist das die beste Nachricht des ganzen Buches. Denn der Mensch kann seine Gewohnheiten beeinflussen und verändern, und das gilt auch für Charaktergewohnheiten.

ABBILDUNG 7-1:

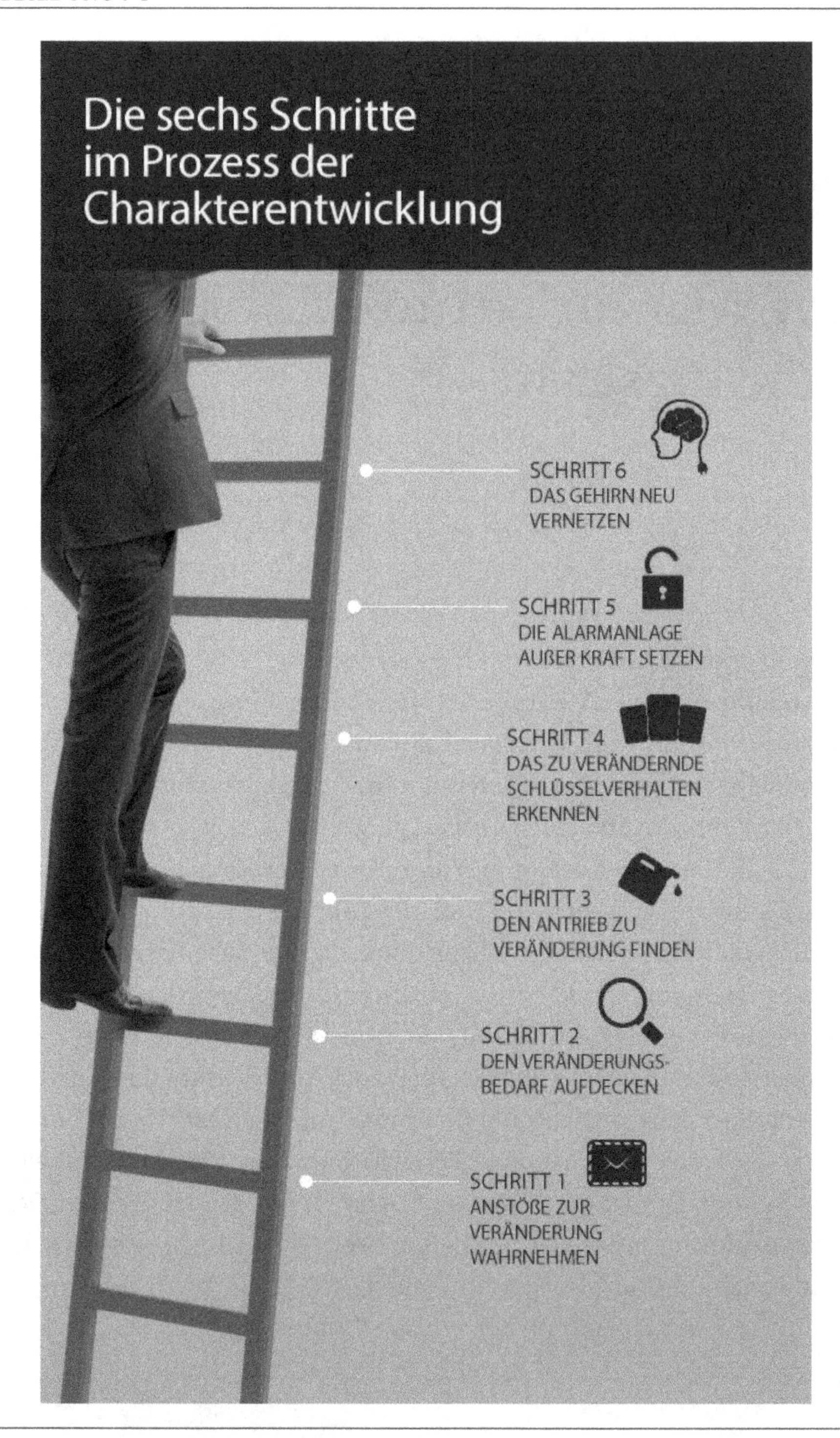

Im vorliegenden Kapitel gehen wir über die Vergewisserung, dass Sie Ihren Charakter ändern können, hinaus und führen Sie durch einen durchdachten und sehr leicht durchführbaren Prozess, wie Sie diese Veränderung in sechs Schritten bewältigen können (siehe Abbildung 7-1). Sie dürfen dabei keinen Schritt auslassen. Sie müssen alle Schritte der Reihe nach abarbeiten und dürfen erst dann zum nächsten übergehen, wenn der vorangegangene geschafft ist. Um Sie im Prozess der persönlichen Veränderung zu unterstützen, gibt es zu jedem Schritt ein eigenes Ablaufdiagramm, mit dem Sie überprüfen können, ob Sie alle Voraussetzungen für den nächsten Schritt erfüllen. Ich erkläre diesen Prozess aber auch anhand eines anschaulichen Beispiels, das gleichsam als Anleitung für die persönliche Entwicklung dienen kann.[72]

Abbildungen und Ablaufdiagramme können natürlich nicht die Verwirrung, Angst, Freude und Euphorie wiedergeben, die mit der zutiefst persönlichen Erfahrung der eigenen Charakterentwicklung einhergehen. Doch der sechsstufige Prozess der Charakterentwicklung läuft im Grunde sehr strukturiert ab. Sie können sich diesen Prozess als Übung vorstellen, die den ganzen Menschen einbezieht: Logik und Intuition, Verstand und Gefühl. Manche beschreiben ihre Charakterentwicklung auch als spirituelle Erfahrung. Vielleicht empfinden Sie das ähnlich. Vielleicht ist es für Sie aber eher ein tägliches Trainingsprogramm, das schnell zur Routine wird. Diese Übung kann auch zu einem sehr wichtigen Erlebnis und sogar zu einem Wendepunkt in Ihrem Leben werden.

Ein persönlicher Entwicklungsprozess ist, wie der Name sagt, etwas sehr Persönliches. Wenn Sie Gewohnheiten ändern, die Ihren Charakter ausmachen, ist das ein Unterfangen, das Sie als Mensch in ihrem Innersten berührt. Eine solche Veränderung ist weder rasch noch leicht zu vollziehen. Doch die investierte Zeit und Mühe zahlen sich aus. Die Entwicklung eines starken, an klaren Grundsätzen orientierten Führungscharakters hilft Ihnen in allen Lebenslagen: bei Entscheidungen, in Beziehungen, bei der Zielsetzung, bei der Konfliktlösung, bei der privaten und beruflichen Erfüllung und in vielen anderen Situationen. Natürlich geht das nicht ohne harte Arbeit. Doch wann kommt man im Leben schon wesentlich weiter, ohne etwas dafür zu tun?

Viele Führungskräfte vermeiden solche Prozesse und tun sie als zu psychologisch oder esoterisch ab. Im Gegensatz zu diesen Vorstellungen beruhen die sechs Schritte zur Charakterentwicklung auf neurowissenschaftlichen Erkenntnissen und werden von seriösen Forschungsergebnissen über den Ablauf von Entwicklungsprozessen gestützt. KRW hat diesen Prozess nicht erfunden. Doch auf der Grundlage meiner psychologischen Ausbildung und meiner langjährigen Erfahrung in der Unterstützung von Menschen und Organisationen in Veränderungsprozessen bin ich der Auffassung, dass er ein einfaches, praktisches Modell für das weit verbreitete Streben nach persönlicher Entwicklung und Veränderung darstellt. Und ich bin mir sicher, dass Sie mir zustimmen werden, wenn Sie dieses Kapitel zu Ende gelesen haben.

Schritt 1: Anstöße zur Veränderung wahrnehmen

Mark war fassungslos. Noch vor einer Stunde hatte er sich großartig gefühlt. Er hatte sich regelrecht auf das Einzelgespräch mit seinem Chef und CEO gefreut. Schließlich wusste er, dass er in der engeren Auswahl für die Beförderung zum Leiter des größten Unternehmensbereichs stand, ein Karriereschritt, der allen signalisierte, dass der Betreffende ein ernst zu nehmender Anwärter auf den CEO-Posten war.

Keine Stunde später war der Traum geplatzt. Mark hatte schon ein seltsames Gefühl beschlichen, als sein Chef Michael das Gespräch leicht verlegen begann. Aber der schwerste Schlag kam, als Michael ihm eröffnete: *»Mir ist klar, dass Sie jetzt gern von mir hören möchten, dass ich Sie zum Präsidenten unseres wichtigsten Unternehmensbereichs befördere, aber ich habe mich entschlossen, Carol auf diesen Posten zu berufen.«* Von dem, was Michael dann noch sagte, drang Mark nicht mehr viel ins Bewusstsein. Er erinnerte sich nur noch, wie Michael sagte, er glaube nicht, dass Marks Kollegen gern unter ihm als Chef arbeiten würden. Später saß Mark wieder in seinem Büro – allein, verwirrt, verletzt und wütend – und versuchte verzweifelt zu verstehen, was gerade passiert war.

Was Mark damals nicht bewusst war: Er hatte gerade eine Aufforderung erhalten – einen Anstoß zum ersten Schritt im Prozess der

Charakterentwicklung. Hätte jemand Mark seinerzeit gesagt, das sei ein Geschenk, er hätte es nicht geglaubt.

Doch wenn wir durch eine unwiderlegbare Tatsache damit konfrontiert werden, wie andere unser Verhalten und unseren Charakter wahrnehmen, dann ist das ein Geschenk. Ein Geschenk, das für uns eine Herausforderung sein kann, mit der wir zunächst nicht umzugehen wissen. Angesichts der Erkenntnis, dass wir unser Leben oder unsere Beziehungen mit unserer gewohnten Vorgehensweise nicht mehr im Griff haben, stellen wir womöglich fest, dass wir über keinen Plan B verfügen. Doch jeder Anstoß zur Veränderung ist für einen Menschen immer auch eine Gelegenheit, reifer und integrierter zu werden.

Viele Führungspersonen sind früher oder später unglückliche Empfänger eines solchen »Anstoßgeschenkes«. Denn Leben heißt, immer wieder aufs Neue Veränderung zu erfahren. Wir wissen aus den Vorkapiteln, dass der innere und äußere Entwicklungsweg zum integrierten Menschen oft herausfordernd und holprig ist. Auf diesem Weg stoßen wir auf viele Hindernisse, die in Wirklichkeit oft nur eine verkappte Notwendigkeit (oder Gelegenheit) für Veränderung darstellen. Solche Gelegenheiten sind gewöhnlich kein Spaziergang. Häufiger erleben wir solche Anstöße zur Veränderung als drastischen Richtungswechsel oder heftige Erschütterung.

Solche Momente eines unerwarteten Anstoßes waren auch schon in spektakulärer Weise auf der öffentlichen Bühne zu verfolgen. Tim Armstrong, CEO von Patch (einer Tochtergesellschaft von AOL), fand seine Aufforderung zur Veränderung beispielsweise auf YouTube verewigt. Armstrong hielt sich in einem überfüllten Konferenzsaal bei einer Betriebsversammlung auf, an der Hunderte von Patch-Mitarbeitern persönlich oder virtuell teilnahmen. Im Vorfeld hatte er angekündigt, er werde auf dieser Versammlung vertrauliche und möglicherweise umstrittene Pläne für das Unternehmen vorstellen. Er hatte seine einleitenden Worte noch nicht beendet, als er bemerkte, dass Abel Lenz, Creative Director in seinem Führungsteam, die Sitzung mit seinem Smartphone filmte. Spontan und unüberlegt zeigte Armstrong auf Lenz und stieß wütend hervor: *»Abel, leg sofort die Kamera weg. Abel, du bist gefeuert!«*

Natürlich verbreitete sich der Vorfall innerhalb von Minuten viral auf YouTube. Zwei Tage später entschuldigte sich Armstrong, holte Lenz aber nicht zurück. Wie zu erwarten, lief Armstrongs Entschuldigung vor allem ins Leere, da er sie in Ausflüchte verpackte.[73] Wir wissen natürlich nicht, welche persönlichen Ängste Armstrong nach dem Vorfall ausstand, doch die meisten von uns hätten sich vermutlich gefragt: »Warum habe ich das getan? Wieso habe ich Abel nicht in aller Ruhe gebeten, seine Kamera abzuschalten, und die Sitzung dann fortgesetzt? Ich hätte ihn ja danach in mein Büro zitieren und ihn unter vier Augen entlassen können, ohne diese peinliche Szene.« Doch das ist die Eigenart solcher Anstöße zur Veränderung. Wir reagieren spontan, aus dem Moment heraus und nur selten erlauben die Umstände, dass wir uns erst im Nachhinein damit auseinandersetzen. Wenn wir an unsere Grenzen stoßen und merken, dass die Art, wie wir die Welt sehen und mit ihr umgehen, nicht mehr funktioniert, können wir nicht einfach stehenbleiben oder die Zeit zurückdrehen. Vielmehr müssen wir einen anderen Weg finden, wie es weitergeht.

Die meisten von uns haben in ihrem Leben schon ähnliche Erfahrungen gemacht. Ein Anstoß zur Veränderung kann viele Formen haben:

- Ein unangenehmes Feedback von Kollegen und/oder von Vorgesetzten.
- Ein unkontrollierter Gefühlsausbruch, wie Angst, Wut oder Trauer, der sich vor den Augen aller Anwesenden entlädt.
- Ein vages, doch beständiges Gefühl der Sinn- oder Zwecklosigkeit des eigenen Lebens.
- Ein neues Ziel oder ein neu eingeschlagener Weg, die es nötig machen, dass Sie Ihrem Charakter neue Tiefe geben oder sich neue Gewohnheiten oder Verhaltensweisen aneignen.

Natürlich ist nicht jeder Anlass zur Veränderung so unerfreulich. Vielleicht fangen Sie den Prozess der Charakterentwicklung ja nur deshalb an, weil Sie Ihr Leben zum Positiven verändern, ihm mehr Sinn geben oder ein Vermächtnis schaffen möchten. Vielleicht inspiriert Sie eine kritische Selbstbetrachtung zu einem neuen, richtungsweisenden Lebensziel. Oder Sie haben einen Punkt erreicht, an dem eine Veränderung, die Sie zuvor für unmöglich hielten, plötzlich unvermeidlich ist. Wie es etwa einer schwangeren Frau endlich gelingt, das Rauchen aufzugeben, was sie zuvor mehrmals erfolglos versucht hat.

ABBILDUNG 7-2:

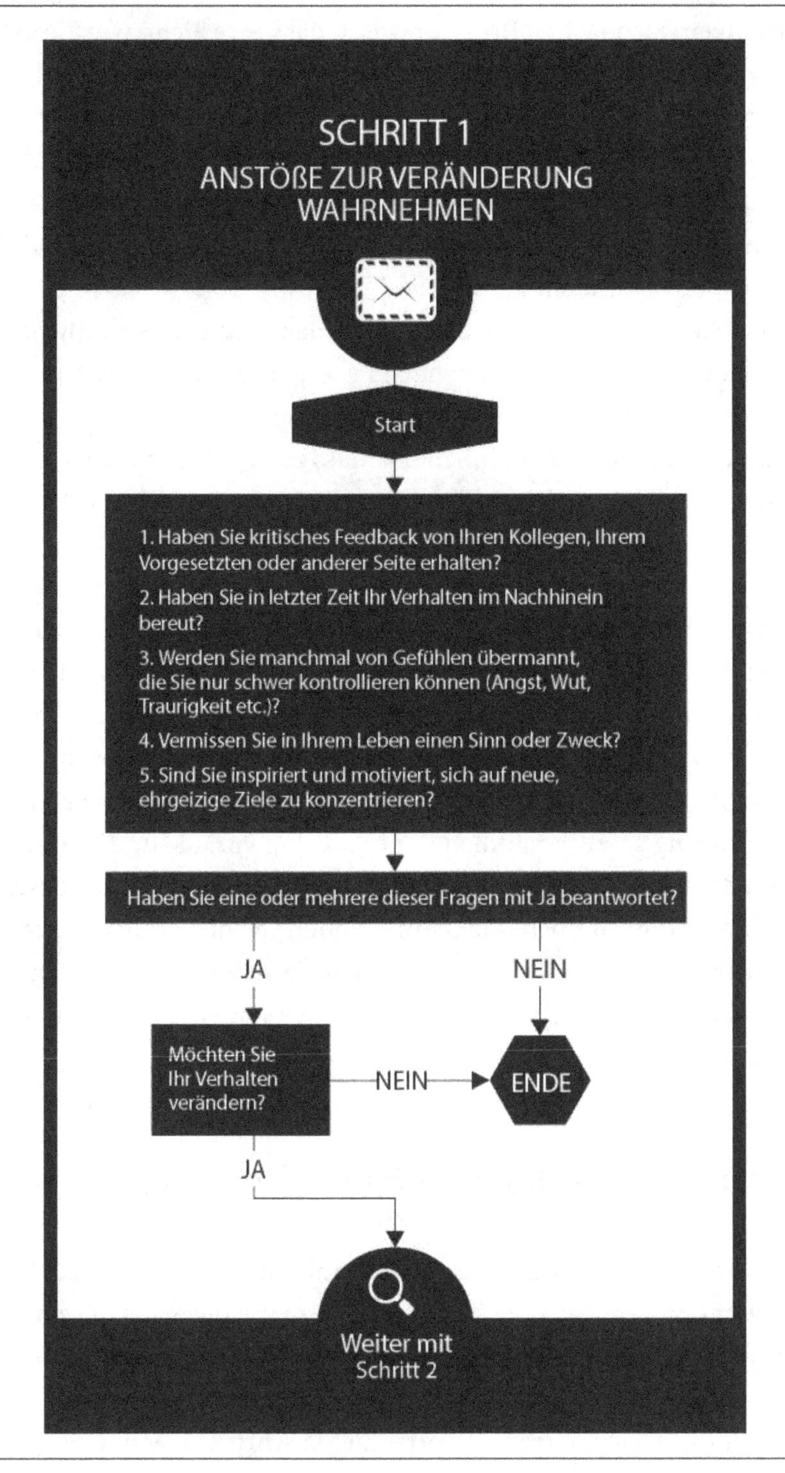

Ungeachtet ihres Ursprungs haben alle Anlässe zur Veränderung eine Gemeinsamkeit: Sie machen Ihnen bewusst, dass Ihre Sicht, wie Sie die Welt wahrnehmen und begreifen, unzulänglich ist und dass Sie an die Grenzen Ihrer persönlichen Integration gestoßen sind. Ihre bisherige Weltanschauung, Ihr geistiges Komplexitätsniveau oder auch Ihre Fähigkeit, so zu handeln, wie es mit Ihren zentralen Werten und Grundsätzen in Einklang steht, funktioniert nicht mehr, und Sie müssen für die Zukunft einen neuen Weg finden.

Haben Sie das erkannt und sind bereit, den Weg zur persönlichen Entwicklung einzuschlagen, dann haben Sie den ersten Schritt in diesem Prozess bereits abgeschlossen (siehe Abbildung 7-2).

Was auch immer Ihr persönlicher Anlass zur Veränderung ist, eins dürfen Sie nicht vergessen: Dieser Prozess ist ein unvermeidlicher Bestandteil der Erfahrungen, die wir im Leben machen, und er ist auch ein wesentlicher Schritt hin zur Entwicklung eines virtuosen Charakters. Manchmal leben wir über längere Zeit relativ ruhig und zufrieden. Doch das Leben geht weiter. Es mag uns statisch und immer gleich vorkommen, aber das stimmt nicht. Wir werden älter, Technologien entwickeln sich weiter, Institutionen kommen und gehen, weltpolitische Ereignisse lösen Veränderungswellen aus, die immer stärker auch uns betreffen. Eine erfolgreiche Lebensführung setzt persönliche Entwicklung voraus, und die Anforderungen, denen eine starke Führungsperson ausgesetzt ist, intensivieren diese Notwendigkeit noch. Manchmal finden solche Veränderungen ganz allmählich statt, doch häufiger vollziehen sie sich in ungeplanten Sätzen und Sprüngen. Unsere Aufgabe ist es, auf den Füßen zu bleiben und weiter vorwärts zu gehen.

Schritt 2: Veränderungsbedarf aufdecken

Zu merken, dass Sie etwas an sich selbst ändern müssen, um eine Charakterschwäche zu beheben oder ein neues Ziel zu verfolgen, ist die eine Sache. Herauszufinden, was Sie genau verändern sollten, eine ganze andere. »Ich möchte bei der nächsten Leistungsbewertung besser abschneiden«, ist zum Beispiel ein durchaus erstrebenswertes Ziel, beschreibt aber nur ansatzweise, was Sie verändern müssen, um dieses Ziel zu erreichen. Um Ihren Charakter als Führungskraft weiterzuentwickeln, müssen Sie sich genau im Klaren sein über die charakterlichen Diskrepanzen, die Ihrem Ziel virtuoser Führungskompetenz derzeit im Wege stehen. Die Ziele für seine Charakterbildung zu identifizieren erfordert, sich selbst sehr genau zu prüfen.

Ihnen wird nicht immer auf Anhieb klar sein, welche Aspekte Ihres Charakters Sie verändern müssen oder wollen. Selbst wenn Sie genau zu wissen glauben, welche Änderungen Sie vornehmen möchten, ist man immer gut beraten, sich dazu die Meinung eines Mentors, Beraters oder Freundes einzuholen, der Ihnen bei der gründlichen Analyse Ihres Charakters und der Aspekte behilflich sein kann, auf deren Entwicklung Sie sich konzentrieren möchten.

Mark hatte keinen solchen Mentor, als er bei der Vergabe des Chefpostens für einen globalen Unternehmensbereich übergangen wurde. Er hatte nie gedacht, dass er je einen Mentor brauchen würde. Bis dahin war Marks Leben bilderbuchmäßig verlaufen. Nach dem MBA-Abschluss an einer renommierten Business School war er in eine globale Unternehmensberatung eingetreten. Nachdem er 5 Jahre lang quasi rund um die Uhr gearbeitet und mehr Vielfliegermeilen gesammelt hatte als er verbrauchen konnte, wechselte er zu seinem aktuellen Arbeitgeber. Inzwischen hatte er sich verliebt, geheiratet und war zweimal Vater geworden. Mit anderen Worten: Mark hatte ein gutes Leben.

Doch nun musste er seinen ersten großen Misserfolg verkraften. Er schlief schlecht, und in ihm stiegen Erinnerungen an Erlebnisse hoch, an die er seit Jahren nicht gedacht hatte, sowohl in Träumen, die seinen Schlaf störten, als auch in Gesprächen mit seiner Frau und einem guten Freund. Wie die meisten von uns verfügte auch Mark von Geburt an über die nötige »Soft- und Hardware«, um sich zu einem integrierten Menschen hin zu entwickeln, wie es das im dritten Kapitel beschriebene Model aufzeigt. Nun aber musste er sich notgedrungen mit seinem äußeren und inneren Entwicklungsweg auseinandersetzen und über diesen nachdenken. Er musste seine Selbstwahrnehmung steigern und begreifen, wie er in diese Lage gekommen war.

Nach ein paar Wochen der Angst und Verwirrung war Mark bereit, sich auf diesen Analyseprozess einzulassen. Er bat um ein Gespräch mit

ABBILDUNG 7-3:

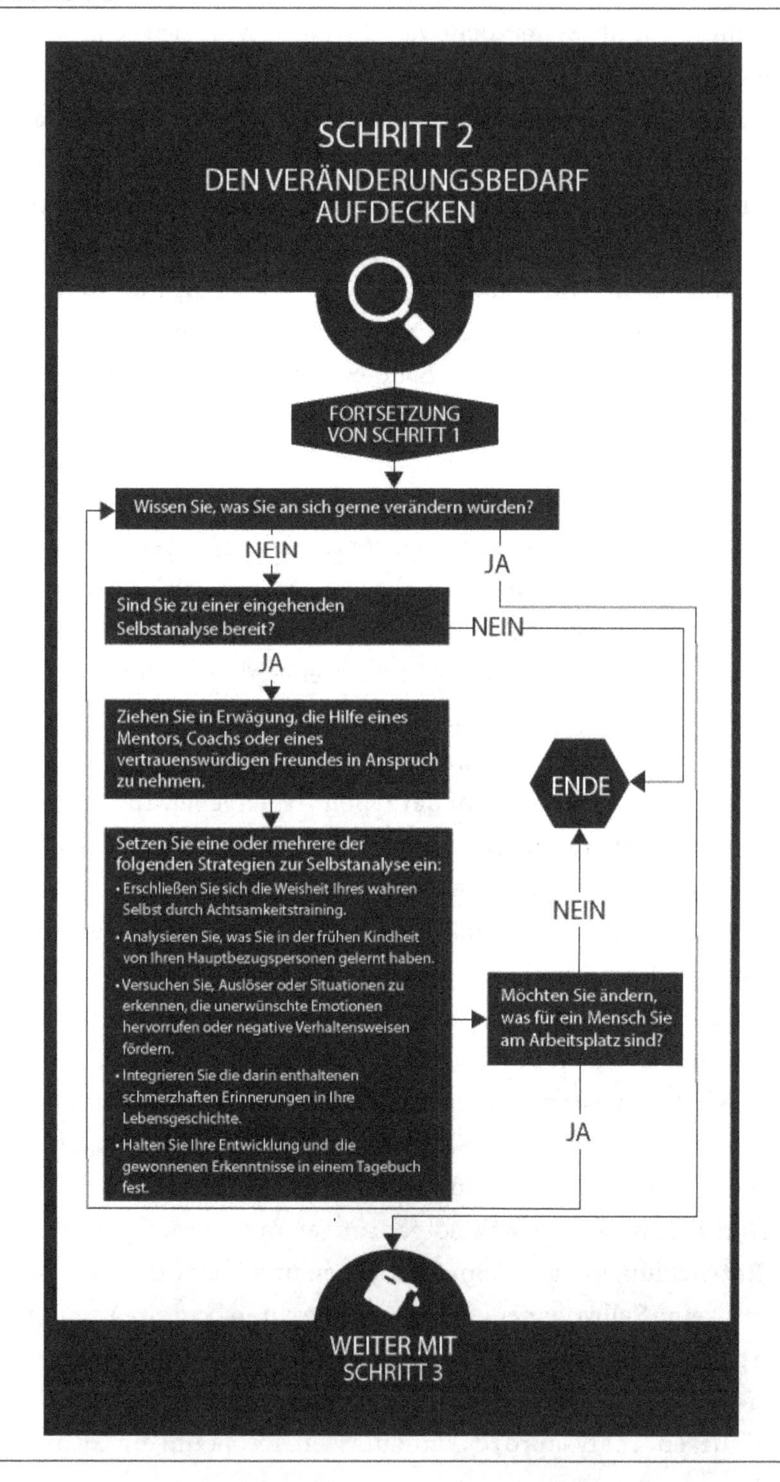

Michael, um die Gründe für Michaels Entscheidung zu erfahren (und diesmal wollte er ihm auch zuhören). Nach ein paar freundlichen Sätzen erklärte ihm Michael noch einmal, er habe befürchtet, dass mehrere wichtige Teammitglieder sich dagegen sperren würden, an Mark zu berichten. *»Hätte ich Ihnen diesen Job gegeben«*, erklärte Michael ihm, *»hätte ich damit rechnen müssen, ein paar der fähigsten Köpfe dieses Unternehmens zu verlieren.«*

Mark wusste, dass er manchmal ziemlich ruppig und vielleicht etwas zu direkt mit seinen Kollegen umging, doch er hatte bei ihnen auch ausgeprägtes Konkurrenzdenken wahrgenommen und vielleicht sogar heimlichen Neid auf seine offenkundigen Erfolge. Es war ihm aber nie in den Sinn gekommen, dass manche Kollegen eher kündigen würden, als ihn als Chef zu akzeptieren. Glücklicherweise war Michael bereit, in Marks Entwicklung zu investieren. Er erklärte sich damit einverstanden, einen Berater zu engagieren, um ihm bei der Entwicklung seiner Führungskapazitäten und -fähigkeiten zu helfen.

Die meisten von uns profitieren bei der kritischen Selbstbetrachtung von Beiträgen aus ganz unterschiedlichen Quellen. Aus Gesprächen mit unserem Vorgesetzten, unseren Kollegen, Freunden, Partnern und anderen wichtigen Bezugspersonen in unserem Leben können wir wichtige Informationen gewinnen, die uns helfen herauszufinden, welche Aspekte unseres Führungscharakters wir entwickeln müssen. Aus beiläufigen Unterhaltungen mit Gleichgestellten und tiefgehenden vertraulichen Interviews mit einem Berater können wir zu einer Einschätzung darüber kommen, wer wir sind (also die Stärke unserer Charaktergewohnheiten und die in unserem Verhalten zum Ausdruck kommende Weltanschauung) und was unser Führungsverhalten über unseren Charakter aussagt (wie diszipliniert wir Entscheidungen treffen und wie ausgeprägt unsere grundlegenden Führungskompetenzen sind). Solche konkreten Informationen brauchen wir, um blinden Flecken auf die Spur zu kommen und auch um klar zu sehen und zu verstehen, wie andere unsere Führung erleben und unseren Charakter im Alltag wahrnehmen.

Mark reagierte schockiert auf die Daten, die sein professioneller Berater zusammentrug. Er war immer der Ansicht gewesen, die ihm direkt unterstellten Mitarbeiter würden sich deshalb nie beschweren, weil sie mit seiner Führung zufrieden waren. Nun musste er erfahren, dass er die meisten einschüchterte und dass sie sich oft nicht trauten, ihm nicht das zu sagen, was er hören wollte. Allmählich ging Mark auf, warum er bei seinen Kollegen keinen Anklang fand. Viele beschrieben ihn als einen Menschen mit wenig Loyalität. Einer sagte: *»Mark würde mir ohne mit der Wimper zu zucken in den Rücken fallen, wenn er glauben würde, dass ihn das weiterbringt.«*

Mark befand sich in der gleichen Position wie viele, die am Anfang ihrer Charakterentwicklung stehen. Ziel dieses Prozessschritts ist es zu verstehen, welche konkreten charakterlichen Aspekte wir verändern müssen, und uns dann zum Handeln zu entschließen. Um diesen Schritt zu vollziehen, bieten sich verschiedene Strategien an (siehe Abbildung 7-3):

- Werte, Gewohnheiten und andere Lektionen über unser Verhalten, unsere Beziehungen, Macht und Führung auf den Prüfstand stellen, die wir uns irgendwann angeeignet haben, doch die uns möglicherweise keine guten Dienste mehr leisten.
- Die eigene Lebensgeschichte rekapitulieren und auch die schmerzhaften Momente integrieren, um ein klares, zusammenhängendes Bild entstehen zu lassen.
- Die eigenen Reaktionen auf alltägliche Geschehnisse in einem Tagebuch festhalten.
- Achtsamkeitstraining, Meditation oder eine andere tägliche Übung einsetzen, um mehr über sich selbst zu erfahren und das Wissen und die Erkenntnisse zu erschließen, die sich uns dadurch bieten.
- Situationen erkennen, die genau die Emotionen oder Verhaltensweisen auslösen, die wir ändern möchten.

Lassen Sie sich nicht von der Vorstellung abschrecken, Ihren Charakter auf den Prüfstand zu stellen und seine Unzulänglichkeiten und Defizite aufzudecken. Dieser Prozess mag zwar unbequem oder sogar schmerzhaft sein, aber er wird Ihnen nicht schaden. Ein gewisses Unbehagen ist nahezu Voraussetzung dafür, authentische Einblicke in destruktive oder sinnentleerte Verhaltensmuster zu gewinnen. Wie wir uns selbst und unseren Charakter wahrnehmen, entwickelt sich im Laufe des Lebens immer weiter. Mit der Zeit verliert dieser Prozess nicht nur seine Schärfe, sondern die bessere Selbstwahrnehmung vermittelt uns sogar mehr Selbstvertrauen und wir werden zufriedener mit unserem Leben.

Gehen wir nun etwas näher darauf ein, wie Sie die verschiedenen Möglichkeiten dieses nächsten Entwicklungsschrittes nutzen können.

Dem eigenen Charakter auf den Grund gehen

Wie wir im ersten Teil des Buches erfahren haben, ist unser Charakter der Ausdruck unserer moralischen Intuitionen, Motivationen, Gewohnheiten, Emotionen, logischen Überlegungen, Überzeugungen und kognitiven Kapazitäten in der Praxis. Aus dem dritten Kapitel wissen wir: Einer der ersten Meilensteine in der Charakterbildung einer Führungsperson ist es, den eigenen Werdegang als eine kohärente Lebensgeschichte zu begreifen. Der Einfluss der Bezugspersonen in Ihrer Kindheit und Jugend ist dabei ein entscheidendes Element. Durch die Analyse der Verhaltensmuster und Charaktergewohnheiten, die Ihnen diese Bezugspersonen vermittelt haben, erfahren Sie viel über sich selbst. Und je mehr Sie dabei über sich selbst erfahren, desto leichter fällt es Ihnen, ein aussagekräftiges Charakterprofil von sich selbst zu erstellen. Indem Sie diese grundlegenden, frühen Prägungen erforschen, können Sie eigene Charakterzüge ermitteln, die Ihnen im Weg stehen, beispielsweise wenn Sie zwischenmenschliche Bindungen eingehen, Ihre berufliche Ausrichtung wählen oder wenn Sie versuchen, sich selbst und Ihr Umfeld besser zu verstehen. Kurz, Sie müssen sich selber kennen, um sich weiterentwickeln zu können.

Zur Analyse frühkindlicher Erfahrungen mit Eltern und Bezugspersonen gibt es viele Studien. Dan Siegel, klinischer Professor für Psychiatrie an der UCLA School of Medicine, schreibt in *Mindsight: Die neue Wissenschaft der persönlichen Transformation* über »die Art und Weise, wie Beziehungen in der Kindheit die Muster der Innenwelt des Erwachsenen geformt und besonders das Toleranzfenster sowie die Reflexionsfähigkeit über das eigene Innere beeinflusst haben«.[74] Die folgenden, an Siegels Arbeit angelehnten Fragen[75] sollen Ihnen helfen, diesen Bereich Ihrer Lebensgeschichte unter die Lupe zu nehmen:

1. Wie war Ihre Kindheit?
2. Wie würden Sie Ihre Beziehung zu Mutter und Vater beschreiben?
3. Standen Ihnen als Kind noch andere Personen nahe?
4. Wer stand Ihnen am nächsten und weshalb?

5. Wie ließe sich Ihre Frühbeziehung zu Ihrer Mutter am besten beschreiben? Und zu Ihrem Vater? Zu anderen Bezugspersonen?
6. Könnten Sie das, was Sie gerade über diese Beziehungen geäußert haben, mit Erinnerungen illustrieren?
7. Wie war es für Sie als Kind, wenn Sie allein gelassen wurden, sich bedroht fühlten, aufgebracht waren oder Angst hatten?
8. Haben Sie als Kind einen Verlust erfahren? Wenn ja, wie war das für Sie und Ihre Angehörigen?
9. Wie haben sich Ihre Beziehungen im Lauf der Zeit entwickelt?

Warum, glauben Sie, haben sich Ihre Bezugspersonen gerade so verhalten und nicht anders?

Wenn Sie über all diese Fragen nachdenken, inwiefern haben sich Ihre ersten Erfahrungen auf Ihre Entwicklung im Erwachsenenalter ausgewirkt?

Um diese Analyse Ihrer Lebensgeschichte optimal zu nutzen, sollten Sie Ihre Antworten auf diese Fragen aufschreiben oder mit jemandem besprechen, dem Sie vertrauen.[76] Achten Sie dabei auf Einsichten, die Ihnen zeigen, wie sich Gewohnheiten und Überzeugungen, die Sie sich in der Kindheit angeeignet haben, auf Ihre Gegenwart auswirken.

Im Zuge dieses Prozesses erinnerte sich Mark, dass sich sein Vater gern damit brüstete, wie er seine Kollegen übervorteilte. Außerdem erinnerte sich Mark an ein schmerzliches Erlebnis auf der Highschool, als einer seiner besten Freunde ihn dazu animierte, sich bei der Klassensprecherwahl aufstellen zu lassen, und dann nur vier Tage vor der Abstimmung selbst antrat und gewann. Mark fiel wieder ein, wie er sich selbst geschworen hatte, vermeintlichen »Freunden« nie wieder so vertrauensselig zu begegnen. Außerdem hatte er für sich beschlossen, dass die Methode seines Vaters, stets zu versuchen Kollegen zu übervorteilen, eine gute Strategie war. Mark hatte sie übernommen, und sie hatte sich für ihn bezahlt gemacht – dann kam jener Tag in Michaels Büro.

Den Ursprüngen Ihres Charakters und Ihrer moralischen Gewohnheiten auf die Spur zu kommen, ist in vieler Hinsicht eine Grundvoraussetzung für die Erstellung einer schlüssigen Lebensgeschichte. Indem Sie die Entwicklung Ihrer Weltanschauung Stück für Stück zu einem klaren Bild zusammenfügen, finden Sie heraus, woher die negativen Vorstellungen, Gefühle oder Reaktionen kommen, in denen die Charakterzüge begründet sind, an denen Sie arbeiten wollen. Bedenken Sie bei der Suche nach dem Ursprung Ihres Charakters aber, dass es nicht darum geht, sich in längst vergangenem Schmerz zu verlieren oder Charakterfehler zu rechtfertigen. Ihr Ziel ist es, den Ursprung charakterlicher Diskrepanzen und Schwachstellen aufzudecken, um sie dann bewältigen zu können.

Kritische Situationen und Auslöser erkennen

Haben Sie schon einmal spontan Sympathie oder Antipathie für eine wildfremde Person empfunden, noch bevor Ihnen Informationen vorlagen, die eine solche Reaktion rechtfertigen würden? Sie kann durch etwas ganz Simples ausgelöst werden. Vielleicht hat die Person zufällig dieselbe Haarfarbe wie Ihr Ex-Mann oder spricht den Dialekt eines früheren Chefs, der Sie schikanierte, als Sie noch ganz am Anfang ihrer Karriere standen. Wenn Sie den Charakter einer virtuosen Führungskraft entwickeln möchten, müssen Sie in der Lage sein, Menschen, Situationen oder Ereignisse zu erkennen, die unbewusste negative Reaktionen auslösen, damit Sie solche instinktiven Reflexe künftig kontrollieren und sich davon freimachen können.

Unser Gehirn merkt sich in der Regel alles, doch wie Sie aus dem zweiten Kapitel wissen, speichern unser schnelles und unser langsames Denken Erinnerungen auf zweierlei Weise. Unser langsames Denken tut das bewusst. Wenn das passiert, wissen wir, was geschieht, und wir sind uns der Tatsache bewusst, dass etwas in unserem Gedächtnis abgelegt wird. Unser schnelles Denken speichert Daten im Unterbewusstsein, ohne dass wir es wahrnehmen. Manchmal sind unsere unbewussten Reaktionen durchaus hilfreich. Doch oftmals lösen sie Verhaltensweisen aus, die unangemessen, unproduktiv und für unsere Interaktionen und die angestrebten Ergebnisse schädlich sind.

Mit etwas Aufmerksamkeit kann man solche Situationen oder Ereignisse, die unbewusste Reaktionen auslösen, erkennen und sie vermeiden oder verändern. Indem Sie lernen, diese Auslöser wahrzunehmen und Ihre Reaktionen zu steuern, machen Sie einen ganz entscheidenden

Schritt in Richtung neuer Gewohnheiten und Verhaltensweisen, die Ihren Charakter maßgeblich verändern können.

Sie können damit anfangen, Ihre bisher unerforschten, automatischen Verhaltensweisen zu analysieren, indem Sie mit einem Freund oder Mentor Ihres Vertrauens sprechen. Durch solche Gespräche erkennen Sie früher oder später, welche Gefühle oder Situationen bei Ihnen negative Reaktionen auslösen. Darüber hinaus können Sie sich auch selbst beobachten und dabei bewusst auf charakterlich fixierte Auslöser und Fallstricke achten und anfangen sie zu unterbrechen. Dabei helfen Ihnen die drei folgenden Techniken:

1. **Achten Sie aufmerksam auf Ihre spontane Reaktion.** Eine relativ einfache Methode, um die Stärke charakterlicher Gewohnheiten rasch zu erkennen, ist die Beobachtung Ihrer spontanen Impulse oder Reaktionen bei Interaktionen mit anderen. Wenn Sie spontan ehrlich reagieren, zu Ihren Fehlern stehen und Verantwortung für persönliche Entscheidungen übernehmen oder wenn Sie sich in andere hineinversetzen und ihnen Fehler nachsehen können, verfügen Sie vermutlich über starke Charaktergewohnheiten. Stellen Sie aber fest, dass Sie normalerweise als erstes Ihre eigenen Interessen wahren und sich selbst schützen, ganz gleich wie sich Ihre Handlungen auf andere auswirken, dann besteht vermutlich Handlungsbedarf.
2. **Führen Sie über Ihre Entwicklung Tagebuch.** Es ist überraschend effektiv, die Ereignisse und Erkenntnisse schriftlich festzuhalten, die bei Ihrer Arbeit an der Analyse und Stärkung Ihres Charakters auftreten. Selbst wenn Sie nur stichpunktartig Beobachtungen, Konflikte, Ahnungen, offene Fragen, Missgriffe und Erfolge auflisten – versuchen Sie, täglich Aufzeichnungen über Ihren persönlichen Weg der Selbstprüfung zu führen.
3. **Achtsamkeitstraining praktizieren.** Achtsamkeit heißt, sich der eigenen Gedanken, Gefühle und Handlungen bewusst zu werden, ohne darüber zu urteilen. Achtsamkeitstraining gehört zu den bewährten Methoden der Lebensanalyse. An vielen betriebswirtschaftlichen Fakultäten wird Achtsamkeitstraining als Bestandteil der persönlichen Entwicklungsunterstützung für angehende MBAs

> angeboten. Das kann bei einfachen Entspannungsübungen beginnen. Sie beginnen ganz unten an den Füßen und arbeiten sich Stück für Stück im Körper nach oben. Dabei konzentrieren Sie sich achtsam auf die Entspannung einzelner Muskelgruppen bis hin zur Schädeldecke. Vielleicht wiederholen Sie das noch einmal. Achtsamkeitstraining kann auch in Form klassischer Meditation erfolgen. Dabei sitzen Sie entspannt mit geschlossenen Augen da und versuchen immer wieder, an gar nichts zu denken. Die Konzentration auf die Atmung ist eine Strategie, die viele Menschen beim Meditieren einsetzen. Viele finden auch, dass Laufen oder Joggen eine Form der Meditation ist und Achtsamkeit vermittelt. Auch viele Formen des Gebets, des Singens und liturgische Riten können zu Achtsamkeit führen. In Achtsamkeitsseminaren gewinnen die Menschen oft ein klareres Bewusstsein dafür, was sie sich vom Leben erhoffen, oder zumindest eine gewisse Klarheit über ein bestimmtes Thema oder Bedürfnis.[77]

Es kann Tage und Wochen dauern, seinen charakterlichen Gewohnheiten auf den Grund zu gehen und die unterbewussten Auslöser zu erkennen, die sie prägen, um dann herauszufinden, was man verändern will (und muss). Klarheit stellt sich nicht plötzlich ein. Bedenken Sie, dass die Entwicklung virtuoser Führungsqualitäten ein Weg ist, kein Ereignis. Wenn Sie Klarheit darüber gewinnen, was für ein Mensch Sie werden möchten und was für einen Führungscharakter Sie entwickeln möchten, formulieren Sie damit das Charakterziel, das jeden Schritt des vor Ihnen liegenden Prozesses bestimmt. Wie das Ablaufdiagramm für Schritt 2 angibt: Wenn Sie wissen, dass Sie die Verhaltensweisen ändern möchten, in denen Ihr Charakter Ausdruck findet, und wenn Sie auch wissen, welche Verhaltensweisen Sie ändern möchten, dann sind Sie bereit für den nächsten Schritt im Prozess der persönlichen Veränderung.

Schritt 3: Den Antrieb zu Veränderung finden

Den eigenen Charakter zu verändern ist harte Arbeit. Es verlangt eine Menge Energie und Entschiedenheit. Willenskraft allein reicht nicht. Wissenschaftler haben festgestellt, dass die Willenskraft eine sehr begrenzte Ressource ist, was wohl jeder weiß, der schon einmal versucht hat, abzunehmen.[78] Glücklicherweise gibt es noch ein anderes, verlässlicheres Energiereservoir, aus dem Sie schöpfen können, wenn Sie so tiefgreifende persönliche Veränderungen vornehmen möchten, wie wir sie in diesem Kapital ansprechen. Teil dieses Reservoirs ist, einen tieferen Sinn zu sehen: den Antrieb zu Veränderungen zu finden oder die Inspiration zum Erreichen eines charakterlichen Ziels.

Als ein Freund von mir erfuhr, dass andere ihm nicht immer glaubten, was er sagte, beschloss er, an der Charaktergewohnheit der Integrität zu arbeiten. Um die Kraft zu finden, dieses Ziel zu verfolgen, hielt er sich immer wieder vor, dass sich seine Kinder und Enkel an ihn erinnern sollten als einen »Mann, der zu seinem Wort stand«. Dieses Ziel war ihm sehr wichtig, und jedes Mal, wenn er daran dachte, gab ihm das neue Kraft.

Wenn Sie sich in dieser Weise bereits ein bedeutsames, inspirierendes Charakterziel gesetzt haben, dann haben Sie Schritt 3 des Prozesses zur Charakterentwicklung abgeschlossen. Haben Sie noch kein Charakterziel gefunden, das stark genug ist, um Sie zu der vor Ihnen liegenden harten Arbeit zu motivieren, können Sie das Ablaufdiagramm aus Abbildung 7-4 heranziehen, um sich durch Schritt 3 des Veränderungsprozesses führen zu lassen.

Wie das Ablaufdiagramm zeigt, sollten Sie zunächst Ihre persönliche Vision aufschreiben. Beschreiben Sie den Charakter, den Sie gerne haben möchten, den Menschen, der Sie sein möchten oder die Führungskraft, die Sie werden möchten. Wenn wir erstmals Führungsverantwortung übernehmen, haben wir meist schon eine gewisse Erfahrung darin, für unser Unternehmen oder unsere Unternehmenseinheit eine Mission und Ziele so zu formulieren, dass sie andere dazu inspirieren, ihr nachzustreben. Jetzt ist es an der Zeit, diese Kompetenz dafür einzusetzen, um für Sie selbst und Ihre eigene Charakterbildung ein visionäres Ziel zu formulieren. Das ist ein sehr persönlicher Prozess. Sie können sich dazu natürlich die Unterstützung eines Freundes, Mentors, Kollegen oder Beraters holen, doch bei der Erschaffung dieser Vision zählt eigentlich nur ihre eigene Sicht.

ABBILDUNG 7-4:

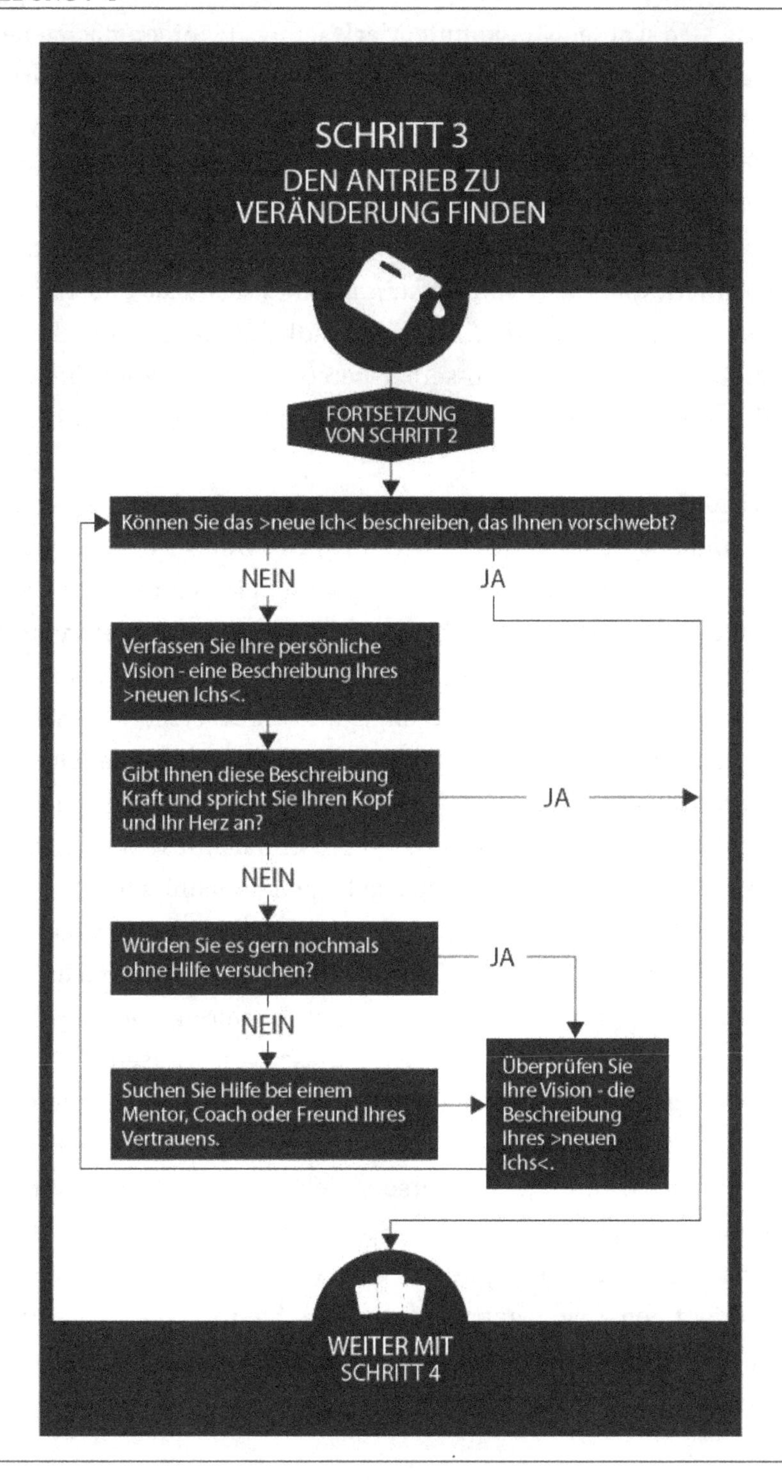

In dieser Phase stellte Marks Berater ihm die Aufgabe zu beschreiben, wie er künftig sein wollte. Nun konnte Mark seinen Träumen nachgehen. Er konnte sich selbst die Führungskraft vorstellen, die er gerne wäre, und beschreiben, wie das Leben für ihn sein würde, wenn er die nötigen Charakterveränderungen vollzogen hätte, um dieses Ziel zu erreichen. *»Ich möchte die Menschen sowohl dadurch inspirieren, wie ich bin, als auch durch meine geschäftliche Kompetenz«*, schrieb Mark. *»Ich muss nicht unbedingt immer der Klügste von allen sein, sondern ich möchte jemand sein, den andere respektieren und mit dem sie gern zusammenarbeiten.«* Die mündliche und schriftliche Auseinandersetzung mit der Vision seiner persönlichen Veränderung verlieh Mark Energie und Begeisterung. Er konnte spüren, dass er auf dem richtigen Weg war.

Die Vision vom »neuen Ich« aufzuschreiben kann durch nichts ersetzt werden. Vielleicht haben Sie ja ein ganz klares Bild Ihres Charakterziels vor Ihrem geistigen Auge. Oder Sie haben einem Freund oder Mentor Ihres Vertrauens genau beschrieben, welche persönlichen Veränderungen Sie anstreben möchten. Dennoch müssen Sie sie aufschreiben, um sie sich wirklich zu eigen zu machen und engagiert umzusetzen. Betrachten Sie das als einen Charaktervertrag, den Sie mit sich selbst schließen.

Um Ihre Gedanken in diesem Schritt zu ordnen, können Sie auf die Vorkapitel zurückgreifen und sich noch einmal mit den Dimensionen des integrierten Menschen, den charakterlichen Schlüsselgewohnheiten virtuoser Führungspersonen und den Verhaltensweisen und Merkmalen befassen, in denen sie sich manifestieren. Ihr Ziel ist dabei nicht, einfach die Ideen, Praktiken und Charakterzüge zu kopieren, von denen Sie lesen. Doch wenn Sie sich noch einmal mit diesen Ideen auseinandersetzen, kann Ihnen das helfen, die Elemente Ihres idealen Selbst zu erkennen.

Wenn Sie Ihre persönliche Vision verfassen, sollten Sie Ihre Formulierungen sich selbst und/oder der Person, die Sie sich zu Hilfe geholt haben, immer wieder (auch laut) vorlesen. Spüren Sie, wie Ihnen die Beschreibung Kraft und Inspiration gibt – so wie es bei Mark war –, dann sind Sie auf dem richtigen Weg. Andernfalls müssen Sie Ihre Vision wie die Mission für Ihre Organisation solange überarbeiten, bis Sie für Ihr ganz persönliches Ziel den richtigen Ton treffen.

Machen Sie sich klar, dass Sie vielleicht nie eine endgültige Vision formulieren werden. Streben Sie ruhig nach Höherem, indem Sie alle Ideen Ihrer Idealvorstellung von sich selbst verinnerlichen, die Ihnen in der Entwicklung zu dem Menschen, der Sie sein möchten, begegnen. Ihre Vision darf sich ruhig erweitern und verändern, wenn Sie eingehender über Ihren Charakter und seine gewünschte Entwicklungsrichtung nachdenken.

Genauso machte es Mark. In Gesprächen mit seinem Berater, einem engen Freund, seiner Frau und mit Michael beschrieb er unterschiedliche Versionen seiner selbst. Hier die Motive, die sich in allen diesen Versionen wiederholten:

- Mark wollte ein integrer Mensch werden, der dafür geachtet wurde, dass er die Wahrheit sagte und Versprechen hielt.
- Er wollte ein versöhnlicher Mensch werden, der sich selbst und anderen Fehler nachsehen konnte.
- Er wollte ein empathischer Mensch werden, der andere inspirierte, indem er sie in ihrer persönlichen Entwicklung aktiv unterstützte, sowie durch seinen Wunsch, »die Welt zu verbessern«.
- Er wollte ein verantwortungsvoller Mensch werden, mit einer größeren Entscheidungsfähigkeit und als besserer Teamleiter.
- Und er wollte immer noch eines Tages CEO werden.

Auf Ihrer Liste stehen vielleicht ganz andere Dinge, doch sie sollte einen ähnlichen, vollständig integrierten Menschen beschreiben, dessen Kopf und Herz im Streben nach einem starken Führungscharakter in Einklang stehen. Denken Sie schon beim Schreiben Ihrer Vision daran, dass Sie diese jederzeit aktualisieren und überarbeiten können (und sollten), wenn Sie neue Facetten oder Tiefen des Charaktertyps entdecken, den Sie entwickeln möchten, und bei der Art von Mensch, der Sie werden möchten. Erfüllt Sie Ihre Charaktervision beim Lesen mit einem aufgeregten Kribbeln, mit Inspiration und vielleicht sogar mit ein bisschen Nervosität, dann haben Sie Schritt 3 erledigt und sind bereit, zum nächsten Schritt im Prozess der Charakterentwicklung überzugehen.

Schritt 4: Die Schlüsselveränderung erkennen

Vielleicht haben Sie ja zum neuen Jahr schon einmal einen Vorsatz gefasst, der Sie motiviert hat – ein Ziel, bei dem sich der Gedanke, es zu erreichen, ganz großartig anfühlte. Leider bleibt es meist bei dem Vorsatz. Aus dem einfachen Grund, dass wir selten eine klare Vision von der Realisierung der Ziele entwickeln, die wir uns gesetzt haben. Die Fokussierung auf diese Vision ist der nächste Schritt im Prozess der Charakterentwicklung. Für diesen Schritt müssen Sie die Schlüsselveränderung erkennen, die am meisten zum Charakter einer virtuosen Führungskraft beiträgt.

Wir haben in diesem Buch schon mehrfach über solche wesentlichen Faktoren gesprochen: Schlüsselkompetenzen der Führung, charakterlichen Schlüsselgewohnheiten und mehr, denn sie verleihen der Herausbildung des Führungscharakters enorme Impulse, indem sie die Entwicklung anderer, nicht minder wesentlicher Kompetenzen und Gewohnheiten fördern. Ihrem persönlichen Wandel können Sie einen ähnlichen Schub verleihen, indem Sie die Schlüsselveränderung ermitteln, die, wenn sie erst vollzogen ist, viele weitere positive Verhaltens- und Charakteranpassungen mit sich bringt.

Vielleicht nehmen Sie bei der Umsetzung Ihrer Vision von charaktergesteuerter Führung Dutzende von Veränderungen vor. Aber um festzustellen, welches Ihre Schlüsselveränderung ist, sollten Sie Ihre Charakterziele mit den charakterlichen Schlüsselgewohnheiten abgleichen, und mit den Verhaltensweisen, in denen sie sich manifestieren, wie in der *ROC*-Matrix angegeben. Nehmen wir beispielsweise an, Sie wollen Ihrer Organisation stärker positive Energie verleihen. Ein Blick auf die *ROC*-Matrix zeigt Ihnen, dass Sie Ihren Charakter in ganz verschiedener Hinsicht anpassen könnten, um diesem Ziel gerecht zu werden:

Sie können an sich arbeiten, um aufgeschlossener auf Veränderungen zu reagieren, andere um Hilfe zu bitten und ihre Ideen besser anzunehmen – um sich als Führungskraft mehr Empathie anzueignen.

Vielleicht müssen Sie sich Ihrer defensiven Motive stärker bewusstwerden und sich zurückhalten, wenn Sie neue Ideen anderer reflexartig zurückweisen wollen – um als Führungskraft mehr Integrität zu entwickeln.

Möglicherweise müssen Sie auch die pessimistischen Tendenzen des schnellen Denkens abblocken oder an Ihrer Fähigkeit arbeiten, abstrakt über Produkte oder Prozesse zu denken, sodass Sie sich eine breitere Palette an Möglichkeiten vorstellen können – und dadurch eine verantwortungsbewusstere Führungskraft werden.

Oder Sie müssen lernen, sich selbst und anderen Fehler zu verzeihen und sich darauf zu konzentrieren, was die Organisation aus Fehlern lernen kann – um eine versöhnliche Führungskraft zu werden.

Wenn Sie diese Liste durchgehen, kommen Sie vielleicht zu dem Schluss, dass die meisten Möglichkeiten sich zu verändern, die Sie notiert haben, etwas mit der Bewältigung von Versagensängsten zu tun haben. Vielleicht beschließen Sie daher für sich, dass die Schlüsselveränderung ein gelassenerer Umgang sowohl mit den eigenen Fehlern als auch mit den Fehlern der anderen ist. Die Fähigkeit, Fehler als Lernerfahrungen zu betrachten statt als peinliche Misserfolge. Ihre Schlüsselveränderung ist dann, Fehler als unvermeidbar zu akzeptieren. Sie lernen, sich damit abzufinden und daran zu wachsen, statt sich und andere abzustrafen. Schließlich sind wir alle nur Menschen. Wenn Sie als Führungskraft mehr Versöhnlichkeit entwickeln, werden Sie gleichzeitig empathischer, verantwortungsbewusster und zeigen mehr Integrität, denn dann animieren Sie die Menschen um sich herum, innovativ zusammenzuarbeiten ohne Angst vor Schuldzuweisungen, wenn Fehler passieren, was kaum zu vermeiden ist.

Bei der Suche nach Bereichen, in denen Sie Ihren Charakter entwickeln könnten, sollten Sie Ihre Optionen nicht einengen. Doch ganz gleich, wie lang Ihre Liste am Ende ist: Ihre Aufgabe in diesem Prozess ist, die »eine große Sache« ausfindig zu machen, die Schlüsselverhaltensänderung, die am meisten zur Umsetzung Ihrer Vision von virtuoser Führung beiträgt.

Im Ablaufdiagramm für Schritt 4 (Abbildung 7-5) sehen Sie: Wenn Sie Probleme haben, Ihre Schlüsselveränderung zu identifizieren, können Sie sich immer Hilfe von Personen Ihres Vertrauens holen, von einem Mentor, Freund oder Berater, mit dem Sie den Prozess durchsprechen können. Haben Sie im näheren Umfeld Kollegen, denen Ihrer Ansicht nach wirklich an Ihrem Fortkommen gelegen ist, können Sie auch diese um Rat bitten in der Frage, welches Ihrer Charakterziele das wichtigste und wesentliche ist.

Vergessen Sie dabei aber nicht, dass Sie einen Teil dieser Erkundung auch selbst übernehmen können. Nehmen Sie sich die Liste mit potenziellen Verhaltensänderungen vor, die Sie erstellt haben, und gleichen Sie sie mit den Merkmalen Ihrer persönlichen Vision aus Schritt 3 ab. Welche Veränderung würde Sie am weitesten voranbringen auf dem Weg zu Ihrer persönliche Vision? Bei dieser handelt es sich vermutlich um die Schlüsselveränderung, die Sie auf Ihrer Entwicklung zu einer Führungsperson mit virtuosem Charakter in Angriff nehmen sollten.

Bei diesem Schritt hatte Mark Probleme. Er durchforstete zwar die Listen, die er erstellt hatte, war sich aber unsicher, ob er wirklich seine Schlüsselveränderung ermittelt hatte. Zunächst wollte er diese Frage nicht mit Personen aus seinem betrieblichen Umfeld diskutieren. Dann entschloss er sich aber doch dazu und stellte nach Gesprächen mit einem ihm direkt unterstellten Mitarbeiter und einem Kollegen fest, dass beide die gleichen Punkte ansprachen, die seiner vagen Vorstellung von dem wichtigsten Änderungsbedarf entsprachen. Nach Rücksprache mit Michael und seinem Berater stand fest, welche Veränderung für ihn die wichtigste war. Alle wollten vor allem eines: nämlich, dass er lernte, zu seinen Fehlern zu stehen.

Haben Sie wie Mark diese Phase des persönlichen Veränderungsprozesses erreicht, steht Ihnen der wohl schwierigste Schritt bevor. Sie müssen herausfinden, wie Sie womöglich selbst unbeabsichtigt Ihre eigenen guten Vorsätze zur Veränderung sabotieren, und dann dieses Muster außer Kraft setzen.

ABBILDUNG 7-5:

Schritt 5: Die Alarmanlage außer Kraft setzen

Das Gehirn nimmt Veränderungen automatisch als Bedrohung wahr, denn es braucht Routine. Hat es erst einmal ein Muster gefunden, hält es hartnäckig daran fest. Muster zu verändern, die so tief gehen, dass sie den Charakter prägen, kann unerwartet starkes Unbehagen und sogar Ängste auslösen.

Um den manchmal schwierigen Weg der Charakterentwicklung erfolgreich zu bewältigen, müssen Sie viel Energie aufwenden, um sich den instinktiven Widerstand Ihres Gehirns gegen Veränderungen bewusst zu machen und außer Kraft zu setzen. Dazu müssen Sie sich den Denkmustern stellen, die Ihre unerwünschten Reaktionen und Verhaltensweisen auslösen, und dem, was diese Denkmuster in Wirklichkeit für Sie bewirken. Dann erst können Sie einen durchführbaren Handlungsplan aufstellen, um solche Reaktionen zu vermeiden und durch neue Denkmuster und konstruktiveres Verhalten zu ersetzen. Die Begeisterung und Freude, wenn Sie ein neues Muster in Ihrem Führungsverhalten und -charakter erreicht haben, können die Angst und das ungute Gefühl, das solche Veränderungen auslösen, zu einem großen Teil kompensieren.

Die Schlüsselveränderung als Ausgangspunkt

Wie schon gesagt ist dieser Schritt im Prozess zur persönlichen Veränderung der schwierigste, und er umfasst mehrere Stadien. Setzen Sie bei Ihrer Schlüsselveränderung an, um diesen Schritt zu vollziehen, und arbeiten Sie sich durch die einzelnen Aufgaben und Punkte Ihrer Liste. Als Beispiel dafür soll uns Marks Schlüsselveränderung dienen, »sich eigene Fehler einzugestehen«:

1. Halten Sie schriftlich fest, was Sie normalerweise anstelle des von Ihrer Schlüsselveränderung vorgegebenen Verhaltens tun. *»Wenn mir ein Fehler unterläuft, suche ich sofort die Schuld bei anderen.«*

2. Beschreiben Sie, was Ihrer Vorstellung nach passieren würde, wenn Sie genau gegenteilig zu ihrem normalen Verhalten handelten, um so die versteckten Motive aufzudecken, die dahinterstecken. *»Wenn ich das Gegenteil täte, würde ich meinen Fehler zugeben. Ich wollte immer als*

starke Führungsperson wahrgenommen werden, und wenn ich meine Fehler eingestehe, zeige ich Schwäche.«

3. Beschreiben Sie nun, was passieren würde, wenn Sie Ihr Verhalten nicht nach diesen versteckten Motiven ausrichten würden. *»Räume ich Fehler ein, halten mich die Leute für dumm und schwach. Sie hören nicht auf mich, befolgen meine Anweisungen nicht und tragen meine Ideen nicht mit. Ich verliere Ansehen und Glaubwürdigkeit.«*

4. Stellen Sie fest, ob diese Folgen wirklich realistisch sind. Wenn ja, müssen Sie sich weiterhin an diesen versteckten Motiven orientieren. *»Bringt es mir wirklich Ansehen, wenn ich anderen die Schuld zuschreibe?«* Lautet Ihre Antwort
   a) Ja, dann müssen Sie noch einmal zu Schritt 2 im Prozess zur Charakterentwicklung zurückgehen und feststellen, was Sie wirklich ändern möchten.
   b) Nein, dann gehen Sie weiter zur nächsten Aufgabe in diesem Schritt.

5. Erstellen Sie einen Handlungsplan, der die neuen Werte und Motive enthält, die in Ihrer Vision und Ihrer Schlüsselveränderung beschrieben werden. *»Ich zeige Stärke, wenn ich Fehler zugebe. Ich ermutige andere, sich ebenfalls zu eigenen Fehlern zu bekennen, denn sie müssen dann keine Angst mehr vor meiner Reaktion auf ihre Fehler haben.«*

6. Teilen Sie Ihren Handlungsplan dem Berater, Mentor oder Kollegen Ihres Vertrauens mit.

Das Ablaufdiagramm aus Abbildung 7-6 skizziert alle Elemente dieses wichtigen Schritts.

ABBILDUNG 7-6:

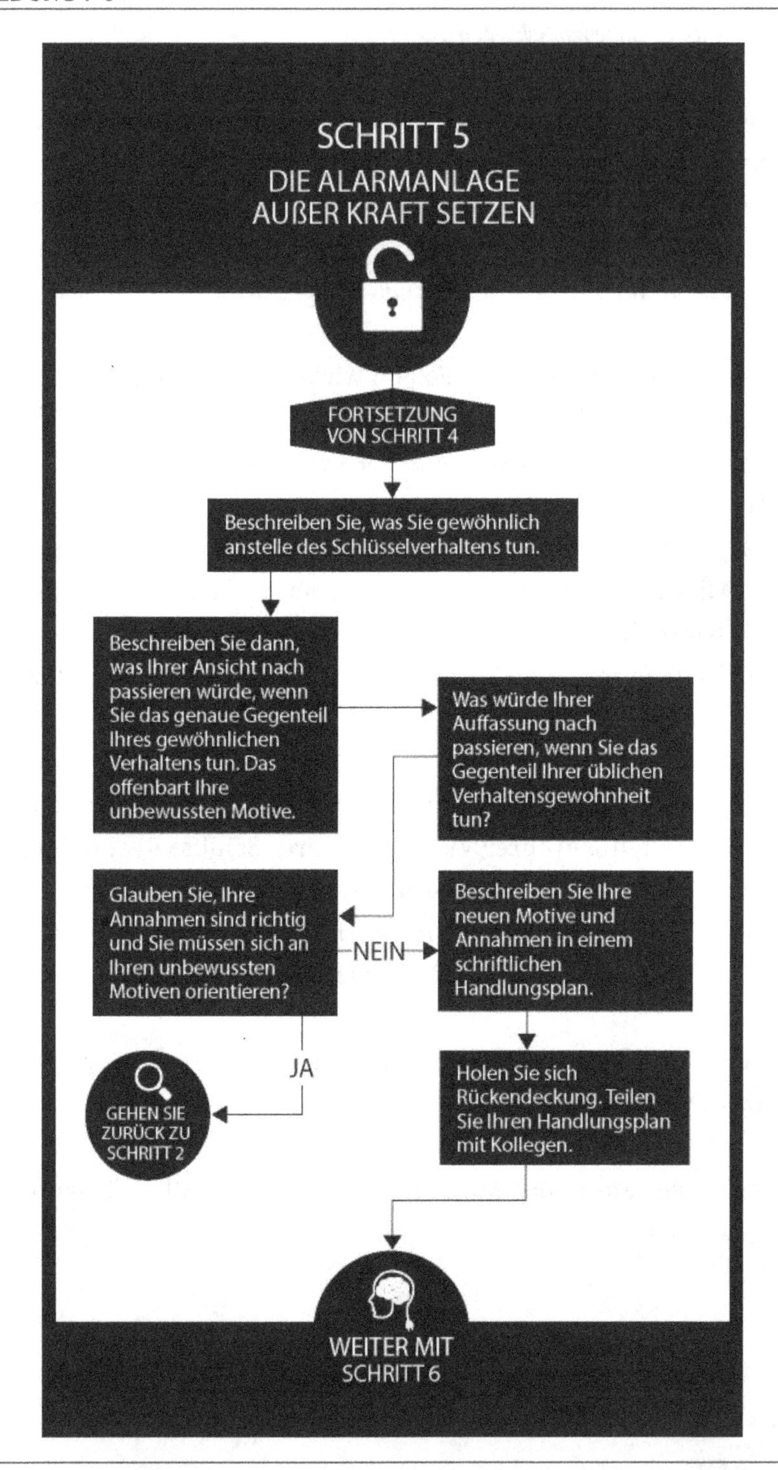

Durch diesen Schritt des Prozesses entdeckte Mark sein unbewusstes, seit Langem bestehendes Motiv, nie versagen zu dürfen, immer Klassenbester zu sein, immer zu gewinnen, nie Fehler zu machen. Nachdem Mark und sein Berater in mehreren Sitzungen ausführlich über sein unbewusstes Motiv gesprochen hatten, Ausflüchte zu suchen, um fehlerlos zu erscheinen, erkannte Mark allmählich den Trugschluss an dieser Sichtweise auf die Welt und auf sich selbst.

Das hört sich nach einer ganz einfachen Schlussfolgerung an, doch viele Menschen können nur schwer akzeptieren, dass wir alle Fehler machen, dass anderen klar ist, dass wir Fehler machen, und dass wir sowohl dem Ansehen anderer als auch unserem eigenen mehr schaden, wenn wir versuchen, die Schuld abzuwälzen oder unsere Fehler zu leugnen, als wenn wir sie als Lernerfahrung akzeptieren und zur Tagesordnung übergehen. Es bedarf manchmal langer Selbstanalyse und gründlicher Überlegung, um zu einer so einfachen Schlussfolgerung zu gelangen.

Mark konnte die Schwächen seiner langjährigen Annahmen über sich selbst und seine Welt erst erkennen, als er sich mit unangenehmen Wahrheiten und unwiderlegbaren Beweisen konfrontiert sah. Der Berater fragte ihn: *»Wenn einer Ihrer besten direkten Mitarbeiter einen Fehler macht, halten Sie dann weniger von ihm?«* Mark verneinte. Dann hakte der Berater nach: *»Würde derselbe Mitarbeiter Ausreden erfinden, versuchen, seinen Fehler zu vertuschen oder ihn auf die Umstände zu schieben, würden Sie dann weniger von ihm halten?«* Mark bejahte. Als ihn der Berater dann fragte: *»Glauben Sie denn, dass Ihnen irgendjemand die Geschichten, mit denen Sie Ihre Handlungsweise rechtfertigen, abkauft?«* Mark musste zugeben, dass es eher unwahrscheinlich war, dass man ihm stets glaubte. Dann stellte der Berater die eigentliche Frage, mit der sich Mark auseinandersetzen musste: *»Könnte das aussehen wie mangelnde Integrität Ihrerseits?«*

Nach langem Nachdenken erkannte Mark, dass es auf diese Frage nur eine Antwort gab. Und diese Antwort offenbarte ein paar weitere wesentliche Tatsachen. Indem Mark Ausflüchte fand, löste er bei Kollegen und Mitarbeitern genau die Reaktion aus, die er vermeiden wollte. Jetzt begriff er: Um als starke Führungsperson wahrgenommen zu werden, musste er die Stärken von Integrität, Verantwortungsbewusstsein, Versöhnlichkeit und Empathie zeigen, die virtuose Führung auszeichnen. Sonst, so wurde ihm klar, würde ihn niemand für kompetent halten. Wenn er Ausreden suchte, zeigte er sich anderen als ängstlicher, unzuverlässiger Mensch, der eher lügt, als unbequeme Wahrheiten zuzugeben.

Damit hatte Mark die Alarmanlage seines Gehirns – den Widerstand gegen Veränderung – außer Kraft gesetzt. Haben Sie dieses Stadium von Schritt 5 gemeistert, sind Sie bereit für den Abschluss: einen schriftlichen Handlungsplan aufstellen. Ihr Plan sollte die Motive und Grundannahmen für Ihr neues Schlüsselverhalten beschreiben, sodass Sie damit Ihre persönliche Vision von Führungscharakter für sich realisieren können.[79]

Einen Aktionsplan erstellen

Auf dieser Stufe Ihres persönlichen Entwicklungsprozesses haben Sie schon mit der anstrengenden Aufgabe begonnen, neue charakterliche Denk- und Handlungsmuster auszuformen. Erstellen Sie einen konkreten Handlungsplan, aus dem hervorgeht, was Sie anstelle der bisherigen Muster, mit denen Sie Ihren versteckten Motiven gerecht werden wollten, tun. Mark war klar, dass er mehr Aussicht auf Erfolg hatte, wenn er sich von den Menschen Rat und Hilfe einholte, die ihm bei seiner Selbsteinschätzung geholfen oder die mit ihm über die Merkmale seines Führungsstils, die er am dringendsten verändern sollte, gesprochen hatten. Als Teil seines Plans teilte er diesen Personen mit, dass er lernen wollte, die Verantwortung für seine Entscheidungen zu übernehmen, und bat sie, ihn (unter vier Augen) darauf hinzuweisen, wenn sie ihn in alte Verhaltensmuster zurückfallen sahen.

Wenn Sie wissen, was Sie ändern wollen und müssen, um das Führungsverhalten und die charakterlichen Gewohnheiten zu entwickeln, die Sie sich aneignen möchten, dann müssen Sie einen durchführbaren Handlungsplan erstellen, um diese Änderungen zu realisieren. Bei der Erstellung dieses Plans können Sie sich Anregungen holen, indem Sie sich die Meilensteine auf Ihrem Weg zur Charakterentwicklung vor Augen führen.

Für Mark hieß das:

1. Den Anstoß hatte die verpasste Beförderung gegeben.
2. Dieser Rückschlag brachte ihn letztlich dazu, die Entwicklung seines Charakters anzugehen. Mark hatte kein Kompetenzdefizit. Er litt unter der Charakterschwäche, dass er sich keine Fehler eingestehen konnte.
3. Um dieses Verhalten zu ändern und zu seinen Fehlern zu stehen, musste er aufhören zu lügen. Er musste sich angewöhnen, immer sofort die Wahrheit zu sagen.
4. Um zu seinen Fehlern zu stehen, musste er auch lernen, sich selbst zu verzeihen. Er musste sich also in Versöhnlichkeit üben, indem er sich selbst seine Fehler nachsah.
5. Wenn er zu seinen eigenen Fehlern stand, würde er anderen damit sehr effektiv kommunizieren, dass sie ihm als Menschen wichtig waren. Er sagte ihnen dadurch, dass er nicht besser war als sie, sondern dass er ein Mensch wie jeder andere war.

Indem er sich für die eine Schlüsselveränderung entschied, zu seinen Fehlern zu stehen, und indem er seine reflexartig defensive Reaktion auf eigene Fehler aushebelte, stärkte Mark alle vier charakterlichen Gewohnheiten auf einmal.

Ihr Aktionsplan muss genau Ihrer Schlüsselveränderung, Ihren Mustern und Ihren Fähigkeiten entsprechen. Nehmen wir an, Sie haben das typische Verhalten, die Ideen anderer instinktiv zurückzuweisen, weil sie das defensive Bedürfnis haben, »alleine zu entscheiden«. Dieses Verhalten wollen Sie nun ablegen. Sie wollen dadurch Ihre eigene Integrität als fairer, vernünftiger Mensch verbessern. Ihr Handlungsplan könnte folgende Punkte umfassen:

1. Wenn mir andere ihre Ideen vorlegen, werde ich künftig grundsätzlich mit einem Kommentar reagieren wie: »Lassen Sie mich darüber nachdenken«, oder: »Lassen Sie uns darüber sprechen, wie das gehen könnte.«
2. Für jeden von mir angeführten Grund, die Idee abzulehnen, überlege ich mir einen Grund, der für die Idee spricht.

3. Bevor ich eine Zusage gebe oder eine Entscheidung treffe, prüfe ich die konkreten Gründe dafür.
4. Ich übe mich darin, zu meinen defensiven Motiven zu stehen, indem ich der Person oder Gruppe, von der der Vorschlag stammt, gelegentlich sage: »Ich möchte das nicht spontan entscheiden, um nicht eine gute Idee nur deshalb abzulehnen, weil sie nicht von mir stammt. Erklären Sie mir, was Sie sich dabei gedacht haben.«
5. Lehne ich die Idee letztlich ab, dann nur, wenn ich mindestens zwei gute Gründe dafür anführen kann (die nichts mit meinem Ego zu tun haben). Diese Gründe müssen überzeugender und gewichtiger sein als die Gründe, die für die Idee sprechen.

Entscheide ich mich für einen Vorschlag, dann setzen wir ihn im Team um und akzeptieren das Ergebnis als positive Erfahrung, die uns entweder unseren Zielen nähergebracht oder uns geholfen hat, aus unseren Fehlern zu lernen.

Diese Liste mag mit Ihrem eigenen Handlungsplan gar nichts zu tun haben, sie macht aber deutlich, welchem Zweck diese letzte Phase von Schritt 5 dient. Ihr Ziel ist es, einen Handlungsplan zu erstellen, der Sie zur Selbstintegration und zum starken Charakter einer virtuosen Führungskraft führt.

Schritt 6: Das Gehirn neu vernetzen

Unser Charakter setzt sich aus Denk-, Gefühls-, Intuitions- und Verhaltensmustern zusammen, die wir im Lauf unseres Lebens entwickeln. Diese Muster beeinflussen die Art und Weise, wie unser Gehirn Informationen verarbeitet und darauf reagiert. Soll unser Charakter neue Dimensionen entwickeln, müssen wir neue neuronale Pfade anlegen. Glücklicherweise ist unser Gehirn sehr wohl in der Lage, diesen ausgesprochen vorhersagbaren Prozess durchzuführen. Das funktioniert, solange Sie sich an die Regeln halten, denen das Gehirn folgt.[80] Und nur darum geht es in Schritt 6.

Die Neuronen bewegen sich dorthin, worauf Sie Ihre Aufmerksamkeit richten. Neuronale Pfade legen Sie an, indem Sie sich beständig und wiederholt auf einen bestimmten Gedanken oder eine Aufgabe konzentrieren.

Das oben in Schritt 2 erörterte Achtsamkeitstraining ist eine hilfreiche Methode, um zu lernen, wie man die eigene Aufmerksamkeit besser fokussiert. Eine weitere zentrale Technik auf dieser Stufe im Prozess der Charakterentwicklung ist das Einüben und Anwenden neuer Denkmuster im Alltag. Im Zusammenspiel können Sie durch diese Techniken Ihr Gehirn neu vernetzen und neue neuronale Pfade anlegen, die zu den neuen Gedanken, Reaktionen und Verhaltensweisen führen, die Sie sich bei der Entwicklung Ihres Charakters zum Ziel gesetzt haben.

Und jetzt ist die Energie und Begeisterung über Ihre Vision vom neuen Charakter als virtuose Führungskraft die wichtigste Triebfeder. Mit dieser Energie können Sie es schaffen, sich beharrlich auf das Einüben der neuen Verhaltensmuster zu konzentrieren. Damit Sie am Ball bleiben, muss Ihr Kopf mitarbeiten (»Ich weiß, dass ich das tun sollte, weil ...«), aber auch Ihr Herz (»Ich möchte das tun, denn ich fühle mich wohler, wenn ...«). Beim Üben können Sie sich immer wieder Rückmeldungen von anderen holen oder Ihre Fortschritte selbst dokumentieren und verfolgen. Das ist ein wichtiges Element von Schritt 6. Um sich immer wieder neu zu motivieren, müssen Sie Ihre Fortschritte vor sich selbst regelmäßig anerkennen und würdigen. Das Ablaufdiagramm aus Abbildung 7-7 skizziert die einzelnen Elemente von Schritt 6.

Wie Sie aus dem Ablaufdiagramm ersehen können, gibt es viele Hilfsmittel oder Gedächtnisstützen, die Sie nutzen oder sich einrichten können, um Ihre Aufmerksamkeit auf die neuen Muster zu fokussieren. Planen Sie täglich eine feste zehnminütige Auszeit ein, um sich zu vergegenwärtigen, wie weit Sie an diesem Tag mit der Ausrichtung Ihrer Charakterziele und Handlungen auf ihr Ziel, ein besser integrierter Mensch zu werden, gekommen sind. Nehmen Sie sich ruhig die Zeit, wieder neue Motivation zu tanken, indem Sie sich Ihre Vision durchlesen und sich das inspirierende Bild von Ihnen selbst als virtuose Führungskraft vor Augen halten. Geben Sie sich selbst kleine Motivationskicks am Arbeitsplatz, mit Hinweisen auf Ihrem Tablet oder Smartphone. Oder planen Sie regelmäßig Zeit ein, um Ihren Fortschritt mit einem Freund, Mentor oder sonstigen Berater zu prüfen. Sie können Treffen mit gleichrangigen Kollegen oder ihnen direkt unterstellten Mitarbeitern vereinbaren, um deren Feedback einzuholen.

ABBILDUNG 7-7:

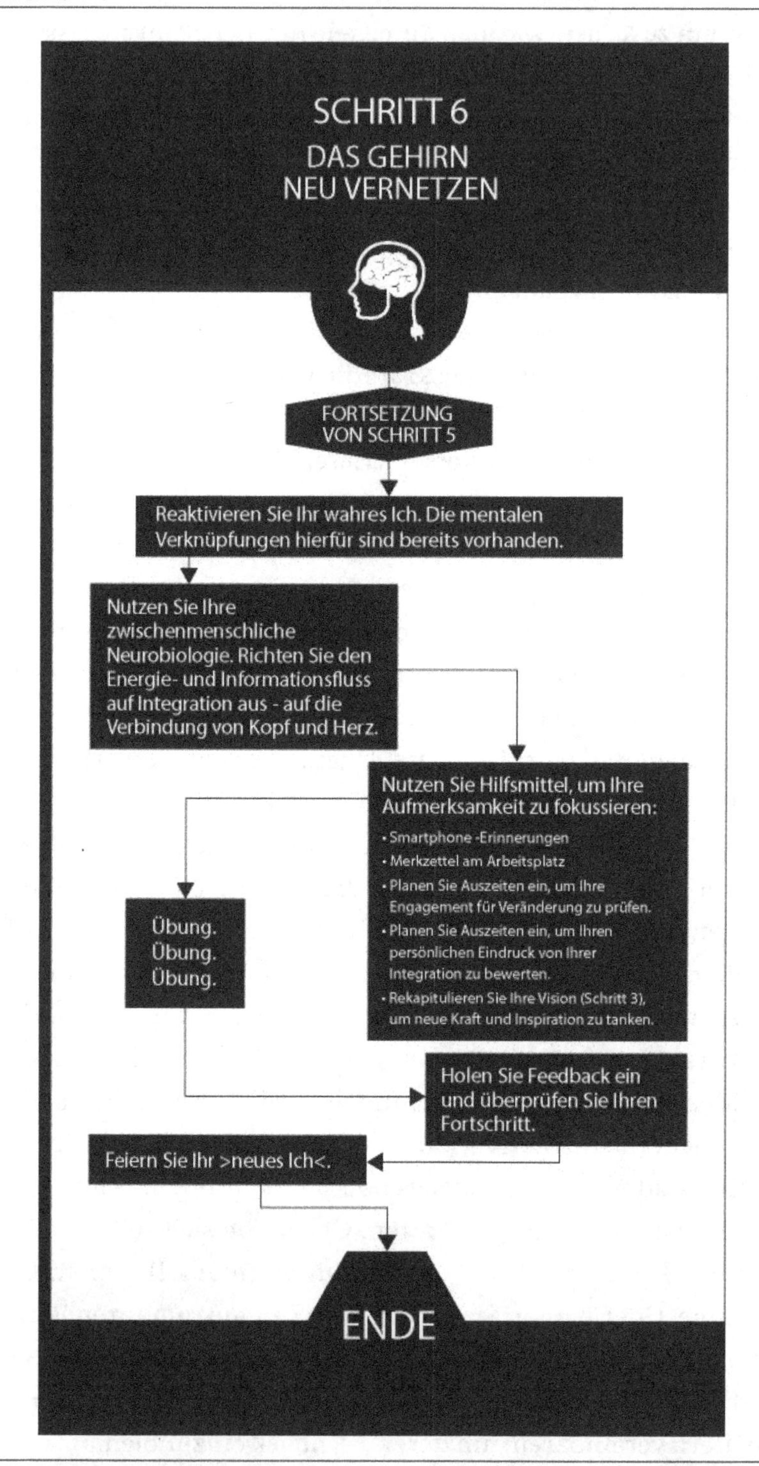

Hat sich Ihr neues Muster nach einiger Zeit gefestigt, wird der Moment kommen, an dem Sie Ihr neues Ich gern feiern möchten. Das kann schlicht so aussehen, dass Sie bewusst wahrnehmen, wie sehr Sie sich verändert haben. Möglicherweise führen Sie zu diesem Zweck aber auch ein Gespräch mit engen Freunden oder einem Mentor.

Und wie verlief der sechste Schritt für Mark? Er entschied sich, dem Gefühl, dass er sich erfolgreich verändert hatte, folgendermaßen Rechnung zu tragen: An einem Freitagabend suchte er Michael in dessen Büro auf, um sich dafür zu bedanken, dass er ihm den Anstoß gegeben hatte, den Weg der Charakterentwicklung einzuschlagen. Mark betrat das Büro und sagte:

> *»Sicher können Sie sich noch an unser Gespräch vor einem knappen Jahr erinnern, bei dem Sie mir eröffnet haben, dass Carol den Posten der Präsidentin bekommt. Ich wollte Ihnen nur kurz sagen, dass ich Ihrer Entscheidung voll und ganz zustimme. Sie macht ihre Sache wirklich gut. Und ich wollte mich dafür bedanken, dass Sie den Mut hatten, so zu entscheiden. Ich war zwar anfangs enttäuscht, doch diese Erfahrung hat mir den Anstoß zu ein paar wichtigen Veränderungen gegeben. Ich habe von dem Berater, den Sie mir zur Seite gestellt haben, enorm profitiert und im letzten Jahr sehr viel gelernt. Vor allem, dass ich tatsächlich auch mal einen Fehler machen und dennoch Wert für das Unternehmen schaffen kann! Nochmals, herzlichen Dank.«*

Mark bekam aber auch unaufgefordert Lob von Michael, der ihm erzählte, dass Marks Kollegen ebenfalls aufgefallen sei, wie sehr er sich im Umgang mit seinen Teamkollegen verändert hatte.

Den eigenen Fortschritt gebührend zu würdigen, ist ein wichtiger Bestandteil im Prozess zur Verbesserung und Weiterentwicklung des eigenen Charakters wie auch jeder anderen Entwicklung. Dieser Prozess beginnt damit, dass wir bewusst wahrnehmen, welche Charakterdefizite zwischen unserem aktuellen Selbst und dem Menschen stehen, der wir gerne wären. Ebenso müssen wir uns aber auch unsere Erfolge bei der Überwindung dieser Hindernisse bewusstmachen. Indem wir diese Erfolge feiern, verleihen wir dem erzielten Fortschritt Gewicht und Bedeutung.

Und auf den Fortschritt kommt es an. Wie wir gesehen haben, können unser Charakter und unsere Entscheidungen als Führungskraft

Auswirkungen haben, die über unsere persönliche Erfüllung und unsere berufliche Entwicklung hinausgehen und landes- oder gar weltweit Einfluss auf das Leben anderer Menschen und auf die Umwelt nehmen. Wenn wir nur auf die negativen Effekte achten, die sich einstellen, wenn wir unsere Ziele als Führungskraft verfehlen, verlieren wir die übergeordnete Vision aus den Augen, die uns antreibt. Wir müssen zu unseren Fehlschlägen stehen, uns unseren Charakterfehlern stellen und ständig daran arbeiten, unseren Führungsansatz zu verbessern. Dabei müssen wir unser Ziel, zu dem uns die Reise der Charakterentwicklung bringen soll, im Blick behalten und dürfen uns nicht durch jeden kleinen Fehltritt davon abbringen lassen.

Die Weiterentwicklung als Führungskraft, als Mensch und Weltbürger hört eigentlich nie auf. Wir erreichen nie die Grenzen des *ROC*, den wir durch unsere virtuose Führung erzielen. Um eine solche kontinuierliche Charakterentwicklung, die die stärksten Ergebnisse bringt, anzutreiben, müssen wir unsere Leistungen als virtuose Führungskräfte würdigen und den *ROC*, den solche Führung für alle herbeiführt.

Die nächste Stufe virtuoser Führung

Wachstum und Entwicklung unserer Kompetenzen hat durch die gesamte Geschichte der menschlichen Gattung hindurch stattgefunden, doch das enorme Veränderungspotenzial unseres Gehirns haben wir erst in letzter Zeit verstanden. Wie wir aus diesem Kapitel erfahren haben, reicht dieses Potenzial bis hin zu unserem eigentlichen Kern als Menschen, als Führungskräfte und als Mitglieder der globalen Gemeinschaft. Die hier beschriebenen Werkzeuge und Methoden sind eine Orientierungshilfe für diesen zentralen Wachstumsbereich. Sie bieten eine wertvolle Landkarte für den Weg zur Weiterentwicklung unseres Führungscharakters.

Nicht alle herausragenden Manager sind als solche geboren oder gelangen unversehens in die vorderste Riege, weil sie von Natur aus über Weisheit, Fairness und strategische Klugheit verfügen. Vielmehr kann sich jeder, der bereit ist, sich intensiv mit der manchmal anspruchsvollen Aufgabe der Charakterentwicklung auseinanderzusetzen, zu einer virtuosen Führungskraft entwickeln, wie sie von den Teilnehmern an unserem

Forschungsprojekt beschrieben wurde und wie sie bei Anlegern, Aktionären, Kunden und in der Wirtschaft hoch im Kurs steht.

Wir haben aber auch festgestellt, dass nur wenige Manager allein arbeiten. Ob virtuos oder ichbezogen, wer an der Spitze steht, verlässt sich in aller Regel auf die Unterstützung seines Führungsteams, um das Unternehmen zu lenken und den richtigen Ton für die Kultur, die Prinzipien und die Werte des Unternehmens zu setzen. Wie kompetent ein Geschäftsführer dieses Team zusammenstellt und pflegt, zeigt unmittelbar, wie sehr er dem dauerhaften Erfolg des Unternehmens verpflichtet ist. Wer also wirklich virtuose Führungsqualität beweisen will, der muss im Team und im ganzen Unternehmen für virtuosen Charakter sorgen und diesen gezielt aufbauen.

Diese unternehmensübergreifende Charakterentwicklung ist Gegenstand des nächsten Kapitels. Darin beschreiben wir, wie Sie die Ideen und Vorgehensweisen zur persönlichen Charakterentwicklung aus diesem Buch auch auf das Führungsteam, das Management und alle Mitarbeiter ausdehnen und den virtuosen Charakter in das ganze Unternehmen einbringen können

Das Ziel der sechs Schritte zur Charakterbildung ist ein höheres Maß an Selbstintegration. Wie wir gleich erfahren werden, ist diese Selbstintegration ein unverzichtbarer Bestandteil in jeder einzelnen Phase des gesamten Führungsentwicklungsprogramms, wenn wir das ganze Potenzial des *ROC* ausschöpfen wollen. Wenn wir unseren Mitarbeitern und Kollegen Werkzeuge an die Hand geben, mit denen sie selbst einen virtuosen Charakter entwickeln können, stärken wir unser eigenes *ROC*-Führungsmodell und fördern dabei die innovative, auf Zusammenarbeit und Agilität beruhende Leistungsfähigkeit, die einem Unternehmen nachhaltig zum Erfolg verhilft.

ZUSAMMENFASSUNG:

Der Weg zur virtuosen Führungskraft

1. **Jeder kann seinen Charakter neu formen.** Sie können Ihre Charaktergewohnheiten ausbauen und dadurch Ihre Führungskompetenz wie auch Ihre Ergebnisse verbessern.

2. **Charakterentwicklung und alle persönlichen Veränderungen durchlaufen folgende sechs Schritte:**
   Schritt 1: den Anstoß zur Veränderung wahrnehmen
   Schritt 2: den Veränderungsbedarf entdecken
   Schritt 3: den Antrieb zur Veränderung finden
   Schritt 4: die Schlüsselveränderung erkennen
   Schritt 5: die Alarmanlage außer Kraft setzen
   Schritt 6: das Gehirn neu vernetzen

3. **Virtuose Führung entwickelt sich ständig weiter.** Indem Sie als Führungskraft immer mehr Erfahrungen und Erkenntnisse gewinnen, entdecken Sie voraussichtlich auch neue, sinnvolle Wege, Ihren Führungscharakter weiter zu stärken.

8

Der Aufbau einer *ROC*-geprägten Organisation

Was passiert, wenn ein junger, energischer, virtuoser CEO eine funktionsuntüchtige Organisation übernimmt und in ein rentables, erfolgreiches Unternehmen verwandelt? Im Vorkapitel haben wir erfahren, wie ein Mensch aus eigenem Antrieb den Prozess der Charakterentwicklung und persönlichen Veränderung durchlaufen kann. Kein Unternehmen kann sich aus eigener Kraft verändern. Es sind die Führungskräfte, die ein Unternehmen verändern. Und damit diese Veränderungen möglichst positiv ausfallen, werden virtuose Führungskräfte gebraucht.

Exzellente Führung funktioniert nicht im Alleingang. CEOs sind auf die gesamte Organisation angewiesen, die Werte, Prinzipien und die Kultur virtuoser Führung zu fördern und zu reflektieren. Ebenso braucht es die Beteiligung des ganzen Unternehmens an dem Prozess, um diese Standards zu übernehmen. Am effektivsten verändert sich ein Unternehmen, wenn vom CEO, über den Aufsichtsrat und das Führungsteam bis zu den Mitarbeitern alle mitwirken.

Es ist nicht leicht, den eigenen Charakter zu entwickeln, wie wir aus dem siebten Kapitel wissen. Es ist auch nicht einfach, den Charakter Ihrer Organisation zu verbessern. Doch es ist möglich. Das vorliegende Kapitel liefert Ihnen die Anleitung für diesen Vorgang. Sie werden merken, dass er Ähnlichkeiten zum Prozess der individuellen Charakterentwicklung aufweist. Die Konzepte sind Ihnen inzwischen sicher vertraut. Ich kann daher auf viele Schritt-für-Schritt-Anleitungen und Ablaufdiagramme verzichten. Doch wie bisher werde ich auch die in diesem Kapitel dargelegten Methoden an einem Fallbeispiel illustrieren. Dies ist ein fiktiver Fall, der aber auf einer wahren Geschichte beruht. Namen und Handlungsrahmen wurden geändert, um die Identität der Beteiligten zu schützen.

Der Prozess zur Veränderung einer Organisation lässt sich in mehrere Phasen unterteilen:

- Die Notwendigkeit anerkennen, die aktuelle Kultur, Vision und Leistung der Organisation zu verändern, das ist die Einleitung des organisationalen Wandels.
- Ein Führungsteam aufbauen, das die neue Vision des CEOs teilt.
- Die Vision in eine aussagekräftige Formulierung übertragen und sie in die Organisation hinein kommunizieren.
- Hindernisse erkennen, die der Umsetzung notwendiger Veränderungen im Weg stehen, und diese beseitigen, um die Vision zu realisieren.
- Handlungsräume schaffen, damit die Mitarbeiter bei den organisationsweiten Reformen aktiv werden können.
- Die effektivsten Wege zur Zusammenarbeit mit dem Aufsichtsrat während des gesamten Prozesses finden.

Wir übertragen die Ideen, Taktiken und Methoden der persönlichen Charakterentwicklung auf die Aufgabe, der gesamten Organisation mehr Führungscharakter und stärker auf festen Grundsätzen basierende Entscheidungen und Verhaltensweisen zu verleihen. Wenn Sie die Beschreibung dieses Prozesses und die Fallstudie lesen, werden Sie feststellen, dass es mehr ist als ein hehres Ziel oder eine gute Idee, ein charakterstarkes Unternehmen mit unerschütterlichen Prinzipien aufzubauen. Hier zeigt sich, dass *ROC* gut für das Geschäft ist.

Den organisationalen Wandel steuern

Heather hatte ihre neue Position als CEO eines mittelgroßen Softwareunternehmens erst einen Monat zuvor übernommen, als sie einen Berater hinzuzog. Sie wirkte bereits gestresst und erschöpft und hatte viel zu erzählen. Dabei war ihre Geschichte gar nicht so ungewöhnlich.

Der Aufsichtsrat von Heathers Unternehmen hatte ihren Vorgänger gefeuert und dringend Ersatz gesucht. Heather war erst seit gut einem Jahr als Senior Vice President im Unternehmen gewesen, doch bewarb sich erfolgreich um den Posten. Das war erst ein paar Wochen her, und in dieser Zeit hatte sich Heather mit einer ganzen Reihe von Problemen konfrontiert gesehen, die sie nun bewältigen musste.

Wie so oft bei einem schnellen Führungswechsel musste Heather das Ruder eines leckgeschlagenen Schiffs übernehmen. Der frühere CEO hatte das Unternehmen in erster Linie als sein persönliches Lehen betrachtet: Er hatte einsame Entscheidungen getroffen, Änderungen verordnet, die seine eigene Position lukrativer oder angenehmer machen sollten, und er hatte kaum begriffen oder Interesse daran gezeigt, wie sich seine neuen Initiativen letztlich auf das Unternehmen oder auf seine Kunden auswirkten. Er hatte sogar einen Umzug der Firmenzentrale aus einer pulsierenden Stadt in einen verschlafenen Vorort veranlasst, nicht etwa aus fundierten, geschäftlichen Gründen, sondern um sein Büro näher bei seinem neuen Wohnort zu haben.

Heather hatte zwar gewusst, dass es um die Firma nicht zum Besten stand, doch wie gravierend die Probleme wirklich waren, wurde ihr erst nach mehreren Gesprächen mit dem Finanzchef und dem Firmenanwalt klar. Der Ex-CEO hatte viel Zeit und Energie darauf verwendet, die Probleme des Unternehmens zu verschleiern und dem Aufsichtsrat nur gute Nachrichten zu präsentieren. Nachdem Heather nun wusste, wie es wirklich aussah, erschien ihr die gesamte Organisation marode.

Die Moral war absolut im Keller. Nach einer Entlassungswelle, die ihr Vorgänger verfügt hatte, war das familiäre Klima, an das sich viele langjährige Mitarbeiter noch erinnerten, einer Kultur der Angst gewichen. Viele Geschäftspraktiken, die der CEO eingeführt hatte, waren wenig zielführend oder grenzten sogar ans Ungesetzliche, und die neuen Vorgaben verlangten von den Beschäftigten oft Handlungen, die in ihren Augen nicht richtig waren. So stellte das Unternehmen beispielsweise vorzeitig Rechnungen, um seine kurzfristigen Finanzziele zu erreichen, ungeachtet der Wirkung, die solche Tricksereien auf wichtige Kunden hatten.

Das dringlichste Problem war aber, dass das Kernprodukt des Unternehmens veraltete und die Konkurrenz einen langjährigen, loyalen Kunden nach dem anderen abwarb. Der Ex-CEO hatte 2 Jahre zuvor eine strategische Übernahme initiiert, um Zugang zu einer neuen Technologieplattform zu gewinnen, doch diese steckte immer noch in der Entwicklung. Die Verzögerung war zum Teil Kostensenkungsmaßnahmen geschuldet, aber auch einem Personalabbau um 10 Prozent, den der CEO angeordnet hatte, um so das kurzfristige Finanzergebnis des Unternehmens zu schönen. Entlassen worden waren leider auch manche der wenigen Fachleute, die sich mit dem bisherigen Produkt richtig auskannten. Noch prekärer wurde die Lage des Unternehmens, weil viele fähige Mitarbeiter schleunigst abgewandert waren, um sich dem Einfluss jenes CEOs zu entziehen. Als Heather das Ruder übernahm, betrug die Mitarbeiterfluktuation über 70 Prozent.

Um das Maß vollzumachen, war das Führungsteam, das Heather übernommen hatte, bestenfalls mittelmäßig. Die ihr direkt unterstellten Manager waren alle ihre Kollegen gewesen, bevor sie den Posten übernahm, doch die wenigsten kannte sie näher, weil das Unternehmen immer in Silos organisiert gewesen war. Dessen ungeachtet war Heather klar, dass mindestens zwei Mitglieder ihrer Führungsmannschaft so stark überfordert waren, dass sie ersetzt werden mussten.

Heather hatte gerade eine Unternehmensdiagnose durchgeführt. Das ist die Phase, in der ein neuer CEO ein kriselndes Unternehmen übernimmt und erst einmal alle Krisenherde aufspüren muss und dabei – mit Glück – auch ein paar dynamische, gesunde Bereiche entdeckt, die Hoffnung auf einen Neuanfang wecken.

Wie der »Anstoß zur Veränderung«, den wir aus dem siebten Kapitel kennen, kann dieser erste Schritt im Veränderungsprozess einer Organisation für alle Beteiligten schwierig sein und gewöhnlich ist er das auch. Doch erst, wenn Sie das ganze Ausmaß und alle Symptome der Krankheit erkannt haben, die Ihre Organisation befallen hat, können Sie einen brauchbaren Therapieplan erstellen. Blutet ein Unternehmen aus – egal ob es Mitarbeiter und Kunden sind, die sich abwenden, oder Gewinne, die einbrechen –, dann müssen Sie umgehend handeln und die bedrohlichsten, potenziell existenzgefährdenden Probleme erkennen und behandeln.

Heather veranlasste eine unternehmensweite Diagnose, die typischerweise zu folgenden Themen einen Überblick verschaffen sollte:

- die aktuelle Finanzlage,
- die strategischen Vorgaben und Praktiken,
- die Personalsituation und Kompetenzniveau,
- die Arbeitsmoral der Mitarbeiter,
- die Neuentwicklungen in der Pipeline und
- das Führungsteam.

Bei der Auswertung prüft ein neuer CEO gleichzeitig, welche Personen, Prozesse und persönlichen Führungsmethoden benötigt werden, um die beim Prozess aufgedeckten Probleme anzugehen. Die persönlichen Methoden sind dann besonders wichtig, wenn der Organisation eine Veränderung in ihrem Charakter und ihrer Kultur bevorsteht, nicht nur eine Optimierung des Produktionsprozesses oder der Organisationsstruktur. Schauen wir uns daher an, welche Führungsinstrumente Heather mit ins Chefbüro brachte, und wie sie sie auf die anstehende Aufgabe anwendete.

Eine gemeinsame Vision für das Führungsteam schaffen

Wie Sie wissen, ist die virtuose Führungskraft ein Mensch mit starkem Charakter einschließlich der vier charakterlichen Schlüsselgewohnheiten Integrität, Verantwortungsbewusstsein, Versöhnlichkeit und Empathie. Über diese charakterliche Grundstruktur hinaus versteht es der virtuose CEO aber auch:

- kompetent und diszipliniert Entscheidungen zu treffen,
- eine überzeugende und inspirierende Vision zu präsentieren,
- für eine strategische Ausrichtung zu sorgen,
- eine Kultur der Verantwortlichkeit einzuführen und
- ein leistungsstarkes Führungsteam auszuwählen und anzuführen.

Heather war eine charakterstarke Frau. Ihr vorrangiger Impuls bei der Arbeit war, die Wahrheit zu sagen und für das Richtige einzutreten. Ihre Mitarbeiter kannten sie als einen Menschen, der seine Versprechen hielt. Ihr fiel es nicht schwer, zu ihren Fehlern zu stehen, und sie übernahm stets die Verantwortung für ihre Entscheidungen. Darüber hinaus ging Heather mit anderen immer respektvoll um. Sie gab Mitarbeitern schnell Rückhalt, kümmerte sich um andere und behandelte Menschen auf allen Ebenen mit derselben Achtung und Aufmerksamkeit. Anders ausgedrückt: Heather beherrschte zwar noch nicht alle Kompetenzen der virtuosen Führung, doch sie war mit einem virtuosen Charakter als CEO angetreten. Die Prinzipien und Verhaltensweisen, die mit ihrem Charakter einhergingen, bildeten Heathers Instrumentarium zur Wiederbelebung ihres angeschlagenen Unternehmens. Nun musste sie dafür sorgen, dass auch ihr Führungsteam auf die gleiche Art arbeitete.

Da Heather zum ersten Mal einen CEO-Posten übernahm, war ihr bewusst, dass sie verlässlichen Rat und kompetente Unterstützung brauchen würde, wenn sie das Unternehmen aus der Abwärtsspirale holen und wieder auf Kurs bringen wollte. Zunächst wandte sich Heather an einen Mentor: einen ehemaligen Chef und erfahrenen, erfolgreichen CEO, der sich freute, dass sie ihn um Rat bat. Außerdem holte sie einen professionellen Managementberater mit Erfahrung im Changemanagement ins Boot, der ihr helfen konnte, sich auf die wichtigsten anstehenden Aufgaben zu konzentrieren. Oberste Priorität hatte dabei die Verbesserung ihres Führungsteams.

Ein Unternehmen durch einen Wandlungsprozess zu leiten und zu führen, erfordert vor allem bei unsicheren Zukunftsaussichten exzellente Führung durch den CEO und sein Team. In solchen Organisationen sind die Menschen auf allen Ebenen mitunter ängstlich und misstrauisch. Vielleicht haben sie schon mehr als einen vielversprechenden Führungswechsel hinter sich und wurden jedes Mal enttäuscht und verraten. Einem Führungsteam, das keinen starken Charakter hat, dürfte es kaum gelingen, desillusionierte, angstvolle Mitarbeiter mit neuer Begeisterung zu erfüllen.

Die Hauptaufgabe eines neuen CEO besteht darin, ein Führungsteam aufzustellen, das seine Werte und seine Vision teilt und es versteht, sie in das Unternehmen hinein zu vermitteln. Ein CEO, der ein Unternehmen aus der Krise führen soll, braucht außerdem ein Führungsteam, das ein ausgeprägtes Gespür für die Dringlichkeit des Veränderungsbedarfs hat und dafür eintritt.

In *The Heart of Change* schreiben John Kotter und Dan Cohen, der erste Schritt zur Veränderung in einem Unternehmen sei »die Dringlichkeit zu steigern«.[81] Sie weisen darauf hin, dass jede Phase des Veränderungsprozesses andere Fallstricke aufweise, doch fast die Hälfte aller Initiativen gleich zu Beginn scheiterte, weil sich das Management über die Dringlichkeit des Handlungsbedarfs nicht einig sei. Wann ist die Dringlichkeit hoch genug? Kotter und Cohen behaupten, wenn das Management nur zu 75 Prozent davon überzeugt ist, dass Veränderungen nötig sind, dann scheitern entsprechende Initiativen. Mit anderen Worten: Sie müssen das ganze Führungsteam ins Boot holen und auch die meisten operativen Manager und anderen Führungskräfte aus der Belegschaft, wenn Sie spürbare Veränderungen in Ihrer Organisation herbeiführen wollen.

Für die meisten neuen CEOs sind die ersten Monate wie Flitterwochen. Der Aufsichtsrat möchte seine Entscheidung gerne bestätigt sehen und erwartet, dass der CEO das eine oder andere verändert, selbst wenn das gewisse Verwerfungen und Unruhe auslöst. Um diese Schonfrist möglichst effektiv zu nutzen, empfahlen Heathers Mentor und Berater ihr, rasch ein neues Führungsteam auf die Beine zu stellen. Sie forderte die beiden schwachen Teammitglieder auf, das Unternehmen zu verlassen, und ersetzte sie durch neue, extern angeworbene Manager.

Im Zuge dieses Prozesses sah sich Heather mit der spannenden Herausforderung konfrontiert, möglichst fähige Kandidaten davon zu überzeugen, zu einem kriselnden Unternehmen zu wechseln. Im Bewerbungsprozess war sie in der letzten Gesprächsrunde ganz offen gewesen und hatte die Bewerber ihrer Wahl wahrheitsgetreu über die heikle Lage des Unternehmens informiert. Sie hatte ihnen aber auch die aufregende Chance geschildert, die sich ihnen als Mitglied eines Teams bot, das das Ruder nachhaltig herumreißen konnte. Bevor sie den beiden Bewerbern anbot, ihr Team zu verstärken, hatte sich Heather ein genaues Bild von deren Charakter gemacht. Schließlich sollten die Werte und ethischen Vorstellungen, die sie in das Unternehmen einbringen wollte, bei keiner Führungskraft fehlen.

Heather führte ihr neues Team weiterhin mit hohem Tempo voran. Der zweite Neuzugang war noch keine Woche dabei, als Heather mit allen sechs Mitgliedern im Führungsteam ein dreitägiges Offsite-Meeting abhielt, um sicherzustellen, dass alle denselben dringenden Handlungsbedarf sahen wie sie und voll und ganz hinter dem Ziel des Teams standen, das schlingernde Schiff wieder auf Kurs zu bringen. Außerdem dirigierte sie das Team durch eine Reihe von Aufgaben, die sich den meisten Teams zu Beginn eines Change-Prozesses im Unternehmen stellen, nämlich:

- **Umstrukturierung der Organisation:** organisatorische Silos abbauen und eine Teamstruktur schaffen, in der alle Funktionen ineinandergreifen und alle die gleichen Ziele verfolgen.
- **Strukturierung des Führungsteams:** Anleitung des Teams bei der Definition der einzelnen Rollen, Festlegung der Häufigkeit von Meetings, der Art der Zusammenarbeit und der Grundregeln der Vertraulichkeit, nach denen es sich richtet. In Heathers Fall beinhaltete das die Abschaffung der Funktion des COO, damit sie direkter mit allen Teilen der Organisation zusammenarbeiten konnte.
- **Einrichtung eines Entscheidungsprozesses**: Skizzierung eines disziplinierten Prozesses aus Analyse und Intuition und Entwicklung einer gemeinsamen Auffassung davon, wie sich der CEO und sein Führungsteam an diesem Prozess beteiligen. In Heathers Fall erklärte sie, sie sehe ihre Rolle im Unternehmen als oberste Entscheidungsträgerin und ihre Erwartung an das Team sei, dass es ihre Entscheidungen mittragen würde, auch wenn jemand nicht ganz ihre Meinung teile.

Am Ende der Veranstaltung teilte Heather ihrem Team mit, dass sie mit dem Aufsichtsrat an einer neuen Vision für das Unternehmen arbeite. Sie stellte klar, dass sie von allen Teammitgliedern gute Beiträge dazu wünschte, und erörterte noch verschiedene Ideen mit ihnen. Sie schloss mit der Festsetzung eines Termins für die ausformulierte Vision.

Damit hatte Heather ein tragfähiges Führungsteam eingesetzt und diesem klare Strukturen für seine Arbeit vorgegeben. Auf dieser Grundlage konnte sie zum nächsten Schritt in der Weiterentwicklung der Unternehmenskultur übergehen.

Die Vision gestalten und kommunizieren

Keine Organisation – auch wenn sie nicht gerade ums Überleben kämpft – kann erfolgreich einen neuen Kurs einschlagen, wenn sie keine genaue Vorstellung davon hat, wohin die Reise gehen soll. Wie wir aus dem Vorkapitel wissen, ist es manchmal ein schwieriger Prozess von großer Tragweite, eine persönliche Vision von der Führungskraft zu entwickeln, die man werden möchte. Der Prozess ist nicht einfacher und die Ergebnisse nicht weniger kritisch, wenn es dabei um eine neue Vision für ein ganzes Unternehmen geht.

Heather hatte bereits mehrmals mit dem Aufsichtsrat darüber gesprochen, wie wichtig die Erarbeitung einer neuen Unternehmensvision war. Sie rechnete fest damit, mit zwei oder drei Aufsichtsratsmitgliedern hilfreiche und substanzielle Planungsgespräche zu führen. Enttäuscht erfuhr sie, dass der Aufsichtsrat eigentlich nicht vorhatte, viel Zeit für Gespräche über die Vision zu opfern. Am Ende gab der Aufsichtsratsvorsitzende unwirsch zu: *»Wissen Sie, Heather, wir wollen, dass Sie den verdammten Laden auf Vordermann bringen, damit wir ihn verkaufen können! Das ist die Vision!«*

Das ist eine Antwort, wie sie leider viele gerade neu ernannte CEOs zu hören bekommen, die angeheuert wurden, um ein Unternehmen aus der Krise zu führen. In vielen Fällen haben sich die Mitglieder des Aufsichtsrats bereits vom Gedanken an Erfolg verabschiedet und fokussieren sich nur noch aufs blanke Überleben, ganz gleich in welcher Form. In anderen Fällen hatte der Aufsichtsrat selbst Anteil an der Entstehung der Probleme im Unternehmen, und es fehlen ihm der Wille oder die Kompetenz, zu einer Lösung beizutragen – vom Entwurf einer ganz neuen Vision für das Unternehmen ganz zu schweigen. An diesem Punkt muss der CEO seinen Charakter und seine Führungskompetenz in die Waagschale werfen und den Aufsichtsrat fest auf die neuen Charakterziele und die Richtung einschwören, die er in der gesamten Organisation durchsetzen möchte. (Über die Rolle des Aufsichtsrats im Veränderungsprozess gehen wir in diesem Kapitel noch näher ein.)

In Heathers Fall hatten die Aufsichtsratsmitglieder so gut wie alles verdrängt, was sie je über das Wesen, die Funktion und die Ziele einer echten Unternehmensvision gewusst hatten. Heathers Vorgänger hatte natürlich eine Vision für das Geschäft gehabt und darüber auf Besprechungen mit dem Aufsichtsrat auch ausführlich gesprochen. Wie sich die Aufsichtsratsmitglieder erinnerten, bestand die Vision darin, konkrete Ziele bei Umsatzsteigerungen und Gewinn vor Zinsen, Steuern und Abschreibungen (EBITDA) zu erreichen. Diese Ziele boten den Mitarbeitern aber keinerlei Inspiration oder Orientierung.

Heather gab sich alle Mühe zu kommunizieren, wie sie sich die Zukunft des Unternehmens vorstellte. Ihre Vision beschränkte sich nicht nur auf die Marktpräsenz des Unternehmens, sondern bezog auch das operative Geschäft ein. Sie verfasste zwei Dokumente, »Die Zukunft unseres Kundenerlebnisses« und »Die Zukunft unseres Unternehmens«, in denen sie konkrete Maßnahmen, Praktiken, Ziele und Grenzen darlegte, die ein Unternehmen definierten, wie Heather und ihr Team es sich vorstellten. Diese beiden Visions-Statements bildeten zwei feste Säulen des charaktergesteuerten Geschäftsmodells, das Heather entwickeln und verfolgen wollte. Auf diese Aussagen konnten alle im Unternehmen zurückgreifen, wenn Unsicherheit über die Ausrichtung des Unternehmens entstand.

Heather und ihr Team verbreiteten die Inhalte dieser beiden Dokumente über zahlreiche strategische Kommunikationskanäle. Heather berief viele Versammlungen ein. Sie traf sich mit Abteilungsleitern, mit einzelnen Abteilungen und mit Kunden. Mit ihrem Team vermittelte sie allen Unternehmensteilen und regionalen Niederlassungen dieselbe Botschaft. An jede Sitzung schloss sich eine lange Diskussionsrunde an, bei der sie ermessen konnten, wie effektiv die neue Vision des Unternehmens kommuniziert worden war. Heather redete so viel über die Vision, dass sie sich manchmal fragte, ob dies noch sinnvoll sei, doch sie merkte, wie sich ihr Publikum immer davon angesprochen fühlte. Daraus zog sie die Kraft, ihre Vision immer aufs Neue zu kommunizieren.

Diese Art der flächendeckenden Verbreitung über viele Kanäle und Phasen ist ein wesentliches Instrument, um in einer Organisation eine ganz neue Vision und Kultur einzuführen. Als CEO oder Mitglied des Führungsteams muss es Ihr Ziel sein, jede Facette des Unternehmens mit den Werten, Grundsätzen und Charaktergewohnheiten zu durchdringen, die Ihre Vision verkörpert.

Kotter und Cohen sagen, dass gute Kommunikation mehr als bloßer Datentransfer sei. Mit guter Kommunikation nimmt man den Menschen ihre Ängste, fängt ihren Ärger auf, ist tief aus dem Bauch heraus glaubwürdig und weckt den Glauben an die Vision.[82] Der Ansatz, den Heather und ihr Team zur Kommunikation ihrer neuen Vision ins Unternehmen verfolgten, entspricht diesen Empfehlungen. Im Anschluss an diese Phase wurden die Aufgaben des Teams dann konkreter, als es darum ging, die eingebauten (und oft versteckten) Veränderungsblockaden des Unternehmens zu finden und auszuräumen.

Hindernisse finden und ausräumen

Heathers erste 6 Monate als CEO vergingen wie im Fluge. In dieser Zeit hatte sie viel erreicht: Sie hatte ein neues Führungsteam gebildet, mehrere fähige externe Manager ins Unternehmen geholt und zwei interne Führungskräfte befördert. Sie hatte das Team so aufgestellt, dass die Struktur besser zu den anstehenden Aufgaben passte. Und gemeinsam mit diesem Führungsteam hatte sie die Mitarbeiter mit ihrer Zukunftsvision motiviert und mobilisiert. Trotzdem war das Führungsteam immer noch zu oft damit beschäftigt, akute Probleme zu managen und „Feuerwehr zu spielen“. Es verging kaum eine Woche ohne eine neue Krise. Entweder gab es ein Problem mit einem Produkt oder mit einem wichtigen Kunden.

Heather bat ihren Mentor und ihren Berater um Hilfe: *»Ich brauche eine Methode, um die Organisation zu analysieren, damit ich die größten Hindernisse für die Umsetzung unserer Vision identifizieren kann. Ich muss wissen, welche Hindernisse bestehen und wo sie bestehen.«* Indem sie die Hindernisse für eine effektive Umsetzung ihrer Vision aufspürte, könnte sie gleichzeitig den Dingen auf den Grund gehen, die in ihrem Unternehmen unterschwellig den Wandel behinderten. Einmal entdeckt, könnte sie sie ins Visier nehmen und nach und nach die nötigen Veränderungen vornehmen, um die Unternehmensvision zu realisieren.

Nach Rücksprache mit ihren Beratern beschloss Heather, das Diagnosewerkzeug einzusetzen, das vom KRW Research Instituteentwickelt worden war, um die organisationale Effektivität der CEOs aus unserer

Studie zu messen. Dieses Instrument basiert auf dem im fünften Kapitel in Abbildung 5-4 beschriebenen *Execution-Readiness*-Modell.[83] Ich werde die einzelnen Ebenen der *Execution Readiness* aus diesem Modell nicht erschöpfend beschreiben, da sie bereits detailliert dargelegt wurden. Das auf diesem Modell basierende Diagnoseinstrument bewertet diese Elemente, indem es die Teilnehmer auffordert, 100 Aussagen über ihre Organisation auf einer Skala von 0 bis 9 von »nicht zutreffend« bis »vollständig zutreffend« einzustufen. Solche Aussagen sind beispielsweise:

> *»Unser CEO spricht über die Vision für das künftige Wachstum und den künftigen Erfolg unseres Unternehmens.«*

> *»Das Management im gesamten Unternehmen ist eher auf kurzfristige Ziele ausgerichtet als auf eine langfristige Vision.«*

> *»Ich habe die Freiheit und die Befugnis, notwendige Entscheidungen zu treffen und Maßnahmen zu ergreifen. Ich habe das Gefühl, dass ich eigene Entscheidungen treffen kann.«*

> *»Die Prioritäten unseres Unternehmens ändern sich ständig.«*

> *»In meiner Abteilung geraten wir von einer Krise in die nächste und ›löschen Feuer‹, statt uns auf langfristige Ziele zu konzentrieren.«*

> *»Die Abteilungen in diesem Unternehmen funktionieren als Silos: Sie arbeiten in ihrer eigenen Welt und sind sich ihrer Wirkung auf und ihrer Verbindungen zu anderen Abteilungen häufig gar nicht bewusst.«*

> *»In meinem Bereich sind die Mitarbeiter überfordert.«*

> *»In diesem Unternehmen gibt es Günstlingswirtschaft.«*

> *»Die Leute in meinem Team vertrauen einander.«*

Ob Sie nun dieses Diagnoseinstrument oder ein anderes Verfahren einsetzen, um Input von den Mitarbeitern zu erhalten, wichtig ist, diese Informationen als ein entscheidendes Element zu begreifen, um sowohl Ressourcen als auch Barrieren für die effektive Umsetzung des Geschäftsplans sichtbar zu machen. Gelingt es der Organisation, alle Elemente der Execution Readiness zu meistern, lässt sich mit einiger Gewissheit vorhersagen, dass sie ihren Geschäftsplan effektiv umsetzen kann. Ergibt die Einschätzung aber Probleme bei einem beliebigen Element der Execution Readiness, gibt sie der Leitung eine Landkarte für die wichtigen Veränderungen innerhalb des Unternehmens an die Hand.

Solche Veränderungen reichen möglicherweise vom Abbau von Hindernissen für die Zusammenarbeit über eine gerechtere Berichts- oder Vergütungsstruktur bis hin zu verstärkter Rechenschaftspflicht in den Berichtsprozessen. Welchen Bereich sie auch immer betrifft, jede einzelne dieser gezielten Veränderungen ist ein wesentliches Element des Gesamtverfahrens zur Herbeiführung eines tiefgreifenden, grundlegenden Wandels in einem Unternehmen.

Heather übernahm dieses Modell und zugleich das Diagnoseinstrument. Dabei war ihr klar: Sie musste die Mitarbeiter davon überzeugen, dass diese Befragung tatsächlich der Sammlung von Informationen zu den Stärken und Schwächen des Unternehmens diente und nicht als Mittel, um schwierige Mitarbeiter zu ermitteln (und zu entlassen). Vor der Befragung hielt Heather eine Reihe von Webinaren und Vorträgen für die Beschäftigten, um nicht nur den Prozess in seiner Gänze zu beschreiben, sondern auch die Gründe seiner Durchführung und ebenso die Notwendigkeit für absolute Offenheit der Mitarbeiter in ihren Antworten. Heather versicherte den Beschäftigten nicht nur, dass ihre Antworten hundertprozentig vertraulich behandelt würden, sondern versprach außerdem, dass das Führungsteam die Befragungsergebnisse dem gesamten Unternehmen vorstellen würde. Sie betonte ferner, sie werde einen Beirat aus Freiwilligen zur Problemlösung berufen, sobald die Daten vorlagen.

Die Resonanz der Mitarbeiter auf die Befragungsaktion war äußerst erfreulich. 92 Prozent der Mitarbeiter beteiligten sich. Und sie lieferte tatsächlich ungeschönte Ergebnisse. An der Einschätzung der Mitarbeiter zum Unternehmen und zum Betrieb ließen sich echte Probleme und

Konflikte zwischen verschiedenen Bereichen ablesen. Heather war erfreut über diese umfangreiche Diagnose. Dadurch konnte sie klarer erkennen, wo sie und ihr Team als Erstes ansetzen sollten. Und es half ihr, ihre Prioritäten für den Veränderungsprozess zu erkennen.

Handlungsfreiräume im organisationsweiten Wandel

Hat die Führung einmal die Problemfelder ermittelt, die dem Fortschritt des Unternehmens konkret im Wege stehen, muss sie schnell und sicher den nächsten Schritt tun und die Bewältigung der Probleme angehen. Wie schon bei der Informationssammlung und -bewertung stellen die meisten Unternehmen fest, dass es vorteilhaft ist, wenn sie alle im Unternehmen in die Veränderungen mit einbeziehen. Den Mitarbeitern in einem solchen Wandel echte Mitsprache zu geben und sie in die Verantwortung einzubeziehen ist ein weiteres untrügliches Kennzeichen für virtuose Führung und eine ihrer Stärken. Der Maßstab für Mitarbeiterengagement wird generell angehoben, wenn jeder in den Prozess eingebunden ist und den Unternehmenserfolg mitgestalten kann.

Heather war fest entschlossen, ihrer Belegschaft in dem Veränderungsprozess, den sie und ihr Führungsteam vorantrieben, eine Stimme zu geben. Nachdem sie und ihr Team die Ergebnisse der Befragung zur *Execution Readiness* ihrer Organisation ausgewertet hatten, berief sie eine weitere Runde von Mitarbeiterversammlungen an allen Standorten des Unternehmens ein und stellte allen die Ergebnisse der Befragung vor. Die Feststellungen enthielten für die meisten keine Überraschungen, doch die offenen Gespräche unterstrichen Heathers Engagement für Transparenz.

Heather hielt Wort und rief im Nachgang zu den Versammlungen Freiwillige auf, sich an einem funktionsübergreifenden, unternehmensweiten Beratungsteam zu beteiligen. Aus einer größeren Gruppe von Freiwilligen wählten Heather und ihr Führungsteam neun Personen aus. Das Führungsteam und sein neuer Beirat setzten sich zwei Tage lang zu einem Offsite-Planungsmeeting zusammen, auf dem eine kurze Liste von Änderungsinitiativen erstellt wurde, die rasch umsetzbar waren. Dann wurden weitere Freiwillige für gesonderte aufgabenspezifische Teams für jede der Initiativen gesucht.

Diese Strategie, die darauf abzielt, kurzfristige Erfolge zu erzielen, ist für jedes Unternehmen nützlich. Die Rettung eines angeschlagenen Unternehmens erfordert fraglos als ganzheitlichen, langfristigen Ansatz den Aufbau des Charakters und der Kultur des Unternehmens. Doch damit ein unternehmensweiter Wandel greifen kann, muss er zumindest ein paar unmittelbar spürbare Verbesserungen mit sich bringen.

Die meisten Unternehmen stürzen nicht unvermittelt in die Krise. Und die wenigsten in Schieflage geratenen Unternehmen finden schnell einen reibungslosen Weg zurück in die Stabilität. Krankt ein Unternehmen schon monate- oder gar jahrelang an schlechter Führung, kann sich Zynismus verbreiten. Häufig bezweifeln alle, die in irgendeiner Form mit dem Unternehmen zu tun haben, von der Belegschaft über den Vorstand bis hin zu Kunden und Zulieferern, dass es überhaupt je wieder aufwärts gehen kann. Kurzfristige Erfolge und Verbesserungen nehmen diesem Zynismus die Schärfe und stimmen das Unternehmen schneller auf größere Ziele ein. Maßnahmen wie das Aufbrechen von Silos zur Verbesserung der abteilungsübergreifenden Kommunikation und Zusammenarbeit oder Umstrukturierungen, um einzelne Personen oder ganze Abteilungen herauszulösen, die von vielen als Herd von Unzufriedenheit oder Nepotismus wahrgenommen werden, bringen den dringend benötigten frischen Wind in die Organisation und ebnen so den Weg für weitere Veränderungen.

Heather beherzigte dazu den Rat ihres Beraters und nahm Beispiele für die kurzfristigen Erfolge ihres Unternehmens in ihre laufende Kommunikation über die neue Vision auf. So konnte sie einen positiven Kreislauf anstoßen: Je mehr sie die positiven Veränderungen herausstellte, desto eifriger wollten ihre Teams, der Beirat und die Führungsmannschaft weitere merkliche Verbesserungen bewirken.

Heathers Strategie wie auch die Bemühungen ihres Teams, den Charakter, die Kultur und den Geschäftsansatz der Firma umzugestalten, zeigten 18 Monate später deutliche Erfolge, was sich im gesamten Unternehmen niederschlug. Mit dem neuen Führungsteam und seinem neuen Charakter war es dem Unternehmen gelungen, mehrere der Fachkräfte zurückzugewinnen, die es verloren hatte, und die neue Technologieplattform war erfolgreich eingeführt und funktionierte gut. Die Zufriedenheit und Loyalität der Kunden war hoch wie nie, und die Mitarbeiterfluktuation war zurückgegangen. Heather hatte das Unternehmen auf eine gemeinsame Vision eingeschworen und so organisiert, dass es mit absolut engagierten und motivierten Mitarbeitern Leistung bringen konnte. Dadurch hatte sich das Unternehmen drastisch gewandelt: von einem Unternehmen kurz vor dem Untergang zu einem wachsenden und hochrentablen Wettbewerber in der Branche.

Der Aufsichtsrat war mit den Ergebnissen, die Heather und ihr Team erzielt hatten, sehr zufrieden. In der Zeit des Unternehmenswandels hatte Heather jedoch erfahren müssen, wie viel Unterstützung sie tatsächlich von diesem Gremium erwarten durfte. Ihre Erfahrung glich der vieler CEOs, die um das Überleben eines Unternehmens kämpfen. Oftmals erwartet der Aufsichtsrat von seinen Führungskräften, Veränderungen des Organisationssystems durchzuführen und anschließend Bericht zu erstatten, wenn diese erfolgt sind. Sich aktiv für diese Veränderungen stark zu machen, betrachten viele Aufsichtsratsmitglieder bedauerlicherweise nicht als Teil ihres Auftrages. Aus diesem Grund ist es eine weitere entscheidende Aufgabe für einen CEO, der im Unternehmen einen Wandel herbeiführen möchte, zu lernen, mit dem Aufsichtsrat zusammenzuarbeiten, und sich so viel Rückhalt wie möglich zu holen.

Die Rolle des Aufsichtsrats im Veränderungsprozess

In der Tat sind der CEO und sein Führungsteam Teil des größeren Ökosystems einer Organisation. Jeder CEO berichtet an ein Aufsichtsorgan. Bill Bojan, CEO und Gründer von Integrated Governance Solutions, einem Unternehmen, das sich der Verbesserung der Unternehmensführung und -kontrolle verschrieben hat, eröffnete aufschlussreiche Einblicke in das Organisationsleben aus einer systemischen Perspektive.[84] Er erklärte mir:

> *»In einem gesunden Governance-Ökosystem gibt es ein eingebautes Gleichgewicht zwischen Aufsichtsrat und Vorstand bezüglich der Kontrollfunktionen (Compliance, Risikomanagement, Ethik, Nachhaltigkeit). Ein Ungleichgewicht*

in einem Bereich kann die Gesundheit, Vitalität und Orientierung des gesamten Systems beziehungsweise der gesamten Institution untergraben.«

In Heathers Unternehmen hatte der Aufsichtsrat nur ein Ziel: den Ertrag zu maximieren. Er hatte die Firma von ihrem Gründer übernommen, wollte sie 3 Jahre halten und dann weiterverkaufen. Diesen Plan hatte der zunächst eingestellte CEO aber leider vereitelt. Als Heather eingesetzt wurde, war das Unternehmen vermutlich nicht einmal mehr so viel wert, wie der Investor dafür gezahlt hatte. Angesichts des Standardauftrags in der Private-Equity-Welt, unterbewertete Unternehmen zu kaufen, sie rentabler zu machen und wieder zu verkaufen, war die Ungeduld des Aufsichtsrats verständlich. Andererseits lag es in seinem ureigenen Interesse, Heather zum Erfolg zu verhelfen.

Der Aufsichtsrat mischte sich zwar nicht in Heathers Plan ein, leistete aber auch keinen nennenswerten Beitrag. Sie hatte gehofft, dass sich ein kleiner Kreis von Aufsichtsratsmitgliedern in die Gestaltung der Vision einbringen würde. Sie hatte sich getäuscht. Sie hatte ferner gehofft, der Aufsichtsrat werde ihre Bestrebungen zur Diagnose und Ausräumung von Hindernissen im Unternehmen engagiert unterstützen, was sich als weiterer Irrtum herausstellte. Als sie sich mit dem Aufsichtsratsvorsitzenden zur regelmäßigen Quartalssitzung getroffen und enthusiastisch mit ihm den Bericht zur *Execution Readiness* durchgesprochen hatte, hatte er keinerlei Interesse gezeigt. *»Schön, dass Sie das aus Ihrer Sicht Notwendige getan haben, Heather«*, erklärte er ihr. *»Den übrigen Aufsichtsratsratsmitgliedern brauchen Sie das aber nicht vorzulegen. Sie wissen ja, wir sind nicht so gefühlsbetont.«* Statt Heather aktiv zu unterstützen, beschränkte sich der Aufsichtsrat auf die Rolle des Zuschauers, der ungeduldig darauf wartete, dass sie einen Weg zum Erfolg fand.

Ein Aufsichtsrat, der passiv bleibt, verpasst die große Chance, zu dem Wert beizutragen, den sein CEO erwirtschaften kann. Ein Aufsichtsrat kann Wert vernichten, wenn er dem CEO ins Handwerk pfuscht und seine Macht einschränkt. Einer der virtuosen CEOs aus meiner Studie sah sich mit einem derart dysfunktionalen Aufsichtsrat konfrontiert. Nach Jahren der Zusammenarbeit, in denen der CEO von der Leistung des Gremiums stets enttäuscht wurde, lehnte der Aufsichtsrat die Pläne des CEOs zur

Umstrukturierung der Organisation und zur Umbildung des Führungsteams gänzlich ab. Für den CEO war das ein schockierendes Erlebnis. Dieser Aufsichtsrat verstand seine eigene Rolle falsch. Kann der CEO die mit dem Aufsichtsrat vereinbarten Leistungsziele durch seine Umgestaltungspläne nicht erreichen, sollte der Aufsichtsrat einschreiten und ihn für sein Leistungsdefizit zur Verantwortung ziehen. Doch in diesem Fall versuchte der Aufsichtsrat selbst, die Aufgabe des CEOs zu übernehmen. Indem er ihm die Befugnis absprach, sein eigenes Team und seine Organisation aufzubauen, beschädigte der Aufsichtsrat unwiderruflich seine Fähigkeit, das Unternehmen zu führen. Der virtuose CEO verließ das Unternehmen schließlich, was für alle Beteiligten ein großer Verlust war.

Wie Heathers Erfahrung zeigt, können virtuose Führungskräfte auch ohne optimal funktionierenden Aufsichtsrat ein Unternehmen durch einen tiefgreifenden, systemischen Wandel führen. Dann verlangt dieser Prozess dem CEO allerdings mehr ab und beraubt das Führungsteam und das Unternehmen insgesamt der Kraft und Begeisterung, die ein engagierter Aufsichtsrat zu diesem kritischen und komplexen Unterfangen beitragen kann.

Nimmt ein effektiver Aufsichtsrat den CEO für das Erreichen vereinbarter Leistungsstandards in die Verantwortung, so kommt er im Grunde nur seiner ureigenen Aufsichtspflicht nach. Jack Lederer, langjähriger Experte für die Funktionsweise von Aufsichtsgremien, sagte mir: *»Der Aufsichtsrat erfüllt eine entscheidende Aufgabe, indem er CEOs und ihre Teams immer wieder aufs Wesentliche fokussiert: Vision, Strategie, Finanzergebnis und Leistung der Beschäftigten.«*[85] Daher spielt der Aufsichtsrat eine unverzichtbare Rolle im organisationalen Wandel. Ob er in dieser Rolle positive oder negative Ergebnisse erzielt, richtet sich danach, wie viel die Aufsichtsratsmitglieder vom Prozess und von der Dynamik organisationaler Veränderungen verstehen und wie viel Verantwortung sie dafür übernehmen, diese herbeizuführen.

Jedes Glied in der Wertschöpfungskette stärken

Erinnern Sie sich noch an die *ROC*-Wertschöpfungskette aus dem ersten Kapitel? Schauen wir abschließend noch einmal die Abbildung 1-5 an als Gedächtnisstütze für die Zuständigkeit eines jeden CEOs, das ultimative Ziel seines Unternehmens zu erreichen: ein gutes Geschäftsergebnis. In diesem Kapitel haben wir uns damit beschäftigt, inwiefern charakterstarke Führung auf die Planung und Umsetzung von Wandel im Unternehmen Einfluss nimmt. Doch in allen Kapiteln haben wir gesehen, dass ein virtuoser Führungscharakter – wie er vom CEO gegenüber dem Führungsteam, dem Aufsichtsrat oder der gesamten Belegschaft gezeigt wird – eine entscheidende Rolle für das Ergebnis des Unternehmens spielt.

John Kotter, auf dessen Ansatz zum Management von Veränderung wir uns in diesem Kapitel schon mehrfach bezogen haben, ist der führende Experte für Transformationsprozesse im Organisationsleben. Der im dritten Teil dieses Buches geschilderte Prozess des Wandels hat viele Elemente mit Kotters achtstufigem Veränderungsprozess gemein, unter anderem die Vermittlung eines Gefühls für Dringlichkeit, die Bildung einer effektiven Führungskoalition, die Entwicklung einer Vision und anderes mehr.[86] Trotz der engen Parallelen zwischen unseren Konzepten des organisationalen Wandels gibt es jedoch einen Punkt, in dem Kotter und ich uns unterscheiden. Kotters acht Schritte fokussieren sich ausschließlich darauf, was der CEO macht, und gehen nicht darauf ein, wer er als Mensch ist. Doch das ist das entscheidende erste Element in der *ROC*-Wertschöpfungskette und der Fokus dieses Buches.

Die aktuelle Literatur zum Thema Führung basiert ganz offensichtlich auf einer oder zwei der beiden folgenden Annahmen: Die durchschnittliche Führungskraft ist eine Person, die bereits über einen adäquaten Charakter verfügt, oder aber ihr Charakter spielt keine Rolle, solange sie nicht gegen Gesetze verstößt. Unsere Studie und meine berufliche Erfahrung haben mir jedoch vor Augen geführt, wie fehlerhaft diese Annahmen sind, wenn es um die Erfolgsprognose von Organisationsveränderungen im Unternehmen oder um das Erreichen solider Geschäftsergebnisse geht. Ich habe erlebt, wie charakterlich schwache CEOs schon beim ersten Schritt hin zu einer solchen Veränderung Probleme bekommen. Wie kann ein CEO anderen vermitteln, dass dringender Handlungsbedarf besteht, wenn ihm die Organisation nur die Hälfte von dem glaubt, was er sagt? Wie wahrscheinlich ist es, dass es einem CEO ohne starken Charakter gelingt, das für die Bildung einer Führungskoalition nötige Vertrauen und die Teamarbeit auf die Beine zu stellen? Wie kann ein ichbezogener CEO eine Vision entwickeln, die die gesamte Belegschaft mitreißt, oder Strategien zur Verwirklichung dieser Vision erarbeiten?

Wie die *ROC*-Wertschöpfungskette deutlich macht, erfordert effektive Führung sowohl unternehmerische Kompetenz als auch ausgeprägte Charaktergewohnheiten. Um organisationale Veränderungsprozesse im Unternehmen erfolgreich anzuführen, hängen die Ergebnisse der Führungspersonen gleichermaßen davon ab, wer sie als Mensch sind, wie auch davon, was sie machen. Hier kommt der einzigarte Wettbewerbsvorteil virtuoser Führung am deutlichsten zum Tragen.

Wir haben erfahren, dass Veränderung im Unternehmen die Führung vor Herausforderungen stellt, die zu den schwierigsten und anspruchsvollsten gehören: die Notwendigkeit von Veränderungen erkennen und akzeptieren; eine neuen Vision entwickeln und das dafür notwendige Team aufbauen; das Engagement aller Mitarbeiter für die Inangriffnahme und Umsetzung der einzelnen Elemente des Veränderungsprozesses gewinnen; und schließlich die Erwartungen des Aufsichtsrats an diesen Prozess managen. Auf jedem Schritt dieser Entwicklung werden kurzfristige Erfolge und langfristige Ergebnisse vom starken Charakter des CEOs und des Führungsteams geprägt.

Vor allem aber hat uns dieses Buch vor Augen geführt, dass Charakter wichtig ist und dass unser Charakter ein Produkt unserer genetischen Veranlagung und unserer Lebenserfahrungen ist; dass wir unseren Charakter durch gewohnheitsmäßiges Verhalten zum Ausdruck bringen und dass wir unsere charakterlichen Gewohnheiten wie alle Gewohnheiten verändern können. Wir wissen jetzt: Wenn wir unseren Führungscharakter verändern, können wir einen Prozess einleiten, der den Charakter und die Kultur des Unternehmens verbessert, für das wir arbeiten. Bringen wir eine solche tiefgreifende und sinnstiftende Veränderung zuwege, können wir das Leben aller Menschen verändern, die mit unserem Unternehmen in Berührung kommen, das unserer Mitarbeiter, unserer

Kunden, unserer lokalen Gemeinden und Städte und das von Menschen in der ganzen Welt.

Haben die Menschen, die mit uns und für uns arbeiten, Vertrauen in die Kompetenz und in den Charakter ihrer Vorgesetzten, können sie auch darauf vertrauen, dass die Energie und der Fokus, mit denen sie zum Erfolg des Unternehmens beitragen, gewürdigt und honoriert werden. Ob wir unternehmensweite Veränderungen anstoßen, einen neuen Markt erschließen oder bekanntes Terrain erobern, ein Unternehmen, das auf dem felsenfesten Fundament eines virtuosen Charakters steht, hat die besten Erfolgsaussichten. Das ist zugleich das Versprechen und die Belohnung von *ROC*-Führung. Und davon profitieren wir alle.

ZUSAMMENFASSUNG:

Der Aufbau einer *ROC*-geprägten Organisation

1. **Organisationen verändern sich nicht von selbst.** Es sind die Führungskräfte, die Organisationen verändern.
2. **Virtuose Führung funktioniert nicht im Alleingang.** Sie erfordert die Mitwirkung und Kooperation der gesamten Organisation.
3. **Eine Hauptaufgabe des CEOs besteht im Aufbau eines Führungsteams, das seine Vision für das Unternehmen teilt.** Das Team muss auch den gleichen dringenden Handlungsbedarf erkennen wie der CEO, die notwendigen Veränderungen in die Wege zu leiten, um die Vision mit Leben zu erfüllen.
4. **Der CEO und sein Führungsteam müssen ihre Vision für die Veränderung des Unternehmens auf vielerlei Weise kommunizieren.** Diese Initiative muss jeden Bereich des Unternehmens durchdringen.
5. **Effektive Unternehmensführung ist eine Kombination aus zwei Faktoren: Wer der CEO als Mensch ist und was er macht.** Effektive Führung erfordert sowohl unternehmerische Kompetenz als auch starke Charaktergewohnheiten.
6. **Der Aufsichtsrat kann eine wesentliche Rolle im Unternehmenswandel spielen.** Er kann zur Wertschöpfung beitragen, indem er den CEO unterstützt und anleitet, er kann aber auch zum Hindernis werden, das der CEO aus dem Weg räumen muss.
7. **Kurzfristige Erfolge können selbst eine zynisch gewordene Belegschaft motivieren**, auf langfristige Veränderungen hinzuarbeiten.
8. **Organisationveränderung erfordert einen Sinn für die Dringlichkeit des Handlungsbedarfs, eine inspirierende Vision und ein virtuoses Team, das die gesamte Organisation in die Verantwortung mit einbindet und lenkt, damit jeder im Unternehmen sich daran beteiligt, Hindernisse für die Umsetzung der Vision zu erkennen und zu beseitigen.**

Fazit:
Neuorientierung in der Führungskultur

Als das Forschungsteam von KRW mit der Analyse der Daten begann, die wir durch Befragung von 8400 nach dem Zufallsprinzip ausgewählten Beschäftigten über die 84 an der Studie beteiligten CEOs gesammelt hatten, wurden wir von den Ergebnissen immer wieder überrascht. Ich hatte damit gerechnet, dass wir einen Zusammenhang zwischen harten Geschäftszahlen und Charakter feststellen würden, war aber davon ausgegangen, dass dieser eher gering ausfallen könnte. Stattdessen fanden wir Folgendes heraus: Wird ein Unternehmen von einem virtuosen CEO und Führungsteam geleitet, können wir mit ziemlicher Sicherheit vorhersagen, dass dieses Unternehmen eine höhere positive Kapitalrendite erwirtschaftet als ein von einem ichbezogenen CEO und Team geführtes. Anders formuliert hat unsere Studie belegt, dass der *Return on Character* ein ebenso realer wie signifikanter Renditefaktor ist.

Unsere Forschungsergebnisse sind eindeutig. Durch den Nachweis eines Zusammenhangs zwischen integrer, empathischer, verantwortungsbewusster, versöhnlicher und vollständig integrierter Führung und dem wirtschaftlichen Unternehmenserfolg kann die *ROC*-Studie eine Grundlage für eine bessere Managementausbildung, -weiterbildung und

-praxis liefern. Ich habe dieses Buch geschrieben, um anzufangen, das Fundament dafür zu legen. Sie können diese Arbeit fortsetzen. Ich hoffe, die Anregungen, Beispiele und Methoden aus diesem Buch haben Sie davon überzeugt, dass Sie darauf Einfluss nehmen können, wie Unternehmensführung und die gängigen Vorstellungen darüber gestaltet werden. Sie können eine virtuose Führungskraft werden. Ihr Unternehmen kann die Kultur und Charaktergewohnheiten virtuoser Führung annehmen und damit bessere, nachhaltige Geschäftsergebnisse erzielen. Es gibt deutliche Indizien dafür, dass der Übergang zu charaktergestützter Führung nicht nur möglich, sondern bereits im Gange ist. Ich verabschiede mich in der Hoffnung, dass Sie zu diesem Übergang beitragen, indem Sie das in Ihrem Rahmen tun und damit auch die Welt ein Stück weit verändern werden.

Warum wir virtuose Führung brauchen

Ganz offensichtlich steht mit unserer Welt nicht alles zum Besten. Gäbe es auf diesem Planeten nur 1 oder 2 Milliarden Menschen, wäre die Lage vermutlich weniger kritisch. Doch auf der Erde leben über 7 Milliarden Menschen, die alle im Wettbewerb um Wasser, Nahrung, Energiequellen und soziale wie wirtschaftliche Sicherheit stehen. Jeder kennt die Liste der Probleme, mit denen wir heute konfrontiert sind: Terrorismus, Klimawandel, wachsende Weltbevölkerung, Endlichkeit der Ressourcen, Wasserverschmutzung, Atomwaffen, Menschenrechtsverletzungen, Unruhen in Asien, im Nahen Osten und in Afrika und wirtschaftliche Spannungen zwischen vielen großen Volkswirtschaften, um nur ein paar zu nennen.[87]

Doch diese Probleme sind nur eine Seite der Bilanz. Auf der positiven Seite steht die Hoffnung. Kishore Mahbubani ist ehemaliger Botschafter Singapurs bei den Vereinten Nationen und Dekan der Lee Kuan Yew School of Public Policy der National University of Singapore. Ihm zufolge zeigt ein Überblick über die letzten 30 Jahre, dass bei manchen der schwerwiegendsten Probleme der Welt in diesem Zeitraum mehr erreicht wurde als in den vorangegangenen 300 Jahren. Mahbubani schreibt:

> Die globale Armut geht zurück. Weltweit wächst die Mittelschicht rasant. Kriege zwischen Staaten haben keine Zukunft. Noch nie war ein so großer Prozentsatz der Weltbevölkerung so gut ausgebildet und weitgereist wie heute. Wir sind immer stärker integriert und vernetzt.[88]

Noch vor 100 oder 200 Jahren sei jeder Nationalstaat wie ein Schiff auf dem Weltmeer gewesen, so Mahbubani. Die vordringliche Aufgabe einer Regierung habe darin bestanden, das eigene Schiff zu steuern. Heute sei ein Nationalstaat eher mit einer Kabine auf einem Kreuzfahrtschiff vergleichbar. Eine Regierung könne zwar bestimmen, was in ihrer eigenen Kabine vorgeht, sei jedoch wie alle anderen auch vom Schicksal des Mutterschiffs abhängig. Und unglücklicherweise steht auf der Brücke dieses Schiffes kein Kapitän. Warum das so ist? Nun, weil offenbar nur wenige Staatslenker begriffen haben, dass sie im gleichen Boot sitzen und dass ihre eigene sichere Überfahrt in hohem Maße davon abhängt, dass auch alle anderen unversehrt übersetzen. Wir brauchen Führungspersonen, die in der Lage sind, das Ruder zu übernehmen. Wir dürfen nicht länger zulassen, dass angstgesteuerte, nur an sich selbst interessierte, ichbezogene Leitfiguren, wie sie am unteren Ende der *ROC*-Charakterkurve zu finden sind, die Norm bleiben. Was wir brauchen, sind virtuose Führungskräfte, die das Kommando übernehmen und uns umsichtig und kompetent durch diese schwierigen Zeiten steuern. Das ist eine radikale Umwälzung, die nicht von heute auf morgen passieren wird. Wie bei jeder signifikanten Veränderung gesellschaftlicher Normen muss sich eine neue Erwartungshaltung und Einstellung gegenüber Führung zunächst im Herzen und im Kopf jedes Einzelnen einnisten. Wenn wir unsere alten Vorstellungen über Bord werfen und durch ein neues Verständnis ersetzen, stellt sich die Gesellschaft nach und nach auf kulturelle Normen um, aus denen diese Veränderung hervorgeht. Diese kleinen, allmählichen Veränderungen sind für sich genommen kaum wahrnehmbar, führen in ihrer Gesamtheit aber zu einer Wende, die alles verändert.

Sind Sie gegenüber der Wahrscheinlichkeit einer solchen Entwicklung skeptisch, dann denken Sie an einige gesellschaftliche Veränderungen, die wir seit Mitte des 20. Jahrhunderts erlebt haben: In den 1960er Jahren war

Rauchen ein übliches, akzeptiertes Verhalten. Man durfte im Flugzeug rauchen, in den hinteren Sitzreihen im Kino, im Restaurant, am Arbeitsplatz, ja sogar im Krankenhaus. Ein Raucherbereich war überall da, wo sich ein Raucher gerade aufhielt. 50 Jahre später ist in den Vereinigten Staaten das Rauchen in vielen Regionen nur noch im eigenen Heim oder Auto gesetzlich erlaubt. Rauchen, einst eine verbreitete gesellschaftliche Normalität, ist inzwischen ein Tabu, und viele Raucher verheimlichen ihr Laster nach Kräften vor Freunden, Kollegen, Mitarbeitern und selbst vor Familienangehörigen.

Oder denken Sie an die Veränderung der Haltung zur sexuellen Orientierung. Noch in der ersten Dekade des 21. Jahrhunderts gestattete kein Bundesstaat gleichgeschlechtliche Ehen, und pauschal konnte man die amerikanische Öffentlichkeit als überwiegend homophob bezeichnen. Jetzt steht unsere Kultur an einem Wendepunkt, der eine ganze Nation dazu gebracht hat, Homosexualität als Lebensweise und die gleichgeschlechtliche Ehe zu akzeptieren.

Revolutionäre Umbrüche in der öffentlichen Einstellung und bei gesellschaftlichen Normen sind also möglich – und sie passieren. Nach meiner Überzeugung erleben wir schon jetzt, während ich noch an diesem Buch arbeite, die ersten vereinzelten Elemente einer solchen Veränderung unserer Erwartungshaltung in Bezug auf die Leitfiguren von Wirtschaftsunternehmen und gemeinnützigen Institutionen. Ich bezeichne diese Entwicklung als »Frühling für die Unternehmensseele«[89], denn sie erinnert stark an den Prozess, den wir beobachten, wenn die verdorrten Blätter des letzten Winters abfallen und das frische Grün des neuen Frühjahrs sprießt und damit neues Leben beginnt. Bei meinen Vorträgen stelle ich immer wieder fest, dass das Publikum nur darauf zu warten scheint, dass diese aufkeimende neue Auffassung von Führung erblüht und gedeiht. Die Menschen hungern förmlich nach Informationen, die sie in der Überzeugung bestätigen, dass wir von unseren Leitfiguren mehr erwarten können, ja sogar müssen. Unlängst traf ich mich zu einem persönlichen Gespräch mit dem Geschäftsführer eines großen New Yorker Private-Equity-Unternehmens. Er wirkte und sprach, wie man sich landläufig einen Private-Equity-Investmentbanker vorstellt, dem es nur um das finanzielle Ergebnis geht, bis ich von dem Zusammenhang zwischen

Charakter und Unternehmenserfolg sprach, den die *ROC*-Studie belegt hatte. Da lächelte er plötzlich, seine Gesichtszüge wurden weicher und er beugte sich interessiert zu mir vor. Im weiteren Verlauf unseres Gesprächs wurde mir klar, dass dieser Manager durch belastbare Daten rational bestätigt sehen wollte, was er instinktiv über den Nutzen charaktergesteuerter Führung wusste.

In diesem Buch haben wir die Forschungsergebnisse erläutert, die belegen, dass wirklich exzellente Führung, also virtuose Führung, die dem Gemeinwohl und nicht nur dem Vorteil beziehungsweise der Bereicherung Einzelner dient, auch für das Geschäft gut sein kann. Wir haben inzwischen die traurige Vorstellung akzeptiert, dass der Gewinn alles rechtfertigt, sogar unsere Empathie aufzugeben, die Unwahrheit zu sagen, zu herrschen statt zu führen und die Stabilität unserer Gesellschaft und Umwelt aufs Äußerste zu strapazieren, im Namen gesteigerter Marktanteile oder erzielter Kapitalrenditen. Nun haben wir den unwiderlegbaren Beweis dafür, dass Unternehmen, Regierungen und Volkswirtschaften ihre Bilanz am besten dadurch verbessern, dass sie sich den *ROC* sichern, den an Prinzipien orientierte Führung mit starkem Charakter bringt.

Wie der Investmentbanker, mit dem ich in New York zusammentraf, warten alle Menschen sehnlichst auf ein Führungsmodell, an das sie glauben und dem sie folgen können, das auf Menschlichkeit gründet und aus dieser gespeist wird. Wir Menschen finden es zutiefst erfüllend, wenn wir so leben können, wie es unseren angeborenen moralischen Intuitionen entspricht. Eine solche Selbstintegration nährt unseren Geist, unseren Körper und unsere Seele, und sie bildet das pulsierende Herz der gesellschaftlichen Bewegung, die ich heute beobachte. Die Gesellschaft trennt sich von alten, abgenutzten Ideen, die in der Vergangenheit unsere Geschäftspolitik der verbrannten Erde prägten, und es kommen neue Ideen auf und rücken an ihre Stelle. Das Konzept vom »Recht des Stärkeren« welkt dahin und weicht dem neuen Ethos der Fairness und Gleichheit, der Wurzeln schlägt und kräftig austreibt. Die »Sie tun, was ich Ihnen sage«-Botschaft der einsamen Wölfe in den Führungsetagen verblasst zur müden Erinnerung, wenn uns neue Stimmen eindringlich bewusst machen, dass wir alle im selben Boot sitzen.

Ein Wort an die Generation Y ...

Wie wir in diesem Buch immer wieder gesehen haben, verkörpern viele Führungskräfte aus den geburtenstarken Jahrgängen (1946 bis 1964) und aus der Generation X (1965 bis 1980) die Werte und Prinzipien virtuoser Führung und versuchen, diese der nächsten Generation von Führungskräften und Organisationen zu vermitteln. Für die nächste Generation, die Millennials oder Generation Y, also die nach 1981 geborenen, habe ich eine ganz besondere Hoffnung, die sich darauf stützt, was wir über sie und ihre Denkart wissen. Eine Bitte an alle anderen: hören Sie einfach zu, wenn ich für einen Moment das Wort an die jüngeren Menschen im Publikum richte.

Ihr Millennials repräsentiert fast 60 Prozent der gesamten Weltbevölkerung und werdet in Kürze die Führungspersonen überall auf der Welt stellen. Die Wissenschaft hat eure Generation in den Vereinigten Staaten recht gründlich unter die Lupe genommen. 2014 gab das Pew Research Center einen Bericht über seine Erkenntnisse[90] heraus, darunter die folgenden:

- Fast die Hälfte von euch hat keine weiße Hautfarbe.
- Als Gruppe seid ihr sozial liberal, aber fiskal konservativ.
- Zwar bezeichnet sich die Hälfte von euch als politisch unabhängig, doch ihr wählt überwiegend die Demokraten und glaubt an eine aktiv einflussnehmende Regierung.
- Ihr seid für die gleichgeschlechtliche Ehe und für die Legalisierung von Marihuana.
- Ihr seid »von Institutionen distanziert, aber mit Freunden vernetzt«. Zum Zeitpunkt der Pew-Studie waren 81 Prozent von euch auf Facebook vertreten, und ihr hattet dort im Schnitt 250 Freunde.
- Ihr seid die erste Generation der »Digital Natives«.
- Ihr seid lange nicht so schnell bereit, anderen zu vertrauen, wie ältere Generationen. Nur 19 Prozent von euch sagen, dass man »den meisten Menschen vertrauen kann«. Von den Angehörigen der Jahrgänge 1946 bis 1964 waren noch 40 Prozent dieser Meinung.
- Ihr seid höher verschuldet, aber besser ausgebildet. Ihr seid sogar die am besten ausgebildete Generation junger Erwachsener in der amerikanischen Geschichte.

- Ihr seid trotz der Erschütterung durch die jüngste Rezession und der Kosten weiterführender Bildung erstaunlich optimistisch. Fast 50 Prozent von euch sagen, »unser Land hat seine besten Jahre vor sich«.

Die Ältesten unter euch sind jetzt erst 37, doch 2030 wird eure Generation die wichtigsten Führungsposten weltweit besetzen: in der Regierung, im Bildungssystem, in der Justiz, in den Glaubensgemeinschaften und in der Wirtschaft. Ja, schon 10 bis 15 Jahre nach der Veröffentlichung dieses Buches wird eure optimistische Generation die Führungsetagen bevölkern, in denen CEOs und ihre Führungsteams walten.

Ihr glaubt mehrheitlich, dass die USA und auch die ganze Welt, ihre besten Jahre noch vor sich haben. Die Kraft dieser Überzeugung gibt mir Hoffnung, dass eure Generation Recht behalten könnte. Doch uns stehen nur dann die besten Jahre noch bevor, wenn ihr Millennials die Messlatte für Führungskräfte höher hängt. Wie hoch, wollte ich mit dem *Return on Character* vorgeben.

Eure Generation kann dafür sorgen, dass es für Führungspersonen zur Norm wird, die Überzeugungen zu verkörpern, die von den virtuosen CEOs praktiziert werden. Die Weltanschauung der virtuosen CEOs deckt sich in vielem mit der euren. Solche Führungskräfte fokussieren sich in der Regel darauf, was in ihrer Welt richtig ist, und sie gehen üblicherweise davon aus, dass wir nie so menschlich sind wie in unseren Beziehungen zu anderen. Natürlich offenbaren die Virtuosen auch einen festen Glauben an das ureigene Gute im Menschen, der im Widerspruch steht zu eurem grundlegenden Mangel an Vertrauen in euer Umfeld. Doch diese Führungskräfte möchten eine bessere Welt hinterlassen, und dieses gemeinsame Ziel ist vielleicht das stärkste Bindeglied zwischen euch Millennials und den Grundsätzen virtuoser Führung.

Wenn ihr euch weiterentwickelt und die Welt um euch herum und die Menschen darin besser versteht, dann sollte auch euer Vertrauen in und euer Glaube an die Menschen größer werden. Dann wird eure Generation tatsächlich in der Lage sein, dafür zu sorgen, dass virtuose Führung in Unternehmen, Politik, Wirtschaft, Bildungsstätten und anderen globalen Institutionen, an denen ihr derzeit so wenig Interesse zeigt, zum

Standard wird. Kurz, ich erkenne eine langsam anwachsende Bewegung hin zu virtuoser Führung, und ich bin überzeugt, dass es eure Generation sein wird, die diese Bewegung zur neuen Norm macht.

... und ein Aufruf an die Führungskräfte und Leser aller Generationen, sich dieser Bewegung anzuschließen

Ich bin mir sicher, dass Tausende von Ihnen, meine Leserinnen und Leser aller Generationen, gern die Welt verändern möchten. Wie ich sind Sie des ichbezogenen Verhaltens so vieler Führungskräfte in aller Welt überdrüssig und damit auch der auf Angst beruhenden Form fehlgeleiteter Führung, die uns immer neue Katastrophen beschert. Statt ein besseres, nachhaltigeres Modell für Unternehmen, gesellschaftliche Strukturen, Volkswirtschaften und ein Leben auf einem blühenden, gesunden Planeten aufzubauen, wurzeln die Entscheidungen ichbezogener Führungskräfte offenbar in kurzsichtigem, oberflächlichem Eigeninteresse, das am Ende niemandem wirklich nützt. Nicht einmal den Führungspersonen selbst oder den Institutionen, die sie leiten.

Sie haben die Macht, das zu ändern. Sie können einen neuen Führungsstandard für alle maßgeblichen Institutionen der Welt einführen. Gesellschaftlicher Wandel beginnt in den Herzen und Köpfen aller Menschen, auch von Menschen wie Sie und ich. Alle Veränderungen gehen von uns aus. Diejenigen unter uns, die die geltende Führungsnorm entwickelt oder zugelassen haben, dass die mit ihr einhergehenden Probleme sich weiter verhärten und um sich greifen, müssen akzeptieren, dass sie gescheitert ist. Wie andere Gesellschaften seit Anbeginn der Menschheitsgeschichte haben auch wir in unbekümmerter Ignoranz oder regelrechter Verleugnung des Ausmaßes der von uns geschaffenen Probleme vor uns hingelebt. Zum Glück wissen wir jetzt, was zu tun ist, um uns auf ein neues Modell umzustellen. Und wir verfügen auch über die nötigen Technologien für eine globale Zusammenarbeit, die eine solche Umstellung bewerkstelligen kann. Uns ist heute klarer denn je, dass wir alle Weltbürger sind. Wir sind wie Passagiere, die in verschiedenen Kabinen reisen, aber ausnahmslos vom Schicksal unseres riesigen Schiffes abhängen, das unser Planet Erde ist. Wir brauchen Führungskräfte mit Integrität, Verantwortungsbewusstsein, Versöhnlichkeit und Empathie, um das Ruder zu übernehmen. Wir brauchen Sie!

Wenn Sie sich angesprochen fühlen, egal wie alt Sie sein mögen, dann sicherlich zu Recht. Sie möchten die Zukunft aktiv mitgestalten und Dinge verändern. Das Gemeinwohl ist Ihnen ein Anliegen. Wie Menschen überall und zu allen Zeiten möchten Sie ein gutes Leben führen und Ihren Kindern und Enkeln eine lebenswerte Welt hinterlassen. Um das zu erreichen, hoffe ich, werden Sie die verknöcherten und überholten Vorstellungen von ichbezogener Führung über Bord werfen und Ihre virtuosen Fertigkeiten perfektionieren. Damit sind Sie bereit, an Bord zu gehen und unser Schiff sicher zwischen den vielen Klippen hindurchzusteuern, die vor uns auftauchen, hin zu neuen Ufern, um die Möglichkeiten zu ergründen, wie wir kompetenter führen, wirtschaftlich erfolgreicher sein und die Welt verbessern können.

Woran erkennen wir, dass wir in ein Zeitalter eingetreten sind, in dem höhere Erwartungen an den Charakter und ein Führungsstil, der sich an festen Grundsätzen orientiert, bisher geltende Normen ersetzt haben? Wenn Sie die folgenden Signale wahrnehmen, wissen Sie, dass wir es geschafft haben:

- Betriebswirtschaftliche Masterstudiengänge greifen die neue Wissenschaft von der Natur des Menschen und das Modell von der virtuosen Führung auf. Es wird ebenso viel Aufmerksamkeit darauf gerichtet, wer ein MBA-Student als Mensch ist, wie auf das, was er gelernt hat zu machen.
- Die auf dem neuen Modell basierende Vermittlung von Führungskompetenzen beginnt schon an der Schule in der Mittelstufe und setzt sich in der weiterführenden und universitären Ausbildung fort.
- Es wird immer weniger auf Finanzkennzahlen als einzigem Maßstab zur Beurteilung effektiver Führung gesetzt.
- Journalisten berichten regelmäßig über Führungskräfte, die die neue Norm verkörpern, aber auch über solche, die ihr gemessen am neuen Standard nicht genügen.

- Aufsichtsräte wählen virtuose CEOs aus und übernehmen das neue Modell als Bewertungsstandard für ihre Leistung.
- Aufsichtsräte ziehen umfangreiche Datenbanken als Benchmarks für die Leistung von Geschäftsführern im Vergleich zu Kollegen aus Unternehmen vergleichbarer Größe und ähnlichen Sektoren heran.
- Globale Beratungsunternehmen und Talent-Management-Experten übernehmen den neuen Standard.
- Einzelne setzen das neue Modell zur ihrer persönlichen beruflichen Entwicklung ein.
- Weitere evidenzbasierte Führungsstudien liefern dieselben Erkenntnisse und bestätigen erneut den Zusammenhang zwischen ausgeprägten Charaktergewohnheiten und Effektivität als Führungskraft.

Wer bereits eine wichtige Führungsposition innehat, ist prädestiniert, wirkungsvoll zu einer Veränderung im Selbstverständnis dieser Rolle beizutragen. Wenn sie tief in sich gehen, empfinden meiner Vermutung nach viele von uns bereits ein gewisses Unbehagen darüber, dass der aktuelle wirtschaftliche Fokus, der ausschließlich auf der Wertschöpfung für den Investor beruht, häufig auf Kosten anderer Stakeholder geht. Nun liegen uns Daten vor, die belegen, wie unzuverlässig und unhaltbar diese Kenngröße für den Unternehmenserfolg in Wirklichkeit ist.

Mit den aus diesem Buch gewonnenen Anregungen, Methoden und Ratschlägen stehen Ihnen Werkzeuge und Verfahren zur Verfügung, um künftig einen ganzheitlicheren und erfüllenderen Führungsansatz zu praktizieren. Dieser Ansatz schafft einen Mehrwert für Sie, Ihre Beschäftigten, Ihre Aktionäre, Ihre Kunden und Auftraggeber sowie für Ihre Gemeinschaft. Ich sage Ihnen nicht nur, dass Sie etwas bewirken können: Ich gebe Ihnen ein paar von den besten Instrumenten an die Hand, um dieses Ziel auch zu erreichen.

Einer allein kann einen solchen globalen Wandel nicht herbeiführen, vielleicht noch nicht einmal eine ganze Generation. Wie jeder virtuose CEO sagen würde: Wir sitzen alle im selben Boot. Ich fordere jeden Einzelnen auf, sich der laufenden, stärker werdenden Bewegung hin zu virtuoser Führung anzuschließen. Für mich persönlich gilt: Ich bin an Bord des Schiffs und stehe bereit, alle starken, neuen virtuosen CEOs zu unterstützen, die bereit sind, Verantwortung zu übernehmen. Nur bitte, machen Sie die Leinen los. Die Flut steigt, und wir brauchen alle Hände an Deck.

Anhang A

Aufbau der Studie

Die Auswahl der CEOs für diese Studie

KRW hat die Return On Character-Studie von Anfang an als einen deskriptiven Forschunganansatz angelegt, um präzise zu untersuchen, wie sich CEOs in ihrer Arbeitsumgebung tatsächlich verhalten, und den Einfluss zu erforschen, den ihr Verhalten auf die Mitarbeiter sowie auf die Rentabilität des Unternehmens hat.

Die meisten CEOs wählten wir aufgrund von persönlichen Empfehlungen aus. Ein CEO, der Kunde von KRW war, Mike McGavick (zurzeit CEO der XL Gruppe), stellte mich Jim Sinegal von Costco vor. Sinegal erklärte sich bereit, am ersten Pilot-Projekt teilzunehmen, und machte mich dann mit Steve Rogel von Weyerhaeuser bekannt und so ging es weiter. Einige CEOs lernte ich auch in anderen Zusammenhängen kennen, auf Flügen oder durch andere zufällige Begegnungen.

Die CEOs, die an dieser Studie teilgenommen haben, kamen aus allen Gegenden der USA, zwei sind aus Kanada. Kurzzeitig nahmen wir auch europäische CEOs mit auf, aber wir beschlossen dann, aus Ressourcengründen unsere Forschung außerhalb Nordamerikas auf einen späteren Zeitpunkt zu verschieben. Die Daten der europäischen Teilnehmer sind nicht in unsere Studie eingeflossen.

Jedes Mal wenn wir einem CEO seinen Forschungsbericht vorlegten (der die zusammengefassten anonymen Forschungsdaten enthielt), baten wir sie oder ihn um eine Empfehlungs-E-Mail an zwei oder drei andere CEOs, die eventuell Interesse hätten, auch an unserer Forschung teilzuhaben. Auf diese E-Mail-Empfehlungen hin bat ich um 10-Minuten-Telefonate, in denen ich unser Projekt beschrieb. Am Ende jedes Gespräches fragte ich, ob mein Gesprächspartner eine offizielle Einladung zur Teilnahme erhalten wollte sowie eine Ausgabe unseres ersten Buches. Beinahe alle, mit denen ich sprach, wollten gern teilnehmen. Jeder CEO wurde gebeten, eine schriftliche Teilnahmeerklärung zu unterzeichnen.

Im Laufe der 7 Jahre verpflichteten sich 120 CEOs zur Teilnahme an der Studie. Bei 84 CEOs gelang es uns, einen vollständigen Datensatz zu erhalten. Aus unterschiedlichen Gründen schieden einige aus der Studie aus: Bei einigen änderte sich plötzlich die Ausgangssituation, wie beispielsweise große Umstrukturierungen oder ein Jobwechsel. Die meisten Absagen erfolgten wegen interner Regelungen, die eine Befragung von Mitarbeitern durch Externe ausschlossen.

Unsere Ankündigung, die Studienergebnisse mit dem Ziel zu veröffentlichen, die Art, wie Führung an Wirtschaftsunis gelehrt wird, zu beeinflussen, sprach das Interesse von CEOs, an der Studie teilzunehmen, am stärksten an. Nach unserem Endruck wird das Thema Charakter an den meisten Wirtschaftsschulen schlicht übergangen. Die angesprochenen CEOs bestätigten dies und wollten gern teilnehmen.

CEO Gender und Herkunft

Insgesamt gibt unsere Stichprobe an CEOs die Demographie nordamerikanischer CEOs im Hinblick auf Alter und Gender recht genau wider. Die meisten CEOs der Studie sind männlich und überwiegend älter als 50 Jahre (84 Prozent). In unserer Stichprobe sind sieben Frauen, was etwa 9 Prozent entspricht. Das spiegelt die Fortune-500-Listewider, in der 24 Frauen vertreten sind, also etwa 5 Prozent. Es gibt nur zwei Teilnehmer, die nicht weiß sind (2 Prozent), im Vergleich zu 5 Prozent nicht-weißer CEOs in der Fortune-500-Liste.

Wir anerkennen die Notwendigkeit, diese Forschung mit unterschiedlichen ethnischen Gruppen und Menschen unterschiedlicher Hautfarbe zu erweitern. Für diese Studie nehmen wir die Dinge, wie sie heute sind: Die meisten CEOs in Nordamerika sind weiß, männlich und über 50 Jahre alt.

Firmengröße, -art und Sektor

Firmengröße

Größe anhand der Angestelltenzahlen	Anzahl	Prozent
<500	42	50 %
500–2 000	24	28 %
2 000–10 000	8	10 %
>10 000	10	12 %

22 Prozent der CEOs in unserer Studie leiten große Unternehmen (nach unserer Definition sind das Unternehmen mit mehr als 2 000 Angestellten). Zehn der Unternehmen sind sehr groß, haben also mehr als 10 000 Angestellte.

87 Prozent der CEOs in unserer Studie leiten Unternehmen mit weniger als 2 000 Angestellten und 50 Prozent der CEOs leiten kleine Unternehmen mit weniger als 500 Angestellten.

Auch wenn viele Amerikaner glauben, dass die meisten Unternehmen groß sind, sind 99 Prozent aller Unternehmen in Nordamerika klein und haben weniger als 500 Angestellte laut dem US Government Census Bureau W(https://www.census.gov/econ/smallbus.html#EmpSize).

Firmenart

Art	Anzahl	Prozent
Börsennotierte Unternehmen	26	31 %
Privatunternehmen	44	52 %
Gemeinnützig/Behörden	14	17 %

Die meisten gemeinnützigen Organisationen sind groß. Sechs davon sind im Bereich der Gesundheitsversorgung. Zwei andere große Organisationen erbringen soziale Dienstleistungen.

Laut Wall Street Journal belief sich die Anzahl der börsennotierten Unternehmen in den USA Ende 2013 auf 5 008.[1] Die Daten aus dem US Census legen nahe, dass dies weniger als ein zehntel von 1 Prozent aller Unternehmen in den USA sind. Obwohl nur 26 Unternehmen in dieser Studie börsennotiert sind, machen sie 31 Prozent der Stichprobe aus – dies sind deutlich mehr als die prozentuale Anzahl börsennotierter Unternehmen in Amerika.

Sektor

Die folgende Tabelle zeigt die prozentuale Verteilung der Unternehmen der 84 CEOs nach Branchen:

Sektor	Anzahl	Prozent
Computer/Technologie	7	8 %
Unterhaltung/Medien	7	8 %
Finanzdienstleistungen	14	17 %
Lebensmittel und Getränke	7	8 %
Öffentliche Hand	2	3 %
Gesundheitswesen	7	8 %
Verarbeitende Gewerbe	5	6 %
Dienstleistungen	11	13 %
Einzelhandel	12	14 %
Sozialdienstleistungen	2	3 %
Transport	2	3 %
Andere	8	9 %
Gesamt	84	100 %

Übersicht der erhobenen CEO-Daten

Jeder an der *ROC*-Studie teilnehmende CEO erhielt folgende Aufgaben:

1. Ein zweistündiges Interview zu seinem persönlichen Werdegang.
2. Eine Übung, bei der er Sätze zu seinen Glaubenssätzen vervollständigen sollte.
3. Eine Selbsteinschätzung zur Ausprägung seiner Charaktergewohnheiten.
4. Eine Selbsteinschätzung, inwieweit spezifische Glaubenssätze geteilt wurden im Hinblick auf Ängste, die menschliche Natur, die Welt, das Unternehmensleben, die Rolle des CEOs, den Sinn und Zweck des eigenenLebens und das Familienleben.
5. Sein oder ihr Wahlverhalten bei US-Präsidentschaftswahlen.

Im Folgenden werden diese Fragestellungen genauer beschrieben.

Interview-Fragen

1. Welche Worte oder Sätze beschreiben am besten ihre derzeitige Unternehmenskultur?
2. Würden Sie diese Kultur vor zwei oder fünf Jahren anders beschrieben haben? Vor fünf oder zehn Jahren? Wenn ja, warum?
3. Hat diese Kultur in den letzten Jahren zum Erfolg des Unternehmens beigetragen? Inwiefern hat sie dem Unternehmen geholfen oder geschadet?
4. Wann und wo wurden Sie geboren? (Alter, Geburtsort und Sternzeichen)
5. Wo sind Sie zur Schule gegangen und welches ist Ihr höchster Schulabschluss?
6. Das wievielte Kind sind sie in der Geschwisterfolge?
7. Wie viele Geschwister haben Sie? Was tun sie heute?
8. Haben Sie Militärdienst geleistet?
9. Beschreiben Sie Ihr Familienleben als Kind.
10. Beschreiben Sie Ihren Vater. Wie war er, als Sie ein Kind waren? (Wie ging er mit Ihnen um?)

11. Beschreiben Sie Ihre Mutter. Wie war sie, als Sie ein Kind waren? (Wie ging sie mit Ihnen um?)
12. Wer war die Hauptbezugsperson zu Hause?
13. Nahmen Ihre Eltern feste Rollen ein? Wenn ja, wie war die Rollenverteilung?
14. Wie wurden Sie als Kind gemaßregelt?
15. Wurden Sie geschlagen?
16. Welche Art von Büchern haben Sie als Kind gelesen? Was lesen Sie heute?
17. Waren Sie Mitglied bei den Pfadfindern?
18. Hatten Sie damals einen Mentor?
19. Was ist Ihre schönste Kindheitserinnerung?
20. Was ist Ihre schlimmste Kindheitserinnerung?
21. Sind Sie verheiratet? Seit wann? Waren Sie schon einmal verheiratet?
22. Haben Sie Kinder? Wie viele? Was machen sie zurzeit?
23. In welchem Glauben wurden Sie aufgezogen?
24. Welchen Glauben üben Sie heute aus?
25. Wie oft nehmen Sie an religiösen Riten (Gottesdiensten etc.) teil?
26. Meinen Sie, dass ein fester Glaube hilfreich ist in wirtschaftlichen Entscheidungen? Das heißt, haben Leute, die ihren persönlichen Glauben auch im Unternehmen leben, einen Vorteil?
27. Welcher politischen Partei gehören Sie an (Republikaner, Demokraten oder Unabhängige?)
28. Welche politische Einstellung haben Sie (konservativ, liberal usw.)?
29. Wie lernten Sie zu unterscheiden, was richtig und was falsch ist? Wie erlernten Sie Integrität, Verantwortungsbewusstsein, Versöhnlichkeit und Empathie? (Diese Frage stellten wir den meisten CEOs vor 2009. Danach änderten wir die Frage folgendermaßen: „Erzählen Sie eine Situation, als jemand Integrität, Verantwortungsbewusstsein, Versöhnlichkeit und Empathie zeigte.“)

Vervollständigen von Sätzen

Bevor die CEOs diese Aufgabe erhielten, erklärten wir ihnen, dass wir ihre tiefsten Überzeugungen kennenlernen wollten – die Glaubenssätze, die jemand wahrscheinlich bis zu seinem Tode haben würde. Wir regten an, dass die Person jene Vorstellungen ausmachen sollte, mit denen sie von anderen in Verbindung gebracht und erinnert werden wollte. Um diese Daten zu sammeln, schickten wir den Probanden einen Online-Fragebogen, in dem sie gebeten wurden, eine ganze Reihe von Sätzen zu vervollständigen, die alle mit den Worten begannen: „Ich glaube,..."

Selbsteinschätzung von Charaktergewohnheiten

Jeder CEO sollte die Häufigkeit (von „Immer" bis „Nie") bestimmen, mit der er 64 verschiedene Verhaltensweisen zeigt. Wir legten Verhaltenssituationen fest, die auf die vier charakterlichen Schlüsselgewohnheiten Integrität, Verantwortungsbewusstsein, Versöhnlichkeit und Empathie Bezug nahmen. Etwa die Hälfte wurde als positive Äußerung formuliert, die andere Hälfte negativ. Einige der Fragen als Beispiel:

- Ich sage die Wahrheit außer es gibt einen gewichtigen moralischen Grund, es nicht zu tun.
- Um Ergebnisse zu erreichen, passe ich die „Wahrheit" manchmal einer Situation an, so dass sie stärker zu meinen Gunsten wirkt.
- Ich stelle mich meinen Fehlern und Misserfolgen.
- Wenn etwas schiefläuft, hat meistens jemand anderes einen Fehler gemacht.
- Ich glaube, dass Menschen, die große Fehler machen, für ihre Dummheit bestraft werden sollten.
- Für mich sind meine Mitarbeiter Menschen und kein „Humankapital", das lediglich gebraucht wird, um gute Ergebnisse zu erzielen.
- Mir ist es egal und es interessiert mich überhaupt nicht, was im Privatleben meiner Mitarbeiter vor sich geht.

Selbsteinschätzung von eigenen Glaubenssätzen

Wir baten jeden CEO, die Stärke seiner Glaubenssätze („Davon bin ich fest überzeugt“ bis „Ich bin nie davon überzeugt“) zu bewerten anhand von 81 Sätzen zu sieben verschiedenen Kategorien: Ängste, die menschliche Natur, die Welt, Familienleben, Unternehmensleben, die Rolle des CEOs und einen Sinn im Leben finden. Einige Fragen als Beispiele:

- Ich habe Angst vor Veränderungen, außer ich steuere sie selbst.
- Die meisten Menschen möchten für einen guten Zweck arbeiten – für ein Ziel, das über ihr Eigeninteresse hinausgeht.
- Im Grunde kann man niemandem trauen.
- Alle Unternehmen, egal wie groß oder klein, stehen in der Verantwortung, zu dem Gemeinwohl beizutragen.
- Es läuft am Ende darauf hinaus, dass Geld der größte Antreiber ist.
- Finanzielle Sicherheit zu erreichen, gibt mir Motivation oder einen Sinn im Leben.
- Die Welt zu einem besseren Ort zu machen, gibt mir Motivation oder einen Sinn im Leben.

Das Wahlverhalten bei US-Präsidentschaftswahlen

Wir gaben allen CEOs eine Liste mit den Kandidaten für jede der US-Präsidentschaftswahlen ab 1960. Beinahe alle an der Studie teilnehmenden CEOs hatten ab Erreichen des Wahlalters bei jeder Wahl gewählt.

Die Datenerhebung bei den Mitarbeitern der CEOs

Die Auswahl der Mitarbeiter

In jedem Unternehmen wählten wir die Mitarbeiter durch ein Zufallsverfahren aus dem internen E-Mail-Verteiler. In großen Unternehmen hatten einige der Mitarbeiter ihren CEO nie persönlich kennengelernt. Dennoch haben CEOs einen Ruf, der auch den Mitarbeitern in den untersten Ebenen bekannt ist. Wenn die Mitarbeiter angemessen befragt werden, ist ihr Eindruck in der Summe meist sehr zutreffend. Als Grundlage nahm ich die von James Surowiecki in The Wisdom of Crowds beschriebenen Verfahren, die Daniel Kahneman in Schnelles Denken, Langsames Denken beschreibt: „Die Vorgehensweise, die ich wählte, um den Halo-Effekt abzuschwächen, entspricht einem allgemeinen Grundsatz: Fehler dekorrelieren." Er führt weiter aus, dass die Fehler, die einzelne Personen machen, unabhängig seien von den Fehlern anderer. Sofern kein systematischer Fehler vorliegt, heben sie sich tendenziell gegenseitig auf.

Um die Befragung angemessen zu gestalten und systematischen Fehlern vorzubeugen, mussten die Mitarbeiter volles Vertrauen in die Vorgehensweise und keinerlei Befürchtung haben, dass sie identifiziert werden könnten. Außerdem mussten ihre Bewertungen unabhängig voneinander erfolgen. Unsere Forschungserhebung erfüllt beide Kriterien . Die Befragung verschickten wir von der E-Mail-Adresse des KRW-Instituts, nicht über die E-Mail des CEOs. Die CEOs schickten den Mitarbeitern allerdings eine separate E-Mail, in der sie sie zur Teilnahme an der Studie einluden und erklärten, dass die Auswahl der Teilnehmer nach dem Zufallsprinzip erfolgt war. In unseren Erläuterungen zur Erhebung versicherten wir jedem Mitarbeiter, dass wir seine persönlichen Antworten weder gegenüber dem CEO noch der Personalabteilung offenlegen würden.

Für die 84 CEOs erhielten wir über 840 ausgefüllte Fragebogen der Mitarbeiter. Die Antwortquote lag im Mittel bei 40 Prozent. Wir waren mit dem Ergebnis insofern zufrieden, als in beinahe jedem Fall damit eine ausreichend große Stichprobe vorlag. Da wir den Mitarbeitern im Gegenzug für ihre Teilnahme nichts anboten, war dies eine annehmbare Antwortquote. Jeder von ihnen hatte seine Zeit und seine Aufmerksamkeit für diese Forschung eingesetzt.

In den meisten Unternehmen erhielten wir die E-Mail-Adressen von 300 Mitarbeitern (oder bei den kleineren Firmen den gesamten E-Mail-Verteiler). Angesichts des großen Umfangs und der Anzahl der Fragen haben wir die befragten Mitarbeiter nach dem Zufalssprinzip in drei kleinere Gruppen aufgeteilt und ihnen jeweils unterschiedliche Aufgaben und Fragen zugeordnet.

Die Befragung

Die drei Mitarbeiter-Gruppen sollten jeweils folgende Studien durchlaufen:

1. Gruppe A

A. Der Charakter des CEOs (die gleichen 64 Fragen, die auch dem CEO vorgelegt wurden)
B. Mitarbeiterengagement (26 Fragen)
C. Zufriedenheit (1 Frage)
D. Offene Fragen:
- Wie ist es, in diesem Unternehmen zu arbeiten?
- In welcher Weise zeigt der CEO die Qualitäten von Integrität, Verantwortungsbewusstsein, Versöhnlichkeit und Empathie? Inwiefern fehlen ihm diese Qualitäten?

2. Gruppe B

A. Die Glaubenssätze des CEOs (wir baten die Mitarbeiter zu bewerten, inwiefern das Verhalten des CEOs mit den 81 Aussagen zu Glaubenssätzen übereinstimmte, die auch dem CEO vorgelegt wurden)
B. Das Abschneiden des Unternehmens im Vergleich zu seinen Mitbewerbern (6 Fragen)
C. Die emotionale Atmosphäre (6 Fragen)
D. Zufriedenheit (1 Frage)
E. Offene Frage:
- Wie ist es, in diesem Unternehmen zu arbeiten?

3. Gruppe C

A. Die Charaktergewohnheiten der Geschäftsleitung
B. Das Geschäftsmodell (eine deutliche Vision und strategischer Fokus, Kultur der Verantwortlichkeit) und Organisationsdynamik (51 Fragen)
C. Die Geschäftsentwicklung im Vergleich zu Mitbewerbern (1 Frage)
D. Die Zufriedenheit (1 Frage)
E. Offene Fragen:
- Wie würden Sie das Abschneiden Ihres Unternehmens im Vergleich zu Mitbewerbern beschreiben? Warum schneidet es besser oder schlechter ab?
- Wie ist es, in diesem Unternehmen zu arbeiten?

Anhang B

Die Ergebnisse der Studie

Wissenschaftliche Forschung

Seit vielen Jahren haben die Experten für Rechnungswesen und Betriebswirtschaft daran gearbeitet, die für den Erfolg eines Unternehmens verantwortlichen Faktoren zu identifizieren . Ihr Augenmerk lag dabei besonders auf den Faktoren, die die Kapitalrendite (Return on Assets, ROA) bestimmen.

Die akademische Forschung ist sich einig darin, dass das Handeln und die Entscheidungen des CEOs und des Führungsteams einen großen Teil des ROAs ausmachen. Die Erforschung des „CEO-Effekts" deckt eine große Bandbreite des typischen Führungshandelns ab. Im Zentrum unseres Interesses steht der Charakter des CEOs, was ein bisher nicht untersuchter Teil von Führungsverhalten ist. Folgende Artikel geben eine gute Übersicht über die Forschungsarbeiten zu ROA Varianzzerlegungen und den Einfluss von CEO-Merkmalen:

- L. Bamber, J. Jiang und I. Wang. „What's My Style? The Influence fo Top Managers on Voluntary Corporate Financial Disclosure." In: *Accounting Review* 85, Nr. 4 (2010): 1131–1162.
- M. Bertrand. „CEOs." In: *Annual Review of Economics* 1, Nr. 1 (2009): 121–150.

- M. Betrand und A. Schoar. „Managing with Style: The Effect of Managers on Firm Policies." In: *Quarterly Journal of Economics* 118, Nr. 4 (2003): 1169–1208.
- A. Chatterjee und D. Hambrick. „It's All About Me: Narcissistic Chief Executive Officers and Their Effects on Company Strategy and Performance." In: *Administrative Science Quarterly* 52, Nr. 3 (2007): 351–386.
- J. R. Graham, S. Li und J. Qiu. „Managerial Attributes and Executive Compensation." In: *Review of Financial Studies* 25, Nr. 1 (2011): 144–186.
- M. C. Jensen. „Integrity: Without It Nothing Works." In: *Rotman Magazine: The Magazine oft he Rotman School of Management* (2009): 16–20.
- U. Malmendier und G. Tate. „Superstar CEOs." In: *Quarterly Journal of Economics* 124, Nr. 4 (2009): 1593–1638.
- A. Mackey. „The Effect of CEOs on Firm Performance, Research Notes and Commentaries." In: *Strategic Management Journal* 29 (2008): 1357–1367.

Diese Forscher stimmen in ihrer Einschätzung überein, dass der für Investoren entstehende Wert auf drei Faktoren basiert (wie in Grafik B-1 dargestellt):

1. *Makro-Ökonomie.* Globale makro-ökonomische Kräfte können ein Unternehmen erfolgreich machen oder es zerstören. Die Ergebnisse, die ein Unternehmen heute liefert, egal ob es ein kleines Familienunternehmen ist oder eine globaler Player, können durch Tsunamis, Terroranschlägen und die globalen Finanzmärkte oder ganz andere Faktoren beeinflusst werden. Diese Kräfte können in beide Richtungen wirken und ebenso schwache wie starke Marktteilnehmer vernichten sowie von Zeit zu Zeit einem strauchelnden Unternehmen unerwarteten (und nicht sehr nachhaltigen) Aufwind gegben.
2. *Das Geschäftsmodell.* Schwache Geschäftsmodelle erhalten sich nicht auf Dauer. Gute Geschäftsmodelle, besonders jene, die einen neuen Markt schaffen (siehe Apple, Amazon oder Google) haben einen offenkundigen Wettbewerbsvorteil.

3. *Der CEO-Effekt.* Makro-ökonomische Faktoren und das Geschäftsmodell zusammengenommen ergeben noch kein vollständiges Bild. Die Analyse der Quellen des ROA verweisen auf einen dritten Faktor: den „CEO-Effekt".

ABBILDUNG B-1

Die *ROA*-Gleichung

Einige Studien geben an, dass die Führungsleistung des CEO beinahe 30 Prozent des ROA eines Unternehmens ausmachen kann (siehe: M. Betrand und A. Schoar. „Managing with Style: The Effect of Managers on Firm Policies." In: *Quarterly Journal of Economics* 118, Nr. 4 (2003): 1169–1208).

CEOs können nicht unbedingt immer Wert schaffen, weil es Faktoren jenseits ihrer Kontrolle gibt, aber sie können ganz sicher Wert vernichten. Der CEO-Effekt wurde bisher durch leichter zu identifizierende Kräfte aus den anderen beiden Bereichen unserer Liste verdeckt. Aber unsere Forschung zeigt neue Einsichten in den CEO-Effekt und seinen Einfluss.

Was die akademische Forschung bisher noch nicht erfassen konnte, ist folgendes: Welcher Aspekt eines CEOs befähigt ihn, Wert zu schaffen? Ist Wertschöpfung eine einfache, durch Erfahrung erworbene Kompetenz oder hängt sie mehr mit dem zusammen, wer der CEO als Mensch ist? Ist geschicktes Entscheiden ein Ergebnis von Wirtschaftswissen oder eher von Lebenserfahrung? Welche anderen Faktoren könnten wichtig sein, kompetente Führungskräfte zu formen?

Wie im Anhang A gezeigt startete unsere Forschung 2006 mit einem Pilotprojekt und setzte sich ab 2007 über sieben Jahre hinweg fort. Knapp die Hälfte (40 Prozent) der virtuosen Führungskräfte nahmen schon vor der Krise 2008 an unserer Studie teil, verglichen mit 60 Prozent der ichbezogenen CEOs. Der Zeitpunkt dieses heftigen volkswirtschaftlichen

Ereignisses scheint jedoch keinen größeren Einfluss auf die Ergebnisse dieser Studie gehabt zu haben. Die CEOs, die nach der Finanzkrise in unsere Studie aufgenommen wurden, hatten einen geringfügig höheren ROA als jene, die schon vorher dabei waren.

Unsere Stichprobengröße

Unsere Ergebnisse und Schlussfolgerungen über den ROA basieren auf einer Stichprobe von 44 Unternehmen mit über 4 000 zufällig ausgewählten Mitarbeitern und ihren Beobachtungen zum Charakter des CEOs und seinem Führungsteam. Wir haben mit Befriedigung festgestellt, dass sie die ganze Bandbreite der Charakterkurve abbildeten. (siehe Abb. B-2). Wir erhielten sowohl von den virtuosen CEOs alle Finanzdaten wie auch von den ichbezogenen CEOs sowie von allen anderen dazwischen. Damit ist das gesamte Spektrum der Charakterkurve in dieser Stichprobe vertreten.

Obwohl dies zugegebenermaßen eine kleine Stichprobe ist, so ist sie doch größer als je eine Probe war, bei der empirische Daten zu dieser Frage erhoben wurden. Diese Datensammlung wird kontinuierlich durch unsere weitere Forschung und Beratung erweitert.

Wir rechnen damit, dass unsere Ergebnisse bestätigt werden. Wir erwarten, dass CEOs und Führungsteams mit starkem Charakter nachhaltig eine höhere Rentabilität für Investoren erzielen als CEOs und Teams, die keinen starken Charakter haben.

ABBILDUNG B-2:

Die *ROC*-Charakterkurve

CEO-Probanden

Der CEO und sein Führungsteam
zeigen dieses Verhalten:

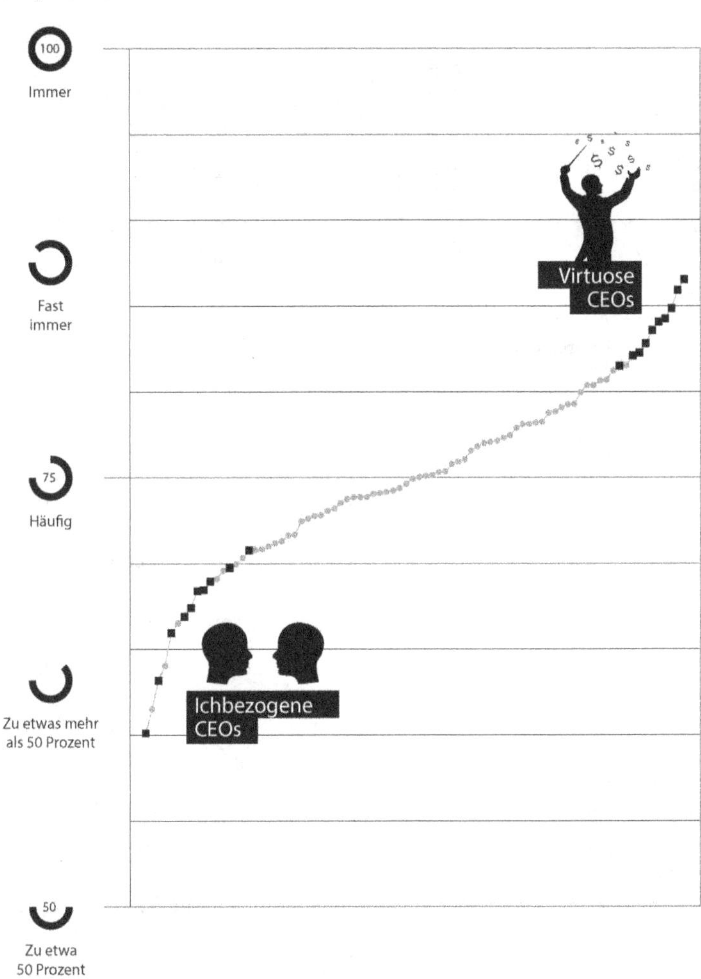

Unsere Datenbasis

Im Folgenden legen wir unsere Datenbasis offen, so dass Sie eigene Schlussfolgerungen ableiten können.

TABELLE B-1:

Kombinierter CEO/Führungsteam Charakter-Punktwert, virtuose CEOs/Teams

Anzahl der CEOs	Art des Unternehmens	Geschäftssektor	Größe des Unternehmens (Anzahl der Mitarbeiter)	Charakter des CEOs	Charakter des Führungsteams	Gemeinsamer CEO-/Führungsteam-Charakter	Mitarbeiter-Engagement	Durchschnittlicher 2-Jahres ROA
78	Privat	Verarbeitendes Gewerbe	500–2 000	92	81	86,56	83,71	30,49 %
99	börsennotiert	Finanzdienstleistungen	<500	90	82	85,94	82,16	0,37 %
88	börsennotiert	Einzelhandel	>10 000	90	79	84,87	77,64	5,47 %
76	Gemeinnützig	Gesundheitswesen	>10 000	87	82	84,26	81,43	6,04 %
70	Privat	Medien	500–2 000	89	79	84,06	78,09	-0,77 %
6	börsennotiert	Einzelhandel	2 000–10 000	84	83	83,58	74,35	8,85 %
28	börsennotiert	Luftfahrt	2 000–10 000	84	82	82,82	79,92	4,45 %
73	Gemeinnützig	Gesundheitswesen	>10 000	83	81	82,28	78,59	16,70 %
72	börsennotiert	Medien	500–2 000	86	79	82,10	78,24	11,17 %
37	Privat	Finanzdienstleistungen	<500	84	79	81,50	79,86	10,77 %
Durchschnitt				**86,903**	**80,692**	**83,797**	**79,401**	**9,35 %**
N =	10	10	10	10	10	10	10	10

TABELLE B-2:

Kombinierter CEO/Führungsteam Charakter-Punktwert, mittlere CEO-/Team-Gruppe

Anzahl der CEOs	Art des Unternehmens	Geschäftssektor	Größe des Unternehmens (Anzahl der Mitarbeiter)	Charakter des CEOs	Charakter des Führungsteams	Gemeinsamer CEO-/Führungsteam-Charakter	Mitarbeiter-Engagement	Durchschnittlicher 2-Jahres *ROA*
82	börsennotiert	Computer-Software	<500	81	80	80,70	80,08	5,14 %
101	börsennotiert	Versicherung	500–2 000	85	76	80,39	77,92	0,42 %
63	börsennotiert	Versicherung	500–2 000	83	76	79,11	74,88	0,10 %
94	börsennotiert	Lebensmittel und Getränke	>10 000	86	71	78,86	73,92	10,14 %
75	Privat	Finanzdienstleistungen	<500	82	75	78,80	70,93	2,37 %
80	börsennotiert	Einzelhandel	500–2 000	82	74	78,13	69,55	22,84 %
79	Gemeinnützig	andere	<500	79	75	77,16	77,05	4,24 %
103	börsennotiert	Lebensmittel und Getränke	2 000–10 000	80	74	77,09	75,81	4,20 %
45	börsennotiert	Unterhaltung	500–2 000	77	76	76,83	72,62	-3,61 %
8	börsennotiert	Pharma	<500	79	74	76,58	68,93	-35,41 %
74	Gemeinnützig	Dienstleistungen	2 000–10 000	78	75	76,06	63,70	11,37 %
57	börsennotiert	Lebensmittel und Getränke	>10 000	82	70	75,93	66,71	9,12 %
93	Privat	Verarbeitendes Gewerbe	2 000–10 000	81	68	74,24	72,89	8,56 %
96	Gemeinnützig	Gesundheitswesen	<500	82	66	74,17	64,39	7,22 %
39	börsennotiert	Lebensmittel und Getränke	>10 000	76	72	74,11	67,47	17,97 %
61	Privat	Einzelhandel	<500	76	73	74,06	67,80	12,94 %
95	börsennotiert	Verarbeitendes Gewerbe	>10 000	78	69	73,20	74,00	25,29 %

Anzahl der CEOs	Art des Unternehmens	Geschäftssektor	Größe des Unternehmens (Anzahl der Mitarbeiter)	Charakter des CEOs	Charakter des Führungsteams	Gemeinsamer CEO-/Führungsteam-Charakter	Mitarbeiter-Engagement	Durchschnittlicher 2-Jahres *ROA*
7	börsennotiert	Lebensmittel und Getränke	>10 000	77	68	72,82	60,28	2,72 %
23	Privat	Transport	<500	75	70	72,78	57,71	2,84 %
100	Privat	Verarbeitendes Gewerbe	<500	76	69	72,47	69,45	11,14 %
90	Gemeinnützig	Gesundheitswesen	<500	78	65	71,69	71,62	1,59 %
58	Privat	Dienst-leistungen	500–2 000	74	70	71,64	68,82	2,09 %
49	Privat	Dienstleistungen	<500	76	67	71,19	66,53	-7,51 %
50	börsennotiert	Computer-Software						
Software	<500	73	69	71,00	66,93	0,10 %		
Durchschnitt				**78,968**	**71,781**	**75,375**	**70,416**	**4,83 %**
N =	**24**	**24**	**24**	**24**	**24**	**24**	**24**	**24**

TABELLE B-3:

Kombinierter CEO/Führungsteam Charakter-Punktwert, ichbezogene CEOs/Teams

Anzahl der CEOs	Art des Unternehmens	Geschäftssektor	Größe des Unternehmens (Anzahl der Mitarbeiter)	Charakter des CEOs	Charakter des Führungsteams	Gemeinsamer CEO-/Führungsteam-Charakter	Mitarbeiter-Engagement	Durchschnittlicher 2-Jahres ROA
68	Privat	Dienstleistungen	<500	69	73	70,78	70,49	-24,67 %
17	börsennotiert	Computer-Hardware	500–2 000	73	67	69,76	61,58	-13,57 %
67	Gemeinnützig	Sozialdienstleistungen	2 000–10 000	71	67	68,98	69,66	4,89 %
71	Privat	Dienstleistungen	<500	71	66	68,46	65,44	26,07 %
47	börsennotiert	Computer-Software	500–2 000	75	62	68,42	57,66	2,02 %
11	börsennotiert	Finanzdienstleistungen	>10 000	71	64	67,42	56,15	0,94 %
86	Privat	Dienstleistungen	<500	64	70	66,92	69,10	10,55 %
102	Privat	Transport	<500	68	64	65,96	46,58	8,22 %
65	Gemeinnützig	Sozialdienstleistungen	500–2 000	64	63	63,20	68,53	3,08 %
69	Gemeinnützig	Behörde	500–2 000	58	62	60,13	66,31	1,80 %
Durchschnitt				**68,316**	**65,687**	**67,002**	**63,150**	**1,93 %**
N =	10	10	10	10	10	10	10	10

TABELLE B-4:

ROA nach Unternehmensgröße und Charakter des CEOs

Unternehmensgröße (Anzahl der Mitarbeiter)	**Ichbezogene CEOs**	**Virtuose CEOs**	**ROA gesamt**
<500	-1,67	+5,40	+2,12
500–2 000	+5,04	+13,63	+4,67
2 000–10 000	+4,89	+6,65	+7,05
>10 000	+0,94	+9,40	+9,12
ROA gesamt	+1,93	+9,35	+5,20

1 Dan Strumpf, „U.S. Public Companies Rise Again: Stock-Market Listings Grow for First Time Since Internet Boom", Wall Street Journal, 5. Februar 2014.

2 Daniel Kahneman, Schnelles Denken, Langsames Denken. München: Siedler, 2012, 111.

Endnoten

1 Karl Peltzer. *Das treffende Wort. Wörterbuch sinnverwandter Ausdrücke.* Thun/München: Ott, 31955, S. 94.

2 In diesem Buch sprechen wir von der oberen Führungsebene von Unternehmen. Dabei werden unterschiedliche Begriffe genutzt, die alle die Unternehmensleitung oder Unternehmensführung meinen: Geschäftsführung, Vorstand, Vorstandsvorsitzender, CEO oder einfach: Manager.

Vorwort

3 Stephen Covey, *Die 7 Wege zur Effektivität: Prinzipien für persönlichen und beruflichen Erfolg*, Übersetzung von Angela Roethe, Nikolas Bertheau und Ingrid Proß-Gill. Offenbach: Gabal Verlag, 2005.

4 Haben Sie häufig das Gefühl, Sie wären unsichtbar und Entscheidungen von oben hilflos ausgeliefert? Dann sollten Sie vielleicht noch ein Exemplar dieses Buchs kaufen und Ihrem Vorgesetzten auf den Schreibtisch legen. Oder Sie sind noch direkter und fragen ihn, ob sein Führungsteam das Buch lesen und über die möglichen Auswirkungen für Ihr Unternehmen diskutieren könnte.

5 Jim Collins, Der Weg zu den Besten: Die sieben Management-Prinzipien für dauerhaften Unternehmenserfolg, Übersetzung von Martin Baltes und Fritz Böhler. München: Deutscher Taschenbuch Verlag, 52005. S. 35.

6 Ebd. S. 57.

Kapitel 1

7 Doug Lennick und Fred Kiel, *Moral Intelligence. Wie Sie mit Werten und Prinzipien Ihren Geschäftserfolg steigern*, Übersetzung von Stefan Gebauer. Heidelberg: Redline, 2006.

8Edward O. Wilson, Die Einheit des Wissens, Übersetzung von Yvonne Badal. Berlin: Siedler, 1998.

9 Ebd. S. 328 (Hervorhebungen F.K.).

10 Donald Brown, Human Universals. New York: McGraw-Hill, 1991; und N. Roughly (Hg.), Being Humans: Anthropological Universality and Particularity in Transdisciplinary Perspectives. Berlin: Walter de Gruyter, 2000.

11 Steven Pinker, *Das unbeschriebene Blatt. Die moderne Leugnung der menschlichen* Natur, Berlin: Berlin Verlag, 2003. S. 90.

12 W. Damon, »The Moral Development of Children«. In: Scientific American, August 1999.

13 Lennick und Kiel 2006. S. 60.

14 Adam Smith, *Der Wohlstand der Nationen – eine Untersuchung seiner Natur und seiner Ursachen*, Übersetzung und herausgegeben von Horst Claus Recktenwald. München: Deutscher Taschenbuch Verlag, 2009.

15 Adam Smith, The Theory of Moral Sentiments. North Charleston, SC: CreateSpace, 2013 (Übertragen ins Deutsche vom Übersetzer).

Kapitel 2

16 Adam Smith 2009.

17 Adam Smiths »unsichtbare Hand« als positive Kraft für die Menschheit ist nicht so verlässlich, wie es die Wirtschaftsmedien gerne vorgeben. Erfolgen geschäftliche Entscheidungen ausschließlich mit Blick auf die Rendite für die Investoren, so haben sie manchmal zufällig positive Nebenwirkungen, doch das gilt auch umgekehrt. Ebenso oft sorgt die unsichtbare Hand für ungewollte negative Konsequenzen. Smith ging davon aus, dass die meisten Menschen ehrenhaft sind, und diese Ansicht legte er auch in seinem bekannteren Vorgängerbuch, *Theorie der ethischen Gefühle*, dar. Leicht vorstellbar, dass ein Geschäftsmann, der sich im Schottland des 18. Jahrhunderts nicht an die Spielregeln hielt, rasch negative Folgen und gesellschaftliche Ächtung spürte. In der heutigen globalisierten Wirtschaft ist die Verantwortung für die Folgen geschäftlicher Entscheidungen aber häufig gänzlich losgelöst vom Entscheider.

18 Lynn Stout, Cultivating Conscience: How Good Laws Make Good People. Princeton, NJ: Princeton University Press, 2011.

19 Zu den einflussreichsten Forschern und Neurowissenschaftlern, die über den menschlichen Geist forschen und schreiben, gehört Antonio Damasio. Siehe: Antonio Damasio, Selbst ist der Mensch: Körper, Geist und die Entstehung des menschlichen Bewusstseins, Übersetzung von Sebastian Vogel. München: Pantheon Verlag, 2013. Das ist die vielleicht beste Erklärung des menschlichen Bewusstseins, die derzeit erhältlich ist.

20 Steven Pinker vermittelt fundierte Einblicke in die genetischen »Gegebenheiten« normaler menschlicher Säuglinge bei der Geburt. Siehe: Steven Pinker, Das unbeschriebene Blatt. Berlin: Berlin Verlag, 2003.

21 Daniel Kahneman, Schnelles Denken, langsames Denken, Übersetzung von Thorsten Schmidt. München: Pantheon Verlag, 2014, ist die beste Bilanz zur Erforschung, wie unser Verstand funktioniert. Der Sozialpsychologe Kahneman hat für seine Analyse zu Risiken und Entscheidungen den Wirtschaftsnobelpreis erhalten. Ich habe zwar auch die Werke vieler anderer Forscher studiert, die das schnelle und das langsame Denken beschreiben, doch Kahnemans Arbeit ist das umfassendste. Ich habe aus seinem Buch sehr viele Anregungen übernommen.

Siehe auch: Keith Stanovich, Rationality and the Reflective Mind. New York: Oxford University Press, 2011; Sheena Iyengar, The Art of Choosing. New York: Hachette Book Group, 2010. Zwei Pioniere der Wissenschaft veröffentlichten 1999 einen bahnbrechenden Artikel. Siehe: John A. Bargh und Tanya L. Chartrand, »The Unbearable Automaticity of Being«. In: American Psychologist 54,7 (1999). S. 462–479.

22 Ein weiteres Problem ist, dass unser langsames Denken in seiner Entwicklung erst im Alter von 3 Jahren erwacht. Voll einsatzfähig ist es erst mit Ende 20. Das heißt, dass wir das erste Drittel unseres Lebens ohne vollständig entwickeltes Gehirn meistern müssen. Kein Wunder, dass Teenager so viele impulsive Entscheidungen treffen und oft verwirrt und sprunghaft wirken.

23 Edward O. Wilson, Professor emeritus der Harvard University, ist der Vater der Soziobiologie. Der weltberühmte Biologe ist der führende Experte für das Studium von Ameisen. Seinen möglicherweise größten wissenschaftlichen Beitrag hat er aber in der Beschreibung der biologischen Grundlage für das menschliche Sozialverhalten geleistet. Seine Arbeit lieferte die Basis für die Werke von Jonathan Haidt zu ethischen Intuitionen und von Paul Lawrence und Nitin Nohria zu den Antrieben. Maßgebliche Werke dieser Autoren sind: Edward O. Wilson, On Human Nature, rev. ed. Cambridge, MA: Harvard University Press, 2004; Jonathan Haidt, The Righteous Mind: Why Good People Are Divided by Politics and Religion. New York: Pantheon Books, 2012; ders., Die Glückshypothese: Was uns wirklich glücklich macht. Die Quintessenz aus altem Wissen und moderner Glücksforschung. Kirchzarten: VAK, 2014; ders., »The Emotional Dog and Its Rational Tail: A Social Intuitionist Approach to Moral Judgment«. In: Psychological Review 108 (2001). S. 814–834; Paul R. Lawrence und Nitin Nohria,

Driven: Was Menschen und Organisationen antreibt. Stuttgart: Klett-Cotta, 2003; Paul R. Lawrence, Driven to Lead: Good, Bad and Misguided Behavior. San Francisco: Jossey-Bass, 2010.

24 Haidt 2001, 2012, 2014.

25 Lawrence und Nohria 2003.

26 Lawrence 2010.

27 Zwei Journalisten ist es auf großartige Weise gelungen, den Leser durch das Big-Five-Modell der Persönlichkeitstheorie zu führen. In: Hannah Holmes, Quirk: Brain Science Makes Sense of Your Peculiar Personality. New York: Random House, 2011, verbindet die Autorin hochkarätige wissenschaftliche Reportage mit einem erzählenden Schreibstil. David Brooks geht noch einen Schritt weiter mit seinem herausragenden Roman, der in seinem Buch: Das soziale Tier: Wie Beziehungen, Gefühle und Intuitionen unser Leben formen, Übersetzung von Thorsten Schmidt. München: Pantheon Verlag, 2014, zwei Menschen von ihrer Geburt bis zum Ende ihres Lebens begleitet. Die wissenschaftliche Literatur ist reich an Artikeln zu diesem Thema. Ein neuerer Text, der die Forschungsergebnisse zum Big-Five-Modell gut zusammenfasst, ist: Samuel Barondes, Making Sense of People: Decoding the Mysteries of Personality. Upper Saddle River, NJ: FT Press, 2012.

Kapitel 3

28 Daniel J. Siegel hat in seinem Buch Mindsight ein hervorragendes Kapitel über die Bedeutung der eigenen Lebensgeschichte geschrieben. Siehe: Mindsight: Die neue Wissenschaft der persönlichen Transformation, Übersetzung von Franchita Mirella Cattani. München: Goldmann Verlag, 2012. Kapitel 9, »Einen Sinn im Leben finden: Bindungen – und das Gehirn als Geschichtenerzähler«, S. 253–285.

29 John Lennon, »Beautiful Boy (Darling Boy)«, Album Double Fantasy, April 1981, Label: Geffen Records.

30 Die Bindungstheorie wurde in der zweiten Hälfte des 20. Jahrhunderts bemüht, um zu erklären, welche Voraussetzungen gegeben sein müssen, damit sich ein Kleinkind sozial und emotional entwickeln kann. Gleich mehrere Autoren haben sich zu diesem Thema geäußert. Die Pionierin auf diesem Gebiet ist die Psychologin Mary Ainsworth. Ihr Buch aus dem Jahr 1978 (das sie mit drei Co-Autoren verfasste) gilt allgemein als Klassiker zum Thema. Siehe: M. Ainsworth, M. Blehar, E. Waters und S. Wall, Patterns of Attachment. Hillsdale, NJ: Erlbaum, 1978. Siehe auch: Jude Cassidy und Phillip R. Shaver (Hg.), Handbook on Attachment: Theory, Research, and Clinical Application. New York: Guilford Press, [2]2008. Siehe – neueren Datums – Siegel 2012. Dort findet sich ein herausragendes Kapitel über die Effekte von Bindungsmustern auf das Erwachsenenverhalten. Meine Analyse zu den ersten Lebensjahren der CEOs aus unserer Studie stützt sich in weiten Teilen auf Siegels Buch. Die Bindungstheorie besagt, dass sich die Erfahrung eines Babys von der Geburt bis zum Alter von rund 2 Jahren mit seiner wichtigsten Bezugsperson wesentlich auf die Beziehungen des Kindes im Erwachsenenalter auswirkt. In den vergangenen 30 Jahren wurden umfangreiche empirische Studien durchgeführt, und es werden je nach Verhalten der Bezugsperson vier unterschiedliche Bindungsmuster beschrieben (sicher, unsicher-vermeidend, unsicher-ambivalent, unsicher-desorganisiert): (1) Eine Bezugsperson, die sensibel auf die Bindungsversuche des Kindes eingeht, seine Signale deuten kann und die Bedürfnisse des Kindes dann effektiv erfüllt, vermittelt ein sicheres Bindungsmuster; (2) das unsicher-vermeidende Muster ist das Resultat einer Bezugsperson, die mit Gleichgültigkeit oder gar nicht auf die Signale und Bindungsversuche des Kindes reagiert; (3) das unsicher-ambivalente Muster entsteht, wenn die Bezugsperson wankelmütig ist, manchmal herzlich und sensibel, ein andermal unerwartet kühl und gleichgültig; (4) das unsicher-desorganisierte Muster liegt vor, wenn das Kind vor der Bezugsperson Angst hat und sie einen ausgeprägten Mangel an Fürsorge oder Bindung an den Tag legt. Siegel zufolge entwickeln Kinder Strategien, um mit den ersten drei Mustern umzugehen. Macht ihnen die Bezugsperson aber Angst oder verhält sich feindselig, brechen die

Bindungsstrategien zusammen. Jedes Muster hat vorhersehbare Auswirkungen auf das spätere Leben. Diese sind aber auf keinen Fall unabänderlich. Menschen können ihre eigene Lebensgeschichte beeinflussen, und oft genug tun sie das auch.

31 Charles Duhigg, Die Macht der Gewohnheit: Warum wir tun, was wir tun, Übersetzung von Thorsten Schmidt. Berlin: Berlin Verlag, 2012.

32 Außerdem befassten wir uns eingehend mit dem darin gemessenen CEO-Verhalten. Es findet sich kein Hinweis auf die Berücksichtigung von Verhalten, in dem sich die charakterlichen Gewohnheiten der Versöhnlichkeit und Empathie manifestieren. In der Studie werden zwar zwischenmenschliche Dimensionen wie »zeigt Respekt« und »fördert die Mitarbeiterentwicklung« erfasst, doch die Dimension der Versöhnlichkeit und der Anteilnahme an anderen als Menschen fehlt.

Unsere Hypothese lautet, dass Kaplan und seine Kollegen hier nur einen Teil des Problems analysiert haben. Meiner Meinung nach haben sie sich auf eine unvollständige Bewertung des Führungsverhaltens von CEOs gestützt und obendrein die Bedeutung des Führungsteams gar nicht berücksichtigt. So kamen sie auf der Grundlage unvollständiger Daten zu irreführenden Schlussfolgerungen.

Diese Autoren halten Jack Welch und Steve Jobs für die besten Beispiele für hocheffektive CEOs. Ich weiß, dass sie sehr bewundert wurden, doch meiner Ansicht nach hatten Welch und Jobs aus anderen Gründen, die die negativen Effekte ihres persönlichen Stils überdeckten, solchen Erfolg. Meines Erachtens schafften sie es trotz und nicht wegen ihrer persönlichen Merkmale.

Unsere Daten stimmen insofern mit Kaplan und seinen Kollegen überein, als wir ebenso wie sie allgemeine Kompetenz, Entschlossenheit und Ausführungsstärke als ein sehr aussagekräftiges Indiz für den Erfolg eines CEOs sehen. Unsere virtuosen CEOs schufen ausnahmslos Unternehmen, die im Bereich Umsetzungsbereitschaft (Execution Readiness) gut abschnitten. Wir würden auch zustimmen, dass CEOs zum Scheitern verurteilt sind, wenn sie nur nette Menschen mit ausgeprägter zwischenmenschlicher Kompetenz sind und es ihnen an allgemeinen Fähigkeiten oder Entschlossenheit und Umsetzungskompetenz mangelt.

Lässt sich die Effektivität eines CEOs nuancierter betrachten? Ich frage mich, wie viel effektiver die CEOs in der von Kaplan und seinen Kollegen analysierten Risikokapital- und Private-Equity-Sphäre sein könnten, wenn sie allgemeine Fähigkeiten und Umsetzungskompetenz mit Interesse an anderen, Nachsicht für Fehler, die trotz bester Absicht begangen werden, dem Bekenntnis zu eigenen Fehlern und anderem mehr kombinieren würden.

33 Für einen ersten Einblick in dieses Thema siehe: Ajit Varki und Danny Brower, Denial: Self-Deception, False Beliefs, and the Origins of the Human Mind. New York: Hachette Group, 2013.

34 In meiner Zeit als CEO-Berater bestand ich fast immer darauf, Daten von Mitarbeitern zu erfassen. Damals amüsierte es mich stets, wenn ein CEO-Klient höchst besorgt fragte, wie ich denn die Vertraulichkeit seiner Daten sicherstellen würde. Natürlich taten wir das stets sehr sorgfältig, doch das Amüsante daran war, dass der CEO ganz offensichtlich der Einzige war, der diese Fakten nicht kannte. Es handelte sich dabei schließlich nicht um vertrauliche Informationen.

35 Zu Beginn der Studie ging ich davon aus, dass die meisten Verhaltensentscheidungen, die wir täglich treffen, von unseren bewussten Überzeugungen geprägt sind. Anfang 2005 hatte ich diese Feststellung in einem Artikel zum Ausdruck gebracht, in dem ich schrieb: »Unsere Forschungsergebnisse lassen vermuten, dass das Verhalten einer Führungskraft ein Ausdruck ihrer zugrundeliegenden Glaubenssätzen ist und jedes Verhalten einem bestimmten Glaubenssatz entspricht. Wir sind der Auffassung, dies ist ein Teil des persönlichen ›moralischen Kompasses‹, der eine relative kurze Liste von Glaubenssätzen über den Menschen, die Welt und die beste Art und Weise beinhaltet, andere zu beeinflussen – [anders gesagt], die eigene Weltanschauung. Diese Glaubenssätze liegen den Entscheidungen zugrunde und steuern das Verhalten.«

Außerdem dachte ich, dass jeder von uns, wenn er nur in sich ginge, seine Weltanschauung präzise beschreiben könnte. Ich war der Meinung, dass wir unsere zentralen Überzeugungen benennen könnten, die Ansichten, die uns am Herzen liegen und an denen wir uns orientieren, wenn wir im Alltag Entscheidungen treffen müssen sowie ethische Entscheidungen zum Umgang mit anderen. Natürlich war mir klar, dass wir ein Unterbewusstsein haben (schließlich bin ich Psychologe), doch meine frühe Ausbildung war verhaltenstherapeutisch orientiertund ich hatte mich mit diesem Gebiet nie eingehender befasst. Ich stellte mir das Unterbewusstsein als eine Art Lagerbehälter für Auffassungen und Überzeugungen vor, die unser Verhalten beeinflussen können, wenn sie abgerufen werden. Wenn man ein bisschen länger schauen würde, könnte man sich diese Glaubenssätze ins Bewusstsein rufen und sie entweder bestätigen oder verwerfen. Es klingt so überzeugend. Ich wünschte, es wäre wirklich so.

Wir baten die CEOs aus unserer Studie, uns ihre zehn wichtigsten Glaubenssätze zu nennen. Uns liegen fast 800 spontane Äußerungen dazu vor, was die Manager als ihre zentralen Überzeugungen bezeichneten, die ihnen sehr viel bedeuteten. Auf diese Weise wollten wir die Weltanschauung unserer Probanden ermitteln. Wir werteten diese Äußerungen mehrmals aus auf der Suche nach einem wiederkehrenden Motiv, das einen charakterstarken CEO von einem ichbezogenen unterscheiden würde, doch wir konnten nichts Nennenswertes finden. Alle CEOs aus unserer Studie listeten bewundernswerte Glaubenssätze auf, die alle sehr sinnvoll und gesellschaftlich erstrebenswert klangen. Aber es ist unmöglich zu entscheiden, ob eine Aussage zu einem Glaubenssatz von einem CEO mit starkem oder schwachen Charakter stammt.

Ich bin der Auffassung, dass Menschen leider nur selten von ihren Glaubenssätzen geleitet werden. Meist reagieren wir aus dem Bauch heraus oder mit einer automatisierten Gewohnheit und zitieren dann gleichsam einen Glaubenssatz aus unserem Vorrat, um unser Verhalten zu rechtfertigen. Unsere Studie weist nicht schlüssig nach, dass unser Verhalten stark von den geäußerten Glaubenssätzen gesteuert wird. Es wird vielmehr überwiegend von Intuitionen und Gewohnheiten beeinflusst, auch die wichtigen ethischen und geschäftlichen Entscheidungen eines CEOs. Die einzig entscheidende Ausnahme von diesem Prinzip bilden Überzeugungen, bei denen es um den Aufstieg geht. Diese sind tatsächlich verhaltensbestimmend.

36 Robert Kegan und Lisa Laskow Lahey, Immunity to Change: How to Overcome It and Unlock the Potential in Yourself and Your Organization. Boston: Harvard Business School Publishing, 2009. Kegan und Lahey beschreiben detailliert die Stufen der geistigen Komplexität. Sie liefern auch ein Werkzeug zur Einschätzung des geistigen Komplexitätsniveaus, das sogenannte »Subjekt-Objekt-Interview« (S. 22ff.). Kegan und Lahey zufolge erreichen die meisten Erwachsenen irgendwann eine oder mehrere der drei Stufen geistiger Komplexität: (1) Das sozialisierte Bewusstsein: Kegan beruft sich auf umfassende Studien, die darlegen, dass rund 60 Prozent der Bevölkerung dieses Niveau geistiger Komplexität aufweisen. Auf dieser Stufe richten Menschen ihre Vorstellungen und Überzeugungen an den Vorstellungen und Überzeugungen anderer in ihrem Umfeld aus. Mit hoher Wahrscheinlichkeit übernehmen sie die Weltanschauungen der Führungskräfte und einflussreichen Menschen aus ihrer sozialen Gruppe beziehungsweise ihrem »Stamm«. Die Identität von Menschen auf dieser Stufe ist an ihre Beziehungen zu anderen in ihrer jeweiligen Kultur geknüpft, und sie werden zu loyalen, unkritischen Mitläufern von Autoritätspersonen. (2) Das sich selbst erstellende Bewusstsein: Menschen auf dieser Stufe der mentalen Komplexität können ihre Ansichten von denen anderer unterscheiden. Sie entwickeln eher eine eigene Weltanschauung, als sie von anderen zu übernehmen. Auf dieser Stufe sind die Menschen in aller Regel selbstbestimmt, sie denken eigenständig und handeln, wie es ihrer Ansicht nach am besten ihren Interessen dient. Studien belegen zwar, dass nur rund 35 Prozent der Bevölkerung diese Stufe der geistigen Komplexität erreicht, doch gilt das meines Erachtens für alle ichbezogenen CEOs, die an unserer Studie teilgenommen haben. Sie entwickeln eigene Meinungen und Vorstellungen, die sie kaum je überdenken, infrage stellen oder auf ihre Richtigkeit hin überprüfen. (3) Das sich selbst transformierende Bewusstsein: Es stellt die höchste geistige Komplexitätsstufe dar. Wer sie erreicht, kann seine Vorstellungen einschätzen, aufgeben oder anpassen und akzeptieren, dass mehr als eine Ansicht oder Haltung richtig sein können. Menschen mit einem sich selbst transformierenden Bewusstsein sind sich ständig der Tatsache bewusst,

dass sie nicht allwissend sind. Sie wissen, dass jede Weltanschauung unvollständig ist und dass unser Wissen zu einem Thema nie lückenlos ist. Diese höchste Stufe geistiger Komplexität wird gewöhnlich erst mit fortschreitendem Alter erreicht.Laut Kegan und Lahey gelangen nur rund 7 Prozent aller Menschen auf dieses Niveau geistiger Komplexität, wenngleich es von allen virtuosen CEOs an den Tag gelegt wurde, die an der *ROC*-Studie teilnahmen. Diese Menschen streben danach, integrativ und aufgeschlossen zu sein und nach dem Motto »sowohl/als auch« statt »entweder/oder« zu denken.

37 Ebd.

Kapitel 4

38 Während der Datensammlung in den ersten zwei bis drei Jahren der *ROC*-Studie merkten wir, dass wir unser Studiendesign weiterentwickeln mussten, um genauer zu erfassen, was Führungskräfte eigentlich tun. Das zwang uns, die Literatur zu überprüfen, aber auch, uns auf unsere Erfahrung als Managementberater zu besinnen. Die Schlüsselkompetenzen der Führung ergaben sich für uns, als wir uns die folgenden Fragen stellten: »Welche Aktivität macht den CEO in seiner Funktion einzigartig? Was tut der Chef, was tut sein Team?« Auf halber Strecke unserer Studie begannen wir, Daten zu vier der fünf Schlüsselkompetenzen zu sammeln. Wie bedeutsam die Funktion des Entscheiders ist, wurde erst ganz am Ende der Studie deutlich, als es zu spät war, quantifizierbare Daten zur Entscheidungsfähigkeit des CEOs zu erfassen. Daher beziehen sich unsere Äußerungen zur Entscheidungsfindung auf unsere Interviewauswertungen und auf persönliche Berichte.

39 Eine Liste von Führungskompetenzen wird in aller Regel als Kompetenzmodell bezeichnet. Das umfassendste Werk zu diesem Thema wurde vor 25 Jahren veröffentlicht. Siehe Lyle M. Spencer Jr. und Signe M. Spencer, Competence at Work: Models for Superior Performance. New York: John Wiley and Sons, 1993. Die meisten Führungskompetenzmodelle sind sehr unübersichtlich. Unlängst stieß ich auf eines, das von einem Fortune-100-Unternehmen eingeführt wurde. Es ist 8 Seiten lang, umfasst 4 Hauptkategorien und 17 Unterkategorien, und jede Unterkategorie hat 3 oder 4 Dimensionen. Das auf dieser Auflistung beruhende Bewertungswerkzeug enthielt über 200 Punkte. Dieses Modell geht zwar sehr in die Tiefe, ist aber so verschlungen und komplex, dass ich darin wenig praktischen Nutzen erkenne. Das Kompetenzmodell der virtuosen Führung ist dagegen recht einfach. Die *ROC*-Studie ergab, dass eine Führungskraft mit starkem Charakter, die disziplinierte Geschäfts- und Personalentscheidungen trifft (Entscheidungen über Vision, strategische Ausrichtung, Führungsteam und Rechenschaftspflicht), eine virtuose Führungskraft ist.

40 Bei der Abwägung einer breiten Faktenpalette ist es Nate Silver zufolge deswegen »auch so wichtig, dass wir uns selbst besser verstehen lernen und die Art, wie wir die empfangenen Signale verzerren und interpretieren, um auf diese Weise bessere Vorhersagen erstellen zu können«. Siehe Nate Silver, Die Berechnung der Zukunft: Warum die meisten Prognosen falsch sind und manche trotzdem zutreffen, Übersetzung von Lotta Rüegger und Holger Wolandt. München: Heyne, 2013, S. 241. Das menschliche Gehirn versteht es ausgezeichnet, Muster in Daten zu erkennen. Korrekte Schlussfolgerungen gelingen ihm jedoch nicht immer, wenn ein ganzes Spektrum von Fakten zu berücksichtigen ist. Unsere Voreingenommenheit kann die Bedeutung der Daten verzerren, und dann verwechseln wir schnell Signal und Nebengeräusch.

41 Bei meiner Beschreibung disziplinierter Entscheidungsfindung habe ich mich stark auf die folgenden vier Werke gestützt: Daniel Kahneman, Schnelles Denken, langsames Denken, Übersetzung von Thorsten Schmidt. München: Pantheon Verlag, 2014; Sheena Iyengar, The Art of Choosing. New York: Hachette Book Group, 2010; Keith Stanovich, Rationality and the Reflective Mind. New York: Oxford University Press, 2011; sowie Chip Heath und Dan Heath, Decisive: How to Make Better Choices in Life and Work. New York: Crown Business, 2013.

42 »Flaws in Strategic Decision-Making«. In: McKinsey Quarterly, November 2009, S. 3 (Übertragen ins Deutsche vom Übersetzer).

43 Der Sarbanes-Oxley Act of 2002 (auch SOX, SarbOx oder SOA) ist ein US-Bundesgesetz, das als Reaktion auf Bilanzskandale von Unternehmen wie Enron oder WorldCom die Verlässlichkeit der Berichterstattung von Unternehmen, die den öffentlichen Kapitalmarkt der USA in Anspruch nehmen, verbessern soll.

44 Malcolm Gladwell, Überflieger: Warum manche Menschen erfolgreich sind – und andere nicht, Übersetzung von Jürgen Neubauer. Frankfurt a. M.: Campus Verlag, 2010.

45 John P. Kotter und Dan Cohen, The Heart of Change: Real-Life Stories of How People Change Their Organizations. Boston: Harvard Business School Publishing, 2012. S. 62 (Übertragen ins Deutsche vom Übersetzer).

46 Bill Hybels, Mutig führen: Navigationshilfen für Leiter, Übersetzung von Annette Schalk. Asslar: Gerth Medien, 2016. S. 35–41.

47 Forscher an der Universität von St. Gallen in der Schweiz haben als Erste die organisationale Energie und ihre Effekte auf die organisationale Leistung gemessen. Ihre Forschungsergebnisse sind nachzulesen in: Heike Bruch und Bernd Vogel, Fully Charged: How Great Leaders Boost Their Organization's Energy and Ignite High Performance. Boston: Harvard Business School Publishing, 2011. CEOs die „eine hohe Schlagzahl" als die »neue Normalität« einführen wollen, tappen häufig in die Beschleunigungsfalle, von den Autoren als »acceleration trap« bezeichnet. S. 139ff.

48 Roger Martin und A. G. Lafley, Playing to Win: How Strategy Really Works. Boston: Harvard Business Review Press, 2013.

49 Lawrence A. Cunningham, The Essays of Warren Buffett: Lessons for Corporate America. Durham, NC: Carolina Academic Press, [3]2013. S. 77f. (Übertragen ins Deutsche vom Übersetzer).

50 Diese Unterschiede sind ab 0,05 statistisch signifikant. Sie sind also eher nicht zufällig entstanden, sondern tatsächlich existierende Unterschiede.

Kapitel 5

51 Leider ist es so, dass die meisten Menschen Tag für Tag zur Arbeit gehen, ohne für sich einen Nutzen darin zu sehen, geschweige denn es spannend zu finden. In Nordamerika finden sich weltweit die engagiertesten Mitarbeiter, lächerliche 29 Prozent sagen, dass sie engagiert dabei sind, wie einer Gallup-Studie zu entnehmen ist. Die restlichen 71 Prozent sind nicht engagiert oder haben sogar innerlich gekündigt. Gallups weltweit erhobenen Daten zeigen, dass nur 13 Prozent aller Beschäftigten angeben, engagiert dabei zu sein. Siehe: http://www.gallup.com/poll/165719/northern-america-leads-world-workplace-engagement.aspx?ref=more. Für eine vollständige Bibliographie von Quellen siehe auch: Appendix zu White Paper 103.

52 Dieses Modell wird gewöhnlich als GRPI-Modell bezeichnet, ein Akronym aus Goals, Roles, Processes und Interpersonal Relations (Ziele, Rollen, Prozesse und zwischenmenschliche Beziehungen). Es wurde erstmals vorgestellt von Richard Beckhard, »Optimizing Team Building Effort«. In: Journal of Contemporary Business 1,3 (1972). S. 23–32. Ein Klassiker zum Thema, der sich langfristig bewährt hat, ist Jon R. Katzenbach und Douglas K. Smith, Teams. Der Schlüssel zur Hochleistungsorganisation, Übersetzung von Annemarie Pumpernig und Stefan Gebauer. Frankfurt a. M.: Redline Wirtschaft bei moderne industrie, 2003.

53 Das vielleicht am gründlichsten recherchierte System zur Organisationsentwicklung wurde von Elliott Jacques entwickelt. Eine Kernprämisse seiner Theorie ist, dass organisationale Dysfunktion fast immer auf Unzulänglichkeiten von Struktur und Systemen zurückzuführen ist, nicht auf unzulängliche Mitarbeiter. Die Auswirkungen von einem schwachen Charakter auf die organisationale Dysfunktion hat er nicht bewertet. Da sich die Führung einer Organisation aber aus Personen mit starkem Charakter zusammensetzt, stimme ich insoweit zu, als Dysfunktion im Regelfall zunächst durch die Verbesserung von Struktur und Systemen behoben werden sollte. Näheres über diese Theorie erfahren Sie in: Elliott Jacques, Requisite Organization: A Total System for Effective Managerial

Organization and Managerial Leadership for the 21st Century: Amended. Arlington, VA: Cason Hall and Company, 2006.

54 In die Befragung zu unserer Studie sind die folgenden vier Items eingebettet, aus denen hervorgeht, wie die Organisationsstruktur die Effektivität der Umsetzung unterstützt. Mir ist natürlich bewusst, dass die Dimensionen der Organisationsstruktur komplexer sind, als diese vier Items vermuten lassen, doch in Ermangelung belastbarerer Daten haben wir diese vier Items herangezogen, um die Organisationsstruktur zu bewerten. Die Punktwerte für die einzelnen Items weisen signifikante – also wahrscheinlich nicht zufallsbedingte – Unterschiede auf. (Für den in statistischer Analyse bewanderten Leser sind solche Unterschiede auf dem Niveau von 0,05 signifikant.)

Befragungsitems zur Organisationsstruktur	Durchschnitts-Punktwert virtuos Mitarbeiter-bewertung	Durchschnitts-Punktwert ichbezogen Mitarbeiter-bewertung
Ich habe den Freiraum und die Befugnis, um nötige Entscheidungen zu treffen.	81	73
In meiner Abteilung sind wir flexibel und stellen uns schnell auf veränderte Umstände und Anforderungen ein.	86	81
Die Abteilungen in unserer Organisation funktionieren wie Silos – sie operieren jede in ihrer eigenen Welt, oft ohne ein Bewusstsein ihrer Wirkung auf und Verbindung mit anderen Abteilungen.	36	52
Wir tauschen wichtige Informationen zwischen Abteilungen aus.	72	60

Schlüssel:
100 = Immer
75 = Häufig
50 = Zu etwa 50 Prozent
25 = Selten
0 = Nie

55 Diese vier Charaktergewohnheiten von Führungspersonen sagen am meisten über den Gesamt-Punktwert des Execution-Readiness-Index aus:

Item	Pearson-r
Akzeptiert, dass andere Fehler machen	+0,71
Hält Zusagen ein	+0,82
Behandelt Menschen wie Menschen – nicht wie »Produktionseinheiten«	+0,80
Gibt eigene Fehler zu	+0,73

Kapitel 6

56 Beispiele für solche Machenschaften von CEOs finden sich allenthalben. Ich kann auf zwei verweisen: »Top 10 Crooked CEOs«. In: Time, 2009, http://content.time.com/time/specials/packages/article/0,28804,1903155_1903156_1903160,00.html; und Susan Adams, »The Worst CEO Screw-ups of 2013«. In: Forbes, 18. Dezember 2013, http://www.forbes.com/sites/susanadams/2013/12/18/the-worst-ceo-screwups-of-2013/.

Ich empfehle Ihnen, die Website von Barry Wehmiller zu besuchen: http://www.barrywehmiller.com. Dort erfahren Sie mehr über die Botschaft des Unternehmens, seine Kultur und seine Verpflichtung zu klaren Führungsgrundsätzen. Dort finden Sie auch Links zu Bob Chapmans Blog: Truly Human Leadership, und zur YouTube-Seite des Unternehmens leaders@work.

58 Brad Stone, »Costco CEO Craig Jelinek Leads the Cheapest, Happiest Company in the World«. In: Bloomberg BusinessWeek online, 6. Juni 2013 (Übertragen ins Deutsche vom Übersetzer).

59 Ebd. (Übertragen ins Deutsche vom Übersetzer).

60 Austin Smith, »An Interview with Costco CEO Craig Jelinek«. In: Motley Fool, 1. August 2013, http://www.fool.com/investing/general/2013/08/01/an-interview-with-costco-ceo-craig-jelinek.aspx (Übertragen ins Deutsche vom Übersetzer).

61 Trefis Team, »How Costco Has Maintained a Steady Growth Rate in the U.S.«, 14. November 2013,

http://www.trefis.com/stock/cost/articles/214922/how-costco-has-maintained-a-steady-growth-rate-in-the-u-s/2013-11-14.

62 Smith 2013 (Übertragen ins Deutsche vom Übersetzer).

63 Trefis Team 2013.

64 American Customer Satisfaction Index, Benchmarks by Company list, http://www.theacsi.org/index.php?option=com_content&view=article&id=149& catid&Itemid=214&c=Costco+.

65 Renee Dudley, »Customers Flee Wal-Mart Empty Shelves for Target, Costco«. In: Bloomberg.com, 26. März 2013.

66 Adrian Campos, »Why Costco Is Beating Wal-Mart«. In: USAToday.com, 2. Dezember 2013, www.usatoday.com/story/money/markets/2013/12/02/whycostco-is-beating-wal-mart/3691555/.

67 Daniel Ferry, »What Makes Costco One of America's Best Companies«. In: Motley Fool, 27. Februar 2013, https://www.fool.com/investing/general/2013/02/27/what-makes-costco-one-of-americas-best-companies.aspx?source=isesitlnk0000001.

68 Walmart, »2013 Diversity and Inclusion Report«, http://corporate.walmart.com/global-responsibility/diversity-inclusion/.

69 Nach zehnjähriger Tätigkeit verließ Sheahan Patagonia im Januar 2014. Siehe: Clare O'Connor, »Outdoor Gear Titan Patagonia Names Rose Marcario CEO as Company Bets on Sustainable Food«. In: *Forbes*, 23. Januar 2014.

70 Berichte finden Sie unter: http://www.rei.com/stewardship/report.html.

71 Berichte über die Umweltinitiativen von Patagonia finden Sie hier: http://www.patagonia.com/us/environmentalism.

Kapitel 7

72 Die Geschichte von Mark, die ich in diesem Kapitel verwendet habe, basiert auf den gesammelten Erfahrungen ausgewählter Kunden, die meine Kollegen und ich über die Jahre bei KRW International betreut haben. Für diese Sammelgeschichte habe ich die Namen und andere Details verändert, um die Vertraulichkeit der Daten von KRW-Kunden zu gewährleisten.

73 Der Text von Tech Crunch-Reporter Darrel Etherington über das Ereignis erschien unter dem Datum 13.08.2013 auf der Internetseite: http://techcrunch.com.

74 Daniel J. Siegel, Mindsight: Die neue Wissenschaft der persönlichen Transformation, Übersetzung von Franchita Mirella Cattani. München: Wilhelm Goldmann Verlag, 2012. S. 265.

75 Ebd. S. 262.

76 Möchten Sie sich näher mit diesem Teil Ihrer Persönlichkeitsgeschichte auseinandersetzen, sollten Sie die Hilfe eines Freundes, Mentors oder eines erfahrenen Beraters in Anspruch nehmen. Die Aufarbeitung frühkindlicher Erlebnisse kann unerwartete emotionale Reaktionen auslösen. Hilft Ihnen ein Freund, diese Erinnerungen richtig einzuordnen, gibt das eine gewisse Sicherheit.

77 Selbst wenn Sie feststellen sollten, dass Ihnen das Achtsamkeitstraining kein besseres Bewusstsein dafür vermittelt, was Sie an Ihrem Leben verändern möchten, bringt es Ihnen andere wertvolle positive Effekte für Ihre Gesundheit. Das Achtsamkeitstraining ist gut dokumentiert als Methode zum Senken des Blutdrucks und zur generellen Förderung Ihrer körperlichen und geistigen Gesundheit.

78 Interessanterweise ist die Willenskraft gewöhnlich gleich morgens am stärksten und lässt im Laufe des Tages nach. Sie einzusetzen, um abends etwas Wichtiges zu erreichen, ist daher bestenfalls ein heikles Unterfangen.

79 Neben meiner eigenen jahrelangen Erfahrung aus der Beratung von Führungskraft zu Prozessen der persönlichen Veränderung habe ich aus drei weiteren hervorragenden Quellen geschöpft, um diesen Schritt im Prozess der Charakterentwicklung zu beschreiben: Siegel 2012; Robert Kegan und Lisa Laskow Lahey, Immunity to Change: How to Overcome It and Unlock the Potential in Yourself and Your Organization. Boston: Harvard Business Review Press, 2009; sowie Ronald A. Heifetz, Marty Linsky und Alexander Grashow, The Practice of Adaptive Leadership: Tools and Tactics for Changing Your Organization and the World. Boston: Harvard Business Press, 2009.

80 Gehirnforschung ist ein aktuelles Thema. Laufend gibt es neue Forschungsergebnisse gefolgt von neuen Publikationen. Diese neuen Publikationen sollten Sie zwar stets ausloten, doch ich bin auf zwei Quellen gestoßen, die sehr gut erklären, wie das menschliche Gehirn wirklich funktioniert und sich verändert: John Medina, *Brain Rules: 12 Principles for Surviving and Thriving at Work, Home, and School.* Seattle, WA: Pear Press, 2008; und Sharon Begley, *Neue Gedanken – neues Gehirn: Die Wissenschaft der Neuroplastizität beweist, wie unser Bewusstsein das Gehirn verändert,* Übersetzung von Burkhard Hickisch. München: Arkana, 2007.

Kapitel 8

81 John P. Kotter und Dan S. Cohen, The Heart of Change: Real-Life Stories of How People Change Their Organizations. Boston: Harvard Business School Press, 2002 (Übertragen ins Deutsche vom Übersetzer).

82 Ebd. S. 84.

83 Eine umfassende Erörterung des Execution-Readiness-Modells finden Sie beim KRW Research Institute, »Execution Readiness: Effectively Executing the Business Plan«. White Paper Nr. 103 (2009), http://www.krw-intl.com/our-thinking/#white-papers.

84 Bill Bojan ist CEO und Gründer von Integrated Governance Solutions. Vor der Gründung dieser Organisation verantwortete er bei einem Fortune-25-Unternehmen die Bereiche Risiko und Ethik

und erlebte selbst, wie verheerend ein aus den Fugen geratenes »Ökosystem« für ein Unternehmen sein kann. Siehe: http://www.integratedgovernance.com.

85 Jack Lederer hat reichlich Erfahrung in der Beratung von Führungspersonen und weiß aus erster Hand, was passieren kann, wenn ein Aufsichtsrat versagt. Siehe: http://www.jlboardadvisors.com.

86 John P. Kotter, »Leading Change: Why Transformation Efforts Fail«. In: Harvard Business Review, März–April 1995.

Fazit

87 Daron Acemoglu und James A. Robinson beschreiben eindringlich und detailliert die Folgen des Modells vom Homo oeconomicus und wie Gesellschaften in Armut verhaftet bleiben, wenn ich-bezogene Führungskräfte extraktive politische Institutionen und Volkswirtschaften aufbauen. Konzentriert sich wirtschaftliche und politische Macht auf eine elitäre Gruppe, leidet die gesamte Gesellschaft. Siehe: Daron Acemoglu und James A. Robinson, *Warum Nationen scheitern – Die Ursprünge von Macht, Wohlstand und Armut*, Übersetzung von Bernd Rullkötter. Frankfurt a. M.: S. Fischer Verlag, 2013.

88 Kishore Mahbubani, The Great Convergence: Asia, the West, and the Logic of One World. New York: Public Affairs, Perseus Books, 2013. Dieser Autor eröffnet einen nicht-westlich geprägten Blickwinkel auf geopolitische und wirtschaftliche Kräfte. Meines Erachtens ist das ein ausgewogener Standpunkt. Er räumt ein, dass die globalen Probleme gravierend und tiefgehend sind, bietet aber auch konkrete Lösungen und verbreitet Optimismus. Mahbubani schreibt aus der Perspektive eines gebürtigen Asiaten. Er wuchs in Singapur auf und absolvierte zwei Amtszeiten als singapurischer Botschafter bei den Vereinten Nationen. Zurzeit ist er Dekan der Lee Kuan Yew School of Public Policy der National University of Singapore.

89 Diesen Begriff verdanke ich meinem Freund Phil Styrlund, der ihn geprägt hat.

90 Meine Daten zur Generation Y stammen aus dem Bericht »Millennials in Adulthood: Detached from Institutions, Networked with Friends«, des Pew Research Center, 7. März 2014.

Register

Namensregister

Der Autor

Fred Kiel, PhD, ist Gründer und Leiter des »KRW Research Institute«. Mit »Return On Character: The Real Reason Leaders und their Companies Win« (die Originalausgabe ist 2015 bei »Harvard Business Review Press« erschienen) legt Fred Kiel die Ergebnisse einer umfassenden Studie vor, die erstmals mit harten Zahlen belegt, dass Charakter ein entscheidender und bislang vernachlässigter Treiber von Unternehmenserfolg ist. Den Grundstein für diese Forschungsarbeit hat Fred Kiel als Co-Autor von »Moral Intelligence« (2004) gelegt.
Seit mehr als dreißig Jahren berät Fred Kiel Fortune-500-CEOs und Führungskräfte dabei, die Effektivität ihrer Organisation durch exzellente Führung zu steigern.

CPSIA information can be obtained
at www.ICGtesting.com
Printed in the USA
BVHW051216270421
605940BV00010B/188